La poética estructuralista

Jonathan Culler

La poética estructuralista

estructuralista

El estructuralismo, la lingüística
y el estudio de la literatura

EDITORIAL ANAGRAMA

BARCELONA

Título de la edición original:
Structuralist poetics
Routledge & Kegan Paul
Londres, 1975

Traducción:
Carlos Manzano

Maqueta de la colección:
Argente y Mumbrú

Portada:
Julio Vivas

© EDITORIAL ANAGRAMA, 1978
Calle de la Cruz, 44
Barcelona-34

ISBN 84-339-0056-0
Depósito legal: B. 36611 - 1978

Printed in Spain

Gráficas Diamante, Zamora 83, Barcelona-18

PREFACIO

¿Para qué sirve la crítica literaria? ¿Cuál es su misión y cuál su valor? A medida que el número de estudios interpretativos aumenta hasta el punto de que la lectura de lo que se ha escrito sobre cualquier autor de primera fila se convierte en una tarea impracticable, semejantes cuestiones se plantean con mayor insistencia a quien se ocupa del estudio de la literatura, aunque sólo sea porque ha de decidir cómo distribuir su tiempo disponible. ¿Por qué debe leer y escribir crítica?

Desde luego, en un sentido la respuesta es obvia: en el proceso de la educación literaria la crítica es a un tiempo un fin y un medio, la culminación natural del estudio de un autor y el instrumento para la formación literaria. Pero, si bien la función que le ha correspondido desempeñar a la crítica en el sistema educativo sirve para explicar la cantidad de escritos críticos, no contribuye mucho a justificar esa actividad en sí misma. Tampoco la defensa humanista tradicional de la educación literaria —que afirma que lo que aprendemos no es la literatura ni cómo leerla, sino el mundo y cómo interpretarlo— constituye una defensa suficiente de la crítica como modo de conocimiento independiente.

Si existe una crisis en la crítica literaria, se debe indudablemente a que pocos de los muchos que escriben sobre literatura tienen el deseo de defender su actividad o argumentos para hacerlo. Y de ello es responsable en alguna medida el clima crítico predominante en Inglaterra y Norteamérica. La erudición histórica, que en un tiempo fue el modo de crítica predominante, independientemente de sus otras deficiencias, podía defenderse como intento de aplicar al texto información suplementaria e inaccesible y,

7

de ese modo, facilitar su comprensión. Pero la ortodoxia legada por el *New Criticism*, que centra su atención en «el texto en sí mismo», que valora ese encuentro y las interpretaciones resultantes, es más difícil de defender. Una crítica intrínseca o inmanente, que, en principio, si no en la práctica, requiere sólo el texto de un poema y el *Oxford English Dictionnary*, ofrece una versión mucho más completa y penetrante de lo que cada lector hace por sí mismo. Al no citar conocimiento especial decisivo del que se pudiera derivar su autoridad, la crítica interpretativa parece defenderse mejor como instrumento pedagógico que ofrece ejemplos de inteligencia para estimular a los demás. Pero de esa clase de ejemplos no se necesitan muchos.

Así, pues, ¿qué hemos de decir de la crítica? ¿Qué otra cosa puede hacer? Mi tesis en este libro es la de que, a la hora de intentar revitalizar la crítica y liberarla de una función exclusivamente interpretativa, a la hora de desarrollar un programa que la justificaría como modo de conocimiento y nos permitiría defenderla con pocas salvedades, podría sernos útil examinar la obra de los estructuralistas franceses. No es que su crítica sea, a su vez, un modelo que pueda o deba importarse e imitarse reverentemente, sino que mediante una lectura de las obras estructuralistas podemos inferir una apreciación de la crítica como disciplina coherente y de los fines a que podría encaminarse. Es decir, que un encuentro con dichas obras puede permitirnos ver lo que la crítica podría hacer, aun en los casos en que las propias obras no acaben de satisfacernos.

El tipo de estudio literario que el estructuralismo nos ayuda a concebir no sería primordialmente interpretativo; no ofrecería un método cuya aplicación a las obras literarias produjera significados nuevos y hasta entonces imprevistos. Más que una crítica que descubre o asigna significados, sería una poética que se esfuerza por definir las condiciones del significado. Al prestar nueva atención a la actividad de la lectura, intentaría especificar cómo tratamos de dar sentido a los textos, cuáles son las operaciones interpretativas en que la propia literatura, como institución, se basa. Así como el hablante de una lengua ha asimilado una gramática compleja que le permite leer una serie de sonidos o letras como una oración con significado, así también el lector de la literatura ha adquirido, mediante sus encuentros con obras literarias, un dominio implícito de las diferentes convenciones semióticas que le permiten leer series de oraciones como poemas o novelas dotados de forma y significado. El estudio de la literatura, por oposición a la lectura cuidadosa y al comentario de las obras individuales, pasaría a ser un intento de entender las convenciones que hacen posible la literatura. El objetivo principal de este libro es mostrar que semejante poética surge del estructuralismo, indicar lo que ya se ha conseguido y esbozar lo que podría llegar a ser.

Mi trabajo sobre este tema comenzó cuando, con motivo de mi doctorado en Oxford, emprendí una tesis sobre *El estructuralismo: el desarrollo de los modelos lingüísticos y su aplicación a los estudios literarios.* Deseaba investigar los fundamentos teóricos de la crítica francesa contemporánea y determinar qué clase de crítica sería provechoso ensayar. Aunque este libro es una versión ampliada, reorganizada y reescrita de dicha tesis, todavía conserva los vestigios de su doble objetivo, que condujeron a una serie de opciones que pueden requerir explicación. En primer lugar, existen tantas obras de crítica literaria que podrían llamarse «estructuralistas», que el intento de realizar un examen completo habría dado como resultado un libro muy amplio y desenfocado. Si había que organizar ese corpus de crítica y dirigirlo hacia un futuro, parecía más importante designar y analizar un centro que trazar una frontera. Como se ha insistido una y otra vez en la deuda del estructuralismo para con la lingüística, y como en Francia y en otros sitios muchos autores han sostenido la importancia de los métodos lingüísticos en los estudios literarios, adoptamos ese problema como tema central. El resultado es una descripción del estructuralismo basada, al menos en primer término, en las posibles relaciones entre los estudios literarios y los lingüísticos.

La primera parte del libro estudia el alcance y las limitaciones de los métodos lingüísticos y pasa revista a los diferentes modos como han intentado los estructuralistas aplicar los modelos lingüísticos al estudio de la literatura. Debate lo que la lingüística

9

puede hacer y lo que no e intenta mostrar que los relativos éxitos y fracasos de los diferentes enfoques estructuralistas dependen estrechamente de sus interpretaciones del modelo lingüístico.

En esa sección no he intentado escribir una historia de la influencia de la lingüística. Indudablemente tiene importancia el hecho de que la «iniciación» lingüística de Roland Barthes se produjera en Alejandría en 1950 mediante los buenos oficios de A. J. Greimas y que leyera a Viggo Bröndal antes de leer a Saussure, pero la reconstrucción de biografías intelectuales detalladas habría distraído la atención que habría que prestar a la cuestión de cómo pueden los modelos lingüísticos reorganizar la crítica y cuál es su validez. No obstante, el hecho de que me centre en el estructuralismo impide que este libro sirva de descripción exhaustiva de los usos de la lingüística, en los estudios literarios, pues, aunque creo que mis conclusiones se pueden generalizar, no he intentado considerar las propuestas sobre el uso de la lingüística que se han hecho fuera de los círculos estructuralistas.

La segunda parte del libro pasa a ocuparse del que considero el mejor uso de la lingüística: como modelo que sugiere cómo debe organizarse una poética. Después de esbozar una noción de la competencia literaria y de trazar diferentes tipos de convención y de modos de naturalización, intento indicar cómo enfocaría o ha enfocado una poética estructuralista la lírica y la novela. Los lectores a quienes sólo interesen las contribuciones positivas del estructuralismo preferirán saltarse los capítulos 2 a 5 y centrar su atención en la dicha sección.

En ella es donde mi propia orientación produce sus efectos más obvios. Aunque en la exposición se traslucirá cuáles son las obras de crítica que considero más valiosas, no las he analizado ni evaluado una por una, sino que las he usado como fuentes en que beber en mi estudio de los problemas literarios. Por otro lado, aunque espero no haber incurrido en el error de no entender a los estructuralistas en sus propios términos, en muchas ocasiones he discrepado de dichos términos y he organizado mis comentarios en consecuencia. A quien ponga objeciones al hecho de que yo coloque las obras críticas en una perspectiva que sus autores podrían rechazar, no puedo decirle sino que lo he hecho en un intento de aumentar su valor y no de quitárselo y que, en cualquier caso, el tipo de reestructuración o reinterpretación que he emprendido está justificado ampliamente por las teorías expuestas en las obras que puedo deformar.

Por último, no he intentado distinguir sistemáticamente en esa sección lo que los propios estructuralistas han propuesto de lo que la consideración de la literatura en la perspectiva estructuralista me ha llevado a concebir, ni de lo que los elementos de la obra de críticos de otras tradiciones que podrían contribuir al avance de la poética estructuralista. Como dice Heidegger,

> *Je grösser das Denkwerk eines Denkers ist, das sich keineswegs mit dem Umfang und der Anzahl seiner Schriften deckt, um so reicher ist das in diesem Denkwerk Ungedachte, d.h. jenes, was erst und allein durch dieses Denkwerk als das Noch-nicht-Gedachte heraufkommt.*

> (Cuanto mayor es el pensamiento de un autor —que no tiene nada que ver con la extensión y el número de sus escritos— más rico es lo no pensado en su obra intelectual: es decir, lo que surge en primer lugar y exclusivamente a través de su pensamiento como todavía-no-pensado.)

Dice mucho en su favor el hecho de que el estructuralismo haga posible ver nuevas virtudes en otras críticas y organizarlas en formas nuevas.

Gran parte del material de este libro lo he usado en conferencias sobre el estructuralismo y la semiología pronunciadas en el Departamento de Lingüística de la Universidad de Cambridge. Deseo expresar mi agradecimiento a J. L. M. Trim, director del Departamento, por invitarme a hablar de esos problemas, y a mis oyentes, que, mediante sus objeciones, comentarios o preguntas, me ayudaron a clarificar y revisar. También me gustaría dar las gracias al señor J. Bosquet de la École normale supérieure, al Dr. Roger Fowler de la Universidad de East Anglia, al profesor John Holloway de la Universidad de Cambridge, al profesor Frank

11

Kermode del University College, Londres, al Dr. David Robey de la Universidad de Oxford y a los organizadores de la conferencia Gregynog sobre crítica contemporánea, por invitarme a debatir esas cuestiones con auditorios interesados. Estoy en gran deuda para con todos aquellos que han leído y montado partes del manuscrito en diferentes etapas: Jean-Marie Benoist, el profesor A. Dwight Culler, el profesor Alison Fairlie, la Dra. Veronica Forrest-Thompson, Alan Jackson, el profesor Frank Kermode, Colin MacCabe, el Dr. Philip Pettit y el Dr. John Rutherford. Deseo expresar mi agradecimiento especial a los examinadores de mi tesis doctoral leída en Oxford, el profesor John Weightman y el Dr. Richard Sayce, por sus pertinentes críticas y sugerencias, y al profesor Stephen Ullmann, quien accedió generosamente a supervisar la investigación sobre un tema que podría haber parecido bastante discutible y fue una fuente constante de información, consejo y amistad.

Selwyn College, Cambridge
Junio de 1973.

Primera parte

El estructuralismo y
los modelos lingüísticos

CAPITULO 1

EL FUNDAMENTO LINGÜISTICO

Tout dit dans l'infini quelque chose à quelqu'un *

HUGO

No se puede definir el estructuralismo examinando las formas como se ha usado el término; eso sólo conduciría a la desesperación. Desde luego, puede ser que el término haya sobrevivido a su utilidad. El hecho de llamarse a sí mismo estructuralista fue siempre un gesto polémico, una forma de llamar la atención y de asociarse con otros cuya obra era importante; lo único que demostraría el estudio de semejantes gestos con seriedad y atención erudidas sería que los rasgos comunes de todo lo que se ha llamado «estructuralista» son verdaderamente demasiado comunes. Esa es la conclusión que se saca, por ejemplo, de *Le Structuralisme* de Jean Piaget, que muestra que las matemáticas, la lógica, la física, la biología y todas las ciencias sociales hace tiempo que se ocupan de la estructura y, por tanto, ya estaban practicando el «estructuralismo» antes de la llegada de Lévi-Strauss. Pero ese uso del término deja sin explicar un hecho importante: ¿por qué, en ese caso, pareció nuevo y estimulante el estructuralismo francés? Aun cuando se lo deseche como otra moda parisina, ya eso basta para indicar algunas características sorprendentes y proporciona

* «Todo en el infinito dice algo a alguien.»

razones *prima facie* para suponer que en algún sitio existe algo específicamente estructuralista. Así, que, en lugar de rechazar el término por considerarlo irremediablemente vago, lo que debemos hacer es determinar qué significado hay que conferirle para que desempeñe un papel en un discurso coherente en tanto que denominación de un movimiento intelectual particular centrado en torno a la obra de unas cuantas figuras de importancia, la principal de las cuales, en el dominio de los estudios literarios, es Roland Barthes.

El propio Barthes definió en cierta ocasión el estructuralismo, «en su versión más especializada y, en consecuencia, más pertinente», como un modo de análisis de los artefactos culturales que se origina en los métodos de la lingüística contemporánea (*Science versus literature,* p. 897). Esa concepción puede apoyarse tanto en textos estructuralistas, como el artículo precursor de Lévi-Strauss *L'analyse structurale en linguistique et anthropologie,*[1] que sostenía que siguiendo el ejemplo del lingüista el antropólogo podría reproducir en su propia disciplina la «revolución fonológica», como en la obra de los adversarios más serios y competentes del estructuralismo. Para atacar al estructuralismo, afirma Paul Ricoeur, hay que centrar la discusión en sus fundamentos lingüísticos (*Le Conflit des interprétations,* p. 80). La lingüística no es sólo un estímulo y una fuente de inspiración, sino también un modelo metodológico que unifica los proyectos —de otro modo, diversos— de los estructuralistas. Según Barthes, la significación ha sido su preocupación esencial; «he emprendido una serie de análisis estructurales que se proponen definir una serie de 'lenguajes' no lingüísticos» (*Essais critiques,* p. 155). La continuidad de su obra procede del intento de analizar diferentes prácticas como lenguajes.

Además, y ésta es una de sus mayores virtudes, esa definición plantea varias cuestiones obvias: ¿por qué han de ser los métodos de la lingüística contemporánea pertinentes para el análisis de otros fenómenos sociales y culturales? ¿Qué métodos son pertinentes? ¿Cuáles son los efectos de usar la lingüística como modelo? ¿Qué clase de resultados nos permite alcanzar? Para debatir el estructuralismo hay que definir tanto la promesa como las limitaciones de ese uso de la lingüística, especialmente estas últimas, pues, como dice Barthes, el deseo de indagar los límites del modelo lingüístico no es una forma de prudencia, sino un reconocimiento de «le lieu central de la recherche». Sin embargo, a pesar de su posición central, los estructuralistas no han ofrecido una descripción satisfactoria de los usos de la lingüística, y ésa es una de las lagunas que este estudio intenta llenar.

La idea de que la lingüística ha de ser útil para estudiar otros fenómenos culturales se basa en dos concepciones fundamentales: primero, la de que los fenómenos sociales y culturales no son objetos o acontecimientos simplemente materiales, sino también objetos o acontecimientos con significado y, por tanto, signos; y segunda, la de que no tienen esencia, sino que los define una red de relaciones, tanto internas como externas. Puede ponerse el acento en una u otra de esas proposiciones —así es como se podría distinguir, por ejemplo, semiología y estructuralismo—, pero, de hecho, son inseparables, pues al estudiar los signos hay que investigar el sistema de relación que permite la producción del significado, y, recíprocamente, la única forma de determinar las relaciones pertinentes entre los especímenes concretos es la de considerarlos signos.

De modo, que el estructuralismo se basa, en primer término, en la comprensión de que, si la acción o las producciones humanas tienen un significado, debe de haber un sistema subyacente de distinciones y convenciones que hace posible ese significado. Ante una ceremonia nupcial o un partido de fútbol, por ejemplo, el observador de una cultura en que éstos no existieran podría presentar una descripción objetiva de las acciones que se producen, pero sería incapaz de captar su significado, por lo que no estaría tratándolas como fenómenos sociales o culturales. Las acciones son significativas sólo con relación a un conjunto de convenciones institucionales. Si hay dos postes se puede introducir entre ambos un balón con el pie, pero sólo se puede marcar gol dentro de un marco institucionalizado. Como dice Lévi-Strauss en su *Introduction à l'oeuvre de Marcel Mauss*, «las acciones particulares de los individuos nunca son simbólicas por sí mismas; son los elementos a partir de los cuales se construye un sistema simbólico, que ha de ser colectivo» (p. xvi). El significado cultural de cualquier acto u objeto va determinado por todo un sistema de reglas consecutivas: reglas que, más que regular el comportamiento, lo que hacen es crear la posibilidad de formas particulares de comportamiento. Las reglas del inglés permiten que secuencias de sonidos tengan significado; hacen posible articular oraciones gramaticales o agramaticales. De forma análoga, diferentes reglas sociales hacen posible casarse, marcar un gol, escribir un poema, ser maleducado. En ese sentido es en el que la cultura se compone de un conjunto de sistemas simbólicos.

Cuando tomamos como objeto de estudio, no fenómenos físicos, sino artefactos o acontecimientos con significado, las características que definen los fenómenos se convierten en los rasgos que distinguen unos de otros y les permiten estar dotados de significado dentro del sistema simbólico del que proceden. El objeto está, a su vez, estructurado y se define mediante su lugar en la estructura del sistema, lo que explica la tendencia a hablar de «estructuralismo».

Pero, ¿por qué había de pensarse que la lingüística, el estudio de un sistema particular y bastante distintivo, proporciona métodos para investigar cualquier sistema simbólico? Ferdinand de Saussure consideró este problema cuando llegó a postular una ciencia de la «semiología», una ciencia general de los signos, que todavía no existía, pero cuyo lugar, como él dijo, estaba asegurado de antemano. Si consideramos los ritos y las costumbres como signos, aparecerán bajo una nueva luz, y, según él, la lingüística debía ser la fuente de la iluminación, «le patron général de toute sómiologie». En el caso de los signos no lingüísticos siempre existe el peligro de que sus significados parezcan naturales; hay que considerarlos con cierto distanciamiento para ver que sus significados son, de hecho, los productos de una cultura, el resultado de conjeturas y convenciones compartidas. Pero en el caso de los signos lingüísticos la base convencional o «arbitraria» es evidente y, en consecuencia, al tomar la lingüística como modelo podemos eludir el error corriente de suponer que los signos que parecen naturales a quienes los usan tienen un significado intrínseco y no requieren explicación. La lingüística, concebida para estudiar el sistema de las reglas subyacentes al habla, obligará por su propia naturaleza al analista a prestar atención a la base convencional de los fenómenos que está estudiando (*Cours de linguistique générale*, pp. 33-5 y 100-1).

No carecería de fundamento la sugerencia de que el estructuralismo y la semiología son idénticos. La existencia de los dos términos se debe en parte a un accidente histórico, como si cada disciplina hubiera tomado primero ciertos conceptos y métodos de la lingüística estructural, con lo se que hubiera convertido en un modo de análisis estructural, y sólo entonces hubiese comprendido que se había convertido o estaba convirtiéndose rápidamente en una rama de esa semiología que Saussure había imaginado. Así, Lévi-Strauss, cincuenta años después de que su artículo sobre el análisis estructural en la lingüística y en la antropología hubiera fundado su clase de estructuralismo, aprovechó la ocasión de su nombramiento como miembro del Collège de France para definir la antropología como «la ocupante auténtica del dominio de la semiología» y para rendir homenaje a Saussure por haber anticipado sus conclusiones (*Leçon inaugurale*, pp. 14-15). Como me estoy ocupando de la función y eficacia de los modelos lingüísticos y no estoy escribiendo una historia del estructuralismo, estos cambios de terminología son de poca importancia y no hay necesidad de distinguir los encabezamientos bajo los cuales podrían haberse adoptado. Así pues, si prefiero hablar de «estructuralismo» y no de «semiología» no es tanto porque distinga una teoría de la otra cuanto porque «estructuralismo» designa la obra de un grupo restringido de teóricos y escritores franceses, mientras que «semiología» podría referirse a cualquier obra que estudie los signos.

Afirmar que los sistemas culturales pueden tratarse provechosamente como «lenguajes» es sugerir que los entenderemos mejor si los estudiamos en los términos proporcionados por la lingüística y los analizamos de acuerdo con los procedimientos usados por

19

los lingüistas. De hecho, la gama de conceptos y métodos que los estructuralistas han considerado útiles es bastante limitada y sólo media docena de lingüistas merece la calificación de influencia determinante. Naturalmente, el primero es Ferdinand de Saussure, quien abordó resueltamente la heterogénea masa de los fenómenos lingüísticos y, reconociendo que el progreso sólo es posible si se aísla un objeto de estudio apropiado, distinguió los actos de habla (*la parole*) y el sistema de una lengua (*la langue*). Esta última es el objeto distintivo de la lingüística. Siguiendo el ejemplo de Saussure y centrándose en el sistema subyacente a los sonidos del habla, miembros del círculo lingüístico de Praga —en particular, Jakobson y Trubetzkoy— realizaron lo que Lévi-Strauss llamó la «revolución fonológica» y proporcionaron el que para los estructuralistas posteriores fue el modelo más claro del método lingüístico. Al distinguir el estudio de los sonidos efectivos del habla (la fonética) y la investigación de los aspectos del sonido que son funcionales en una lengua particular (la fonología), Trubetzkoy afirmó que «la fonología debe investigar qué diferencias fónicas de la lengua estudiada van unidas a diferencias de significado, cómo se relacionan mutuamente esos elementos o *rasgos* distintivos y de acuerdo con qué reglas se combinan para formar palabras y frases» (*Principes de phonologie,* pp. 11-12). La fonología fue importante para los estructuralistas porque mostró la naturaleza sistemática de los fenómenos más familiares, distinguió el sistema de su realización y no se centró en las características substantivas de los fenómenos individuales, sino en los rasgos diferenciales abstractos que podían definirse en función de las relaciones.

Hjelmslev y la escuela de Copenhague insistieron todavía más en la naturaleza formal de los sistemas lingüísticos: en principio, la descripción de una lengua no tenía por qué hacer referencia a la sustancia fónica o gráfica en que sus elementos pueden realizarse. Pero la influencia de Hjelmslev pudo deberse más a su insistencia en que su «glosemática» proporcionaba un marco teórico que todas las disciplinas humanísticas debían adoptar, si deseaban llegar a ser científicas. «*A priori* parece una tesis válida en general la de que para cada *proceso* existe un *sistema* correspondiente, por el cual el proceso puede analizarse y describirse mediante un número limitado de premisas» (*Prolegomena to a Theory of Language*, p. 9). Esta tesis pasó a ser uno de los axiomas del método estructuralista.

Emile Benveniste fue otra figura influyente. Aunque sus *Problèmes de linguistique générale* no se publicaron hasta 1966, los artículos que contiene ese libro ya eran conocidos como análisis incisivos de una gama amplia de temas lingüísticos. No sólo proporcionó a los estructuralistas descripciones lúcidas del signo y de los niveles y relaciones de la lingüística; sus análisis de una serie de subsistemas —los pronombres personales y los tiempos verbales— fueron adoptados directamente por los estructuralistas en sus estudios de la literatura.

Por último, hemos de decir unas palabras sobre Noam Chomsky. Aunque unos pocos estructuralistas han adoptado algunos de sus términos en su obra reciente, la gramática generativa no desempeña un papel en el desarrollo del estructuralismo. Lo que sí ofrece, y lo que le confiere su importancia en esta discusión, es una exposición de claridad ejemplar. Es decir, que la teoría del lenguaje de Chomsky nos permite ver lo que los lingüistas estructurales estaban haciendo realmente, las consecuencias de su práctica, y hasta qué punto eran engañosas e insuficientes sus descripciones de la disciplina. Aunque dentro de la propia lingüística las diferencias entre el enfoque de Chomsky y el de sus predecesores son extraordinariamente importantes, en el nivel de la generalidad que interesa a quienes acuden a la lingüística en busca de modelos que aplicar en otros dominios, la obra de Chomsky puede considerarse como una exposición explícita del programa implícito en la lingüística como disciplina, pero hasta entonces no expresado adecuada ni coherentemente. Así, pues, las referencias a Chomsky en la exposición que sigue no están destinadas a señalar puntos en que influyó en los estructuralistas, sino sólo a clarificar conceptos básicos y procedimientos analíticos que incluyen el «modelo lingüístico» que los estructuralistas han adoptado.

Langue, parole

La distinción básica en que se basa la lingüística moderna, y que es igualmente decisiva para la empresa estructuralista en otro dominios, es la separación por parte de Saussure de la *langue* y la *parole*. La primera es un sistema, una institución, un conjunto de reglas y normas interpersonales, en tanto que la segunda comprende las manifestaciones efectivas del sistema en el habla y en la escritura. Desde luego, es fácil confundir el sistema con su manifestaciones, concebir el inglés como el conjunto de expresiones inglesas. Pero el aprendizaje del inglés no consiste en aprender de memoria un conjunto de expresiones; consiste en dominar un sistema de reglas y normas que hacen posible producir y entender expresiones. Saber inglés es haber asimilado el sistema de la lengua. Y la tarea del lingüista no es estudiar expresiones en sí mismas; estas últimas le interesan sólo en la medida en que aportan testimonios sobre la naturaleza del sistema subyacente, la lengua inglesa.

Dentro de la propia lingüística existen desacuerdos sobre qué es lo que corresponde precisamente a la *langue* y qué a la *parole*: sobre si, por ejemplo, una descripción del sistema lingüístico debe especificar los rasgos acústicos y articulatorios que distinguen un fonema de otro (/p/ es «sordo» y /b/ «sonoro»), o si los rasgos de «sonoro» y «sordo» deben considerarse en la *parole* como manifestaciones de lo que, en la propia *langue,* es una distinción formal y abstracta. Semejantes debates no tienen por qué interesar al estructuralista, excepto en la medida en que indican que la estructura puede definirse en diferentes niveles de abstracción.[2] Lo que sí le interesa es un par de distinciones que la diferenciación de la *langue* con respecto a la *parole* está destinada a abarcar: entre regla y comportamiento y entre lo funcional y lo no funcional.

La distinción entre regla y comportamiento es decisiva para cualquier estudio que se ocupe de la producción o comunicación de significado. Al investigar los fenómenos físicos podemos formular leyes que no son otra cosa que compendios directos de comportamiento, pero en el caso de los fenómenos sociales y culturales la regla está siempre a cierta distancia del comportamiento real y esa separación es un espacio de significado potencial. El establecimiento de la regla más simple, por ejemplo «los miembros de este club no pisarán las grietas del pavimento» puede determinar comportamiento en algunos casos, pero lo que determina sin lugar a dudas es significado: la colocación de los pies sobre el pavimento, que anteriormente carecía de significado, significa ahora bien acatamiento de la regla bien desviación con respecto a ella y, por consiguiente, una actitud hacia el club y su autoridad. En los sistemas sociales y culturales el comportamiento puede desviarse frecuente y considerablemente de la norma sin impugnar su existencia. De hecho, muchas promesas no se cumplen, pero sigue existiendo una regla en el sistema de los conceptos morales en el sentido de que las promesas deben cumplirse; aunque, naturalmente, en caso de que uno nunca haya cumplido promesa alguna, pueden surgir dudas sobre si entendió la institución de la promesa si había asimilado sus reglas.

En lingüística la distinción entre regla y comportamiento se expresa de la forma más conveniente mediante los términos de Chomsky de *competencia* y *actuación,* que corresponden, respectivamente, a *langue* y *parole.* El comportamiento efectivo no es un reflejo directo de la competencia por una serie de razones diversas. La lengua inglesa no se agota en sus manifestaciones. Contiene oraciones potenciales que nunca se han pronunciado, pero a las cuales asignaría significado y estructura gramatical; alguien que haya aprendido inglés posee, por su capacidad para entender oraciones con que nunca se tropezará, una competencia que sobrepasa su actuación. Además, la actuación puede desviarse de la competencia: podemos pronunciar oraciones cuya agramaticalidad reconoceríamos, si volviéramos a oírlas: bien accidentalmente, al cambiar nuestro pensamiento, bien deliberadamente, para obtener efectos especiales. La competencia se refleja en el juicio emitido sobre la expresión o en el hecho de que la regla violada sea responsable en parte del efecto alcanzado.

La descripción de la *langue* o competencia es la representación explícita, mediante un sistema de reglas o normas, del saber implícito poseído por quienes operan con éxito dentro del sistema.

No tienen por qué ser conscientes de dichas reglas y, de hecho, en la mayoría de los casos no lo serán, pues el dominio c competencia auténticos entraña generalmente una comprensión intuitiva de las reglas que permite la acción o el entendimiento sin una reflexión explícita. Pero no por ello dejan de ser reales las reglas: el dominio supone la capacidad sistemática. El silvicultor experto no puede explicar cómo distingue, a distancia, diferentes especies de árboles, pero, en la medida en que no se trata de una adivinación fortuita, su capacidad podría definirse en principio como un programa que emplea un número limitado de variables funcionales.

Aunque las reglas de una *langue* pueden ser inconscientes, tienen correspondencias empíricas: en el caso del lenguaje se manifiestan en la capacidad del hablante para entender expresiones, para reconocer las oraciones bien construidas o las incorrectas, para detectar la ambigüedad, para percibir las relaciones de significado entre las oraciones, etc. El lingüista intenta construir un sistema de reglas que expliquen ese conocimiento mediante su reproducción formal. Así —y éste es el detalle importante—, las propias expresiones ofrecen al lingüista pocos elementos que pueda usar. El hecho de que se hayan pronunciado una serie de oraciones determinadas carece de importancia. Necesita saber, además, lo que significan para los hablantes de la lengua, si están bien construidas, si son ambiguas —y, en caso afirmativo, de qué modo— y qué cambios alterarían su significado o las volverían agramaticales. La competencia que el lingüista investiga no es tanto el propio comportamiento cuanto el conocimiento que corresponde a dicho comportamiento. Para que otras disciplinas procedan de forma análoga, deben identificar un conjunto de hechos por explicar —es decir, aislar algunos aspectos del conocimiento en cuestión— y después determinar qué reglas o convenciones deben postularse para explicarlos.

El segundo criterio fundamental que interviene en la distinción entre *langue* y *parole* es la oposición entre lo funcional y lo no funcional. Si hablantes de edades, sexos y regiones diferentes pronuncian la oración inglesa *The cat is on the mat* («El gato está sobre el felpudo»), los sonidos efectivos pronunciados variarán considerablemente, pero esas variaciones no serán funcionales dentro del sistema lingüístico del inglés en el sentido de que no alterarán la oración. Las pronunciaciones, por diferentes que sean sus sonidos, son variantes libres de una misma oración. Ahora bien, si un hablante altera el sonido de modo particular y dice *The hat is on the mat* («El sombrero está sobre el felpudo»), la diferencia entre /k/ y /h/ es funcional en el sentido de que produce una oración diferente con un significado distinto. Una descripción del sistema fonológico de una lengua debe especificar las distinciones funcionales en el sentido de que en esta lengua se usan para diferenciar signos.

Este aspecto de la distinción entre *langue* y *parole* es pertinente para cualquier disciplina que se ocupe del uso social de los objetos materiales, pues en semejantes casos hay que distinguir los propios objetos materiales del sistema de rasgos distintivos funcionales que determinan la pertenencia a una clase y hacen posible el significado. Trubetzkoy cita el estudio etnológico del vestido como un proyecto análogo a la descripción de un sistema fonológico (*Principes de phonologie*, p. 19). Muchos de los rasgos de los vestidos físicos que serían de gran importancia para el que los lleva puestos carecen de interés para el etnólogo, quien se ocupa exclusivamente de aquellos rasgos que están dotados de significado social. El largo de la falda podría ser un rasgo diferencial importante en el sistema de la moda de una cultura, en tanto que el material de que están hechas no. El contraste entre colores claros y oscuros podría transmitir un significado social general, en tanto que la diferencia entre azul oscuro y marrón no. El etnólogo, al aislar esas distinciones por las cuales los vestidos se convierten en signos, está intentando reconstruir el sistema de rasgos y normas que lo miembros de esa sociedad han asimilado.

Las relaciones

Al separar lo funcional de lo no funcional para reconstruir el sistema subyacente, no nos interesan tanto las propiedades de los objetos o acciones individuales cuanto las diferencias que el

25

sistema emplea y dota de significado. De eso procede el segundo principio fundamental de la lingüística: el de que la *langue* es un sistema de relaciones y oposiciones cuyos elementos deben definirse en términos formales, diferenciales. Para Lévi-Strauss una de las lecciones más importantes de la «revolución fonológica» fue su negativa a tratar los términos como entidades independientes y el hecho de que se centrara en las relaciones entre los términos (*Anthropologie structurale*, p. 40). Saussure había sido todavía más categórico: *dans la langue il n'y a que des différences sans termes positifs* (*Cours*, p. 166). Las unidades no son entidades positivas, sino los nudos de una serie de diferencias, de igual modo que un punto matemático no tiene contenido, sino que se define por sus relaciones con otros puntos.

Así, para Saussure la identidad de dos especímenes de una unidad lingüística (dos pronunciaciones del mismo fonema o morfema) no era una identidad de sustancia, sino sólo de forma. Ese es uno de sus principios más importantes e influyentes, aunque también es uno de los más difíciles de comprender. A título de ilustración, observa que tenemos la impresión de que el Express Ginebra-París de las 8,25 de la tarde es el mismo tren cada día a pesar de que la locomotora, los vagones y el personal pueden ser diferentes. Eso se debe a que el tren de las 8,25 no es una sustancia, sino una forma, definida por sus relaciones con otros trenes. Sigue siendo el de las 8,25 aunque salga veinte minutos más tarde, siempre que mantenga su diferencia con el de las 7,25 y el de las 9,25. Aunque puede que no seamos capaces de concebir el tren excepto en sus manifestaciones físicas, su identidad como hecho social y psicológico es independiente de dichas manifestaciones (*ibíd.*, p. 151). De forma semejante, por tomar un ejemplo del sistema de la escritura, podemos escribir la letra *t* de muchas formas distintas, siempre que preservemos su valor diferencial. No existe una sustancia positiva que la defina; el requisito principal es el de que se mantenga distinta de las demás letras con que podría confundirse, como *l, f, b, i, k.*

La noción de identidad relacional es crucial para el análisis semiótico o estructural de toda clase de fenómenos sociales y culturales, porque, al formular las reglas del sistema, hemos de identi-

26

ficar las unidades en que operan las reglas y descubrir así cuándo cuentan como especímenes de la misma unidad dos objetos o acciones. También es crucial porque constituye una ruptura con la noción de identidad histórica o evolutiva. La locomotora y los vagones que un día determinado constituyen el Expreso Ginebra-París de las 8,25 podrían haber formado unas horas antes el Expreso Berna-Ginebra de las 4,50, pero esa identidad histórica y material no es pertinente para el sistema de los trenes: el de las 8,25 ocupa el mismo lugar en el sistema, independientemente de la procedencia histórica de sus componentes. En el caso del lenguaje podemos decir con Saussure que, a la hora de intentar reconstruir el sistema subyacente, las relaciones pertinentes son las que son funcionales en el sistema, tal como opera en un momento determinado. Las relaciones entre las unidades individuales y sus antecedentes históricos no son pertinentes, en el sentido de que no definen las unidades como elementos del sistema. El estudio *sincrónico* de la lengua es un intento de reconstruir el sistema como un todo funcional, de determinar, si podemos decirlo así, lo que interviene en el hecho de saber inglés en un momento determinado, mientras que el estudio *diacrónico* de la lengua es un intento de trazar la evolución histórica de sus elementos a través de diferentes etapas. Los dos deben mantenerse separados, para que el punto de vista diacrónico no falsifique nuestra descripción sincrónica. Por ejemplo, históricamente el substantivo francés *pas* («paso») y el adverbio de negación *pas* derivan de la misma fuente, pero esa relación carece de función en el francés moderno, en el que son dos palabras distintas que actúan de formas diferentes. Intentar incorporar la identidad histórica a la gramática propia sería falsificar la identidad relacional y, en consecuencia, el valor que cada una de las palabras tiene en la lengua, tal como ahora se habla. La lengua es un sistema de especímenes relacionados entre sí y la identidad de dichos especímenes se define mediante el lugar que ocupan en el sistema y no por su historia.

Si la lengua es un sistema de relaciones, ¿cuáles son dichas relaciones? Consideremos la palabra inglesa *bed* («cama»). La identidad de sus diferentes manifestaciones fonéticas depende, en primer lugar, de la diferencia entre su estructura fonológica y las de *bread* («pan»), *bled* («sangrado»), *bend* («curva»), *abed* («ac‹ tado»), *deb* («debutante»). Además, los fonemas que lo compon‹ son, a su vez, conjuntos de rasgos diferenciales: la vocal pue‹ pronunciarse de distintas formas, siempre que se distinga de la ‹ *bad* («malo»), *bud* («brote»), *bid* («pedir»), *bade* («pidió»); y ‹ consonantes deben diferenciarse de las de *bet* («apuesta»), *b* («implorar»), *bell* («campana»), *fed* («alimentó»), *led* («condujo‹ *red* («rojo»), *wed* («mojado»), etc. En otro nivel, *bed* se defi‹ por sus relaciones con otras palabras: las que contrastan con el ‹ en el sentido de que podrían sustituirla en diferentes context‹ (*table* [«mesa»], *chair* [«silla»], *floor* [«piso»], *ground* [«su‹ lo»], etc.) y aquellas con las que puede combinarse en una ‹ cuencia (*the* [«el»], *a* [«un»], *soft* [«suave»], *is* [«es»], *lc* [«bajo»], *occupied* [«ocupado»], etc.). Por último, está relac‹ nada con constituyentes petrenecientes a un nivel superior: pue‹ hacer de núcleo de una frase nominal, de sujeto u objeto de ‹ oración.

Esas relaciones son de dos clases. Como dice Benveniste, «l relaciones entre elementos del mismo nivel son *distributivas;* l que existen entre elementos de niveles diferentes son *integradora* (*Problèmes de linguistique générale*, p. 124). Estas últimas pi porcionan los criterios más importantes para definir las unidad‹ lingüísticas. Los rasgos fonológicos distintivos se identifican p‹ su capacidad para crear y diferenciar fonemas, que son las unic des inmediatamente superiores a ellos en la escala. Los fonemas ‹ reconocen por su función de constituyentes de los morfemas; y l morfemas se distinguen de acuerdo con su capacidad para entr‹ en construcciones gramaticales de nivel superior y completarl‹ Así, pues, Benveniste indujo a definir la forma de una unidad con su composición en función de los constituyentes del nivel inferic y el *sens* o significado de una unidad es su capacidad para int‹ grar una unidad de nivel superior. La oración es la unid‹ máxima, cuya forma es su estructura de constituyentes. El «sigr ficado» de dichos constituyentes es la contribución que hacen a creación de la oración —su función como constituyentes de ésta— y su forma, a su vez, es su propia estructura de constituyente Aunque no hay razón para suponer que otros sistemas correspo‹

dan al lenguaje por el número y naturaleza de sus niveles, el análisis estructural da por sentado que será posible analizar unidades mayores en sus constituyentes hasta que al final se llegue a un nivel de distinciones funcionales mínimas. Desde luego, la idea de que las unidades de un nivel deben reconocerse por su capacidad de integración y de que dicha capacidad es su *sens* tiene una validez intuitiva en la crítica literaria, donde el significado de un detalle es su contribución a una configuración mayor.

Para volver explícita la capacidad de integración de un elemento hay que definir sus relaciones con otros especímenes del mismo nivel. Esas relaciones distributivas son de dos tipos. Las relaciones *sintagmáticas* se refieren a la posibilidad de combinación: dos especímenes pueden estar en relación de entrañe, compatibilidad o incompatibilidad recíprocos o no recíprocos. Las relaciones *paradigmáticas,* que determinan la posibilidad de substitución, son especialmente importantes en el análisis de un sistema. El significado de un espécimen depende de las diferencias entre él y otros especímenes que podrían haber ocupado el mismo puesto en una secuencia determinada. Usando el ejemplo de Sausure, aunque en el habla el francés *mouton* y el inglés *sheep* pueden usarse con la misma significccaión (al ser *There's a sheep* sinónimo de *Voilà un mouton*), esas palabras tienen valores diferentes en sus respectivos sistemas lingüísticos, ya que *sheep* contrasta con *mutton,* mientras que *mouton* no se define mediante un contraste correspondiente. El análisis de cualquier sistema requerirá que especifiquemos las relaciones paradigmáticas (contrastes funcionales) y las relaciones sintagmáticas (posibilidades de combinación).

A pesar de la importancia de las relaciones en el análisis de un sistema lingüístico se puede ser escéptico en cierto sentido en relación con la frecuente afirmación, hecha por primera vez por Saussure, de que la lengua es un sistema en el que *tout se tient*: en que todo está relacionado inextricablemente con todo lo demás. Hjelmslev admite que «la famosa máxima, según la cual todo está relacionado en el sistema de una lengua, se ha aplicado con frecuencia de forma demasiado rígida, mecánica y absoluta» (*Essais linguistiques,* p. 114). Pero se trata de una máxima absoluta; y,

29

como observa Oswald Ducrot, una afirmación tan absoluta d carácter sistemático de la lengua puede encubrir la desesperació ante el hecho de no ser capaz de descubrir el sistema (*Le struct ralisme en linguistique,* p. 59). Cuando estructuralistas como Lé Strauss, atraídos por el rigor del principio de Saussure, propone como requisito metodológico elemental que un análisis estructur revele un sistema «de elementos tal, que la modificación de ur cualquiera entrañe la modificación de todos los demás», está fijándose en un objetivo raras veces alcanzado en la propia lingü tica.[3] Si desapareciera del inglés la palabra *mutton,* se produciría como consecuencia ciertas modificaciones locales: el valor de *shee* cambiaría radicalmente; *beef* («carne de vaca»), *pork* («carne c cerdo»), *veal* («carne de ternera»), etc., pasarían a ser ligeramen anómalas con la desaparición de un miembro de su clase paradi mática; oraciones como *The sheep is too hot to eat* («El corde está demasiado caliente como para comer» o bien «El cordero es demasiado caliente como para comerlo») pasarían a ser ambigua dado el nuevo valor de *sheep;* pero sectores amplios de la lengu no se verían afectados de forma perceptible. El ejemplo de la li güística no tiene por qué inducirnos a esperar la solidaridad con pleta de todos los sistemas. La relaciones son importantes por l que pueden explicar: los contrastes significativos y las combinacio nes permitidas o prohibidas.

En realidad, las relaciones que son más importantes en el aná lisis estructural son las más simples: las oposiciones binaria Independientemente de cualesquiera otros resultados que haya pro ducido el modelo lingüístico, es indudable que ha estimulado los estructuralistas a pensar en términos binarios, a buscar opo siciones funcionales en cualquier material que estén estudiando

Desde luego, los contrastes pueden ser discretos o continuos si susurro que he comprado un gran *fish* («pescado») en el merca do, el oyente puede no estar seguro de si he dicho *fish* o *dis* («plato»), pero sabe que ha sido una u otra cosa y no algo inter medio; sin embargo, puedo alargar la vocal de *big* («grande») e una escala continua para recalcar el tamaño de mi adquisición El lugar de los fenómenos continuos en la lingüística ha sido un cuestión muy debatida, pero ha habido tendencia a relegarlos a u lugar de poca importancia, si no a excluirlos totalmente de la *langue*. «Si encontramos contrastes en escala continua en las cercanías de lo que estamos seguros es la lengua», observa Hockett, «los excluimos de ella».[4] Cualesquiera que sean los derechos del caso lingüístico, para el semiólogo o el estructuralista interesado en el uso social de los fenómenos materiales la reducción de lo continuo a lo discreto es un paso metodológico de primera importancia. La interpretación siempre se lleva a cabo en términos discretos: o bien se ha alargado la vocal de *big* de forma significativa o bien no se la ha alargado; la anchura es un fenómeno continuo, pero si un traje está de moda a causa de la anchura de sus solapas, entonces se debe a que una distinción discreta entre lo ancho y lo estrecho tiene importancia. El tiempo es infinitamente subdivisible, pero decir la hora es darle una interpretación discreta. Por otra parte, la realidad psicológica de las categorías discretas parece indiscutible: aunque todo el mundo sabe que el espectro de los colores es un *continuum,* dentro de una cultura las personas tienen tendencia a considerar los colores individuales como clases naturales.

Al reducir lo continuo a lo discreto, recurrimos a oposiciones binarias como procedimientos elementales para establecer las clases distintivas. El análisis fonológico, que para muchos estructuralistas hizo de modelo propio de la lingüística, estaba basado en una reducción del *continuum* fónico o rasgos distintivos, cada uno de los cuales «extraña una opción entre dos términos de una oposición que ostenta una propiedad diferencial específica, que difiere de las propiedades de todas las demás oposiciones». Al defender el principio binario, Jakobson y Halle sostienen que es preferible metodológicamente en el sentido de que puede expresar cualquiera de las relaciones que podrían comunicarse con otros términos y conduce a una simplificación tanto del marco como de la descripción; pero también sugieren que las oposiciones binarias son inherentes a las lenguas, a la vez como las primeras operaciones que un niño aprende a realizar y como el código más «natural» y económico (*Fundamentals of Language,* pp. 4 y 47-9). Los estructuralistas han seguido en general a Jakobson y han adoptado la oposición binaria como operación fundamental de la mente humana básica

31

para la producción de significado: «esa lógica elemental que es el común denominador más pequeño de cualquier pensamiento».[5] Pero ya se trate de un principio del propio lenguaje o sólo de un recurso analítico óptimo, la diferencia es pequeña. Lo único que señalaría su lugar como operación fundamental del pensamiento humano y, por tanto, de los sistemas semióticos humanos sería su primacía metodológica. El estructuralista podría aceptar simplemente la conclusión de Householder de que hay poca razón para oponerse a un análisis totalmente binario, siempre que se estipule alguna medida para distinguir las oposiciones privativas naturales de las construcciones puramente teóricas (*Linguistic Speculations*, p. 167).

La ventaja del binarismo, pero también su peligro principal, estriba en el hecho de que nos permite clasificar cualquier cosa. Dados dos especímenes, siempre podemos encontrar algún aspecto en que difieran y, en consecuencia, colocarlos en una relación de oposición binaria. Lévi-Strauss observa que uno de los problemas más importantes que surgen al usar las oposiciones binarias es el de que la simplificación conseguida al colocar dos especímenes en oposición mutua produce como consecuencia complicaciones en otro lugar, porque los rasgos distintivos en torno a los cuales giran las distintas oposiciones serán muy diferentes cualitativamente. Si oponemos A a B y X a Y, los dos casos pasan a ser semejantes porque cada uno de ellos entraña la presencia y la ausencia de un rasgo determinado, pero su semejanza es engañosa en el sentido de que los rasgos en cuestión pueden ser de clases muy diferentes. No obstante, es posible, prosigue Lévi-Strauss, «que en lugar de una dificultad metodológica nos encontremos en este caso ante un límite inherente a la naturaleza de ciertas operaciones intelectuales, cuya debilidad y también su fortaleza consisten en que pueden ser lógicas, al tiempo que permanecen arraigadas firmemente en lo cualitativo» (*La Pensée sauvage*, p. 89).

Indudablemente, la fuerza y la debilidad son inseparables. Las oposiciones binarias pueden usarse para ordenar los elementos más heterogéneos, y por eso precisamente es por lo que es tan frecuente en la literatura: cuando se colocan dos cosas en oposición mutua, el lector se ve obligado a explotar las semejanzas las diferencias cualitativas, a hacer una conexión para obtener un significado de la disyunción. Pero la propia flexibilidad y poder del binarismo dependen de que lo que organizan son distinciones cualitativas, y, si dichas distinciones no son pertinentes para la cuestión que se está tratando, en ese caso las oposiciones binarias pueden ser muy engañosas, precisamente porque presentan una organización ficticia. La moraleja es muy simple: hay que resistirse a la tentación de usar las oposiciones binarias meramente para idear estructuras elegantes. Si A se opone a B y X se opone a Y, en ese caso, a la hora de buscar una unificación, podríamos reunir esas oposiciones en una homología de cuatro términos y decir que A es a B lo que X es a Y (en el sentido de que la relación es de oposición en ambos casos). Pero la simetría formal de semejantes homologías no garantiza que sean pertinentes en forma alguna: si A fuera «negro» y B «blanco», X «macho» e Y «hembra», en ese caso la homología de A::B::X:Y podría ser completamente ficticia y carente de pertinencia para el sistema que estamos estudiando. La propia homología es, en lógica binaria, una posible extrapolación a partir del par de oposiciones, pero su valor no puede separarse del de los rasgos cualitativos de oposición que pone en relación. Las estructuras pertinentes son aquellas que permiten a los elementos funcionar como signos.

Los signos

Si, como han sostenido Saussure y otros, los métodos y conceptos lingüísticos pueden usarse al analizar otros sistemas de signos, una cuestión preliminar y obvia es la de qué constituye un signo y si diferentes tipos de signos no deben estudiarse, de hecho, en formas diferentes. Se han propuesto distintas tipologías de signos, la más elaborada la de C. S. Peirce, pero de entre sus numerosas y delicadas categorías destacan tres clases fundamentales porque requieren enfoques diferentes: el icono, el índice y el signo propiamente dicho. Todos los signos constan de un *signifiant* y de un *signifié,* que son, hablando de forma aproximada, la forma y el significado; pero las relaciones entre *signifiant* y

33

signifié son diferentes en esos tres tipos de signos. El icono sup ne semejanza efectiva entre *signifiant* y *signifié*: un retrato signi ca la persona cuyo retrato es no sólo por convención arbitrar sino también por parecido. En un índice la relación entre los d es casual: el humo significa fuego en la medida en que el fueg es su causa: las nubes significan lluvia, si son el tipo de nub que producen lluvia. En el signo propiamente dicho, tal com Saussure lo entendía, la relación entre significante y significad es arbitraria o convencional: *arbre* significa «árbol» no por sem janza natural o conexión casual, sino en virtud de una ley.

Los iconos difieren marcadamente de los demás signos. Aunq tienen una base cultural y convencional —se dice que algun pueblos primitivos no se reconocen a sí mismos ni reconocen otras personas en las fotografías y, en consecuencia, no las inte pretarían como iconos—, eso es difícil de establecer o defini El estudio de la forma como el dibujo de un caballo representa u caballo tal vez incumba más propiamente a una teoría filosófica la representación que a una semiología basada en la lingüístic

Los índices son, desde el punto de vista del semiólogo, m rebeldes. Si los coloca dentro de su dominio, corre peligro adoptar todo el saber humano como de su incumbencia, pu todas las ciencias que intentan establecer relaciones de causalid entre los fenómenos podrían considerarse como estudios de l índices. La medicina, por ejemplo, intenta, entre otras cosas, re cionar las enfermedades con los síntomas y, de ese modo, inv tiga los síntomas como índices. La meteorología estudia y recor truye un sistema para poner en relación las condiciones atmos ricas con sus causas y consecuencias e interpretarlas, así, con signos. La economía investiga el sistema de fuerzas creador fenómenos de superficie, que se convierten, a su vez, en índic de las condiciones y las tendencias económicas. Toda una gama disciplinas intenta descifrar el mundo natural o el humano; l métodos de dichas disciplinas son diferentes y no hay razón pa pensar que se beneficiarían sustancialmente al verse colocadas ba el estandarte de una semiología imperialista.

Por otro lado, no podemos excluir los índices enteramente d dominio del análisis estructural o semiológico, pues en prim lugar cualquier índice puede convertirse en un signo convencional. Los ojos rasgados son un índice de extracción oriental por el hecho de que la relación es causal, pero, tan pronto como esa conexión la hace una sociedad, un sector puede usar ese índice como un signo convencional. De hecho, la mayoría de los signos motivados, en los que existe una conexión entre el significante y el significado, pueden considerarse como índices que una sociedad ha convencionalizado. En cierto sentido, un Rolls-Royce es un índice de riqueza en el sentido de que hay que ser rico para comprar uno, pero el uso social lo ha convertido en un signo convencional. Su significado es mítico, además de causal.[6] En segundo lugar, dentro de los dominios de las ciencias particulares los significados de los índices cambian con las configuraciones del saber. Los síntomas médicos se interpertan de forma diferente de un período al siguiente y existen cambios en lo que se reconoce como un síntoma. Así, al semiólogo o al estructuralista le resulta posible estudiar el *egard médical* de los diferentes períodos: la convención que determina el discurso científico de un período y permite interpretar los índices.[7] Al semiólogo no le interesan los índices en sí mismos ni la relación causal «real» entre el índice y el significado, sino la interpretación de los índices dentro de un sistema de convenciones, ya sea el de la ciencia, el de una cultura popular o el de la literatura.

Este principio tiene consecuencias importantes. En su lección inaugural en el Collège de France Lévi-Strauss declaró que la antropología era una rama de la semiología en el sentido de que los fenómenos que estudia son signos: un hacha de piedra, «para el observador capaz de entender su uso, representa la herramienta diferente que otra sociedad emplearía para el mismo fin» (*Leçon inaugurale*, p. 16). Esto es algo sospechoso. Si el hacha está relacionado con una sierra de acero o con un fusil, puede convertirse en el índice de un nivel cultural determinado (la tribu en cuestión carece de tecnología del metal) y el antropólogo puede interpretarlo como tal, pero no está realizando una investigación semiológica. Si deseara el hacha como signo, se vería obligado a considerar su significado para los miembros de la tribu. O bien, podría investigar el modo como los antropólogos interpretan índices de ese tipo (las convenciones que rigen el discurso antropológico). En los dos últimos casos estarían trabajando a partir de los juicios e interpretaciones de los nativos o de los antropólogos e intentando reconstruir el sistema o la competencia subyacente a dichos juicios, pero en el primer caso lo que está haciendo es colocar el hacha en una cadena causal y tratándola como un índice exclusivamente.

Si el semiólogo estudia los índices, se enredará en la investigación de relaciones causales que son de incumbencia de una multitud de ciencias distintas. Su propio dominio es, como insistió Saussure, el de los signos convencionales, en que no hay razón intrínseca o «natural» por la que un *signifiant* y un *signifié* particulares deban estar vinculados. A falta de conexiones intrínsecas elemento-a-elemento, no puede intentar explicar los signos individuales de forma fragmentaria, sino que debe explicarlos revelando el sistema internamente coherente de que derivan. No existe conexión inevitable entre la secuencia fonológica inglesa *relate* y el concepto asociado con ella, pero dentro del sistema morfológico del inglés *relate* («relacionar») es a *relation* («relación») lo que *dictate* («dictar») es a *dictation* («dictado»), *narrate* («narrar») a *narration* («narración»), etc. Precisamente porque los signos individuales son inmotivados, el lingüista debe intentar reconstruir el sistema, que es lo único que proporciona motivación.

El signo es la unión de un *signifiant* y un *signifié,* los cuales son —los dos— formas más que substancias. El *signifiant* se define bastante fácilmente como una forma que tiene un significado: no la propia sustancia fónica o gráfica, sino aquellos rasgos relacionales, funcionales en el sistema en cuestión, por los que pasa a ser un componente del signo. Pero el *signifié* es más escurridizo. El problema no es el de «¿qué es el significado?»: si lo fuera, no podríamos esperar respuesta en ningún caso. La dificultad surge porque los lingüistas tienen formas diferentes de hablar de los *signifiés*. Al hablar del signo, pueden usar fórmulas como la de Saussure —«la combinación de un concepto y una imagen acústica» o «el recto y el reverso de una página de papel»— que sugiere que para cada *signifiant* hay un concepto positivo particular oculto tras él. Sin embargo, cuando debaten los sinificados de las palabras y de las oraciones, generalmente los lingüistas no hablan de ese modo: pueden hablar de los diferentes usos de una palabra, de su gama de significados potenciales, del contenido parafraseable de una oración, de su fuerza potencial como expresión, sin dar a entender que para cada secuencia fonológica exista un concepto definible vinculado a ella, un significado inscrito en ella de forma invisible. Entonces, ¿qué debe hacer el semiólogo al analizar otros sistemas de signos? ¿Qué clase de *signifié* está buscando?

En su *Introduction à la sémiologie* Georges Mounin sugiere que el semiólogo debe limitar sus investigaciones a los casos en que los significantes tienen conceptos claramente definidos unidos a ellos por un código comunicativo. Al distinguir entre interpretación y descodificación, sostiene que los índices se interpretan y los signos se descodifican: «la descodificación es unívoca para todos los receptores que posean el código de comunicación» (p. 14). Su caso paradigmático es algo así como el código Morse o las señales de tráfico, casos en los que se puede buscar un significante en un libro del código y descubrir su significado. Pero semejante enfoque es muy inadecuado para el estudio de las lenguas naturales u otros sistemas complejos: no se toma una idea y se aplica un logaritmo para codificarlo; más que descodificar las oraciones, lo que hacen los oyentes es interpretarlas. La concepción de Mounin parece basarse en una teoría del lenguaje muy discutible y resulta condenada por las conclusiones que le obliga a sacar: la literatura no es un sistema de signos porque no podemos hablar de codificación y descodificación mediante códigos fijos.

Este enfoque del *signifié,* del que Mounin es simplemente el representante extremo, procede de lo que Jacques Derrida llama una «metafísica de la presencia», que anhela una verdad detrás de cada signo: un momento de plenitud original en que la forma y el significado estaban presentes simultáneamente para la conciencia y no podían distinguirse. Aunque la disociación es un hecho de nuestro estado poslapsariano, se da por sentado que todavía debemos pasar a través del significante hasta llegar al significado que es la verdad y el origen del signo y del que el significante no es sino la marca visible, la concha exterior. Aun cuando esta concepción parece apropiada para el habla, su inadecuación resulta evidente tan pronto como reflexionamos sobre la escritura, y especialmente la literatura, en que una superficie organizada de significantes promete insistentemente significado, pero en que la noción de un significado pleno, original y determinado que el texto «expresa» es profundamente problemática. La poesía ofrece el ejemplo de una serie de significantes cuyo significado es un espacio vacío, pero circunscrito, que puede llenarse de diferentes modos; pero lo mismo es aplicable al lenguaje ordinario, si bien esto puede quedar obscurecido por el hecho de que el propio signo sirve de nombre para el *signifié*. El signo *perro* tiene un significado que podemos llamar el concepto «perro», pero que se debe a una determinación positiva menos de lo que podríamos desear: su contenido es difícil de especificar, dado que tiene una serie de consecuencias.

Como dice Peirce, el signo tiene un carácter fundamentalmente incompleto, en el sentido de que siempre debe haber «alguna explicación o argumento» que permita la utilización del signo. El *signifié* no puede captarse directamente, sino que requiere un «interpretante» en forma de otro signo (para «perro» el interpretante puede ser un signo como *canino,* o una paráfrasis, o una especificación de las relaciones con otros significados como «gato» «lobo», etc.). El signo y la explicaión juntos componen otro signo y, como la explicación será un signo, probablemente requerirá una aplicación adicional» (*Collected Papers,* II, pp. 136-7). Como diría Derrida, no existe un significado pleno, sólo *différance* (diferencia en los dos sentidos de *diferir*: «retardar» y «distinguirse»): el significado sólo puede captarse como el efecto de un proceso interpretativo o productivo en que se citan interpretantes para delimitarlo. Ese proceso es lo que Peirce llama «desarrollo». Es corriente que sepamos el significado de una palabra sin poder formularlo, y la prueba de ese conocimiento es nuestra capacidad para desarrollar el signo; conseguir, por ejemplo, decir lo que *no* significa. «La gramática de la palabra 'conoce' está relacionada, evidentemente con la de 'puede', 'es capaz de'. Pero también está emparentada estrechamente con la de 'entiende'. ('Dominio' de una técnica.)»

En cualquier sistema que sea más complejo que un código —e

cualquier sistema que pueda producir significado en lugar de referirse simplemente a significados que ya existan— hay dos formas de concebir el *significant* y el *signifié*. Podemos aceptar la primacía del *signifiant,* como la forma dada, y considerar el *signifié* como lo que se puede desarrollar a partir de él pero sólo puede expresarse mediante otros signos. Podemos partir del *signifié* considerando cualesquiera signos que circunscriban o designen efectos de significado como desarrollos de un *signifié* cuyo *signifiant* correspondiente debemos descubrir y también su conjunto de convenciones pertinentes. Ya identifiquemos el significado como el sentido prometido por un significante o como un efecto cuyo significante debe buscarse, el detalle decisivo es no limitar el estudio de los signos a situaciones semejantes a las del código en las que significados ya definidos están relacionados unívocamente con significantes. Semejante enfoque «conduciría a una concepción normativa de la función significadora que no podría tratar la multiplicidad de prácticas significantes, aun cuando no las convirtiera en casos patológicos que hubiese que reprimir» (Kristeva, *Le langage, cet inconnu,* p. 26).

Los procedimientos de descubrimiento

El intento de tratar otros sistemas culturales como lenguajes podría depender simplemente de la hipótesis de que esos conceptos básicos de *langue* y *parole,* de relaciones y oposiciones, de *signifiant* y *signifié,* pudieran usarse con provecho al estudiar otros fenómenos. Pero podría depender también de la tesis más convincente de que la lingüística proporciona un procedimiento, un método de análisis, que puede aplicarse con éxito en otros dominios. Cuando Barthes habla del estructuralismo como «esencialmente una *actividad,* es decir, la secuencia ordenada de determinado número de operaciones mentales», toma como base diferentes métodos para aislar y clasificar unidades que proceden de la lingüística (*Essais critiques,* p. 214). Cuando Paul Garvin escribe que el análisis estructural puede aplicarse a cualquier objeto de la cognición que pueda concebirse legítimamente como una estructura y para el que puedan descubrirse apropiados puntos de partida analíticos», da a entender, independientemente de otras cuestiones que da por sentadas, que la lingüística proporciona un algoritmo qu dirigirá con éxito el análisis, si se cumplen determinadas condiciones (*On Linguistic Method,* p. 148).

Los lingüistas pueden haber dado motivo para semejante actitud mediante sus sugerencias de que la misión de la teoría lingüística es desarrollar «procedimientos de descubrimiento»: «procedimientos formales por los cuales se puede partir de la nada y llegar a una descripción completa del modelo de una lengua».[9] Un procedimiento de descubrimiento sería un método mecánico —una serie de pasos definida explícitamente— para construir efectivamente una gramática, a partir de un corpus de oraciones. Si se definiera apropiadamente, permitiría alcanzar resultados idénticos (y correctos) a dos lingüistas que trabajaran independientemente sobre los mismos datos.

La mayoría de los procedimientos propuestos eran operaciones de segmentación y clasificación: formas de dividir una expresión en morfemas y los morfemas en fonemas y de clasificar después esos elementos considerando su distribución. Algunos lingüistas estructurales, como Bloch y Trager, insistieron en que los procedimientos fueran enteramente formales —basados exclusivamente en la forma sin recurrir al significado— a partir de la suposición de que eso hacía más objetivo el análisis. Sin embargo, por lo general se admitían las pruebas sobre la semejanza o diferencia de significado: /b/ y /p/ son unidades distintas y opuestas porque cuando una sustituye a la otra en distintos contextos se producen como resultado diferencias de significado.

Pero los intentos de desarrollar procedimientos de descubrimiento plenamente explícitos no han dado resultado. Después de citar «repetidos fracasos», Chomsky sostiene que «es muy discutible que ese objetivo pueda ser alcanzable de forma interesante y sospecho que cualquier intento en ese sentido conducirá a un laberinto de procedimientos analíticos cada vez más complejos que no proporcionarán respuestas para muchas preguntas sobre la estructura lingüística» (*Syntactic Structures,* pp. 52-3). Lo importante para los estructuralistas no es la imposibilidad de alcanzar es-

40

objetivo, dado que sólo los procedimientos más generales serían prestados, sino la afirmación de Chomsky de que los intentos de elaborar procedimientos de descubrimiento van fundamentalmente mal encaminados y plantean problemas falsos. Pues si, como él sugiere, la fijación en ese objetivo puede producir una complejidad injustificada del tipo erróneo, eso puede perfectamente tener consecuencias para el análisis estructural en otros dominios.

En primer lugar, la búsqueda de procedimientos de descubrimiento nos induce a centrarnos en las formas de identificar automáticamente los hechos que ya conocemos y no en los modos de explicarlos. Un procedimiento de descubrimiento adecuado no debe dar por sentado un conocimiento previo de la lengua, y, como observan Bloch y Trager, «si no supiéramos nada del inglés, tardaríamos algún tiempo en ver que *John ran* («John corrió») y *John stumbled* («John tropezó») son frases de un tipo de construcción diferente del de *John Brown* y *John Smith*» (*Outline of Linguistic Analysis,* p. 74). No sólo perdemos tiempo inútilmente, sino que, además, para idear procedimientos objetivos de descubrir hechos sobre el lenguaje, hemos de introducir requisitos que complican e incluso· deforman la descripción. Por ejemplo, si los morfemas deben identificarse mediante un procedimiento objetivo y formal, en ese caso hemos de exigir que cada morfema tenga una forma fonémica especificable (de lo contrario, la identificación de morfemas sería una cuestión de juicios intuitivos y «subjetivos»). Pero esa regla vuelve problemática la relación entre *take* («coger») y *took* («cogió»). ¿Cómo podemos «descubrir» el morfema de pasado en *took*? [10] La preocupación adecuada del lingüista debería ser la de idear las reglas morfofonémicas más generales y potentes que rijan la forma de *verbo + pasado,* y debería ser ese problema y no la necesidad de descubrir objetivamente el morfema de pasado en *took* lo que determine su tratamiento de la palabra.

Sin embargo, más importante todavía es que un interés por los procedimientos de descubrimiento puede conducir a una falacia básica y peligrosa:

Parece ser opinión común que para justificar una des-

41

cripción gramatical es necesario y suficiente mostrar algún procedimiento explícito (de preferencia, puramente formal) por el cua pudiera haberse construido mecánicamente dicha descripción a partir de los datos. Considero muy extraña esa opinión... Indudablemente, existen procedimientos perfectamente generales y directos para llegar a las descripciones más infundadas: por ejemplo, podemos definir un *morfema* de modo perfectamente general, directo y formal, sin mezclar niveles, como cualquier secuencia de tres fonemas. Está claro que es necesario justificar de algún modo el propio procedimiento. (Chomsky, *A Transformational Approach to Syntax,* p. 241.)

Esto es característico de los análisis estructurales en cualquier dominio y no debe olvidarse. Un procedimiento de descubrimiento puede ser un recurso heurístico útil, pero, por bien que se lo defina, no garantiza la corrección ni la pertinencia de sus resultados. De cualquier modo que se obtengan éstos, hay que ponerlos a prueba: «una descripción lingüística es una hipótesis y, como ocurre con las hipótesis en las demás ciencias, la forma de llegar a ella carece de pertinencia en relación con su verdad» (Householder, *Linguistic Speculations,* p. 137).

Entonces, ¿cómo se ponen a prueba las gramáticas? Si un procedimiento de descubrimiento rudimentario produce una descripción de un corpus, ¿cómo se evalúa dicha descripción? Hemos de disponer de algo con respecto a lo cual verificarla, y eso es, precisamente, nuestro conocimiento de la lengua. Exigiríamos, por ejemplo, que una gramática identifique correctamente *took* como el pretérito de *take,* que especifique la relación de significado entre *The enemy destroyed the city* («El enemigo destruyó la ciudad») y *The city was destroyed by the enemy* («La ciudad fue destruida por el enemigo») y que explique las funciones diferentes de John en *John is easy to please* («Es fácil agradar a John») y *John is eager to please* («John está deseoso de agradar»). En resumen, nuestra competencia lingüística nos proporciona un conjunto de hechos relativos a la lengua, y una gramática debe explicar esos hechos, para alcanzar la adecuación descriptiva. Como dice Chomsky, al enunciar el principio fundamental del análisis lingüístico, «sin referencia a ese conocimiento tácito no existe una materia como la lingüística descriptiva. No hay nada respecto de lo que sus enunciados descriptivos puedan ser verdaderos o falsos» (*Some controversial questions in phonological theory*, p. 103). Hemos de empezar por un conjunto de hechos sin explicar, procedentes de la competencia lingüística de los hablantes, y construir hipótesis para explicarlos.

Aunque los lingüistas estructurales hablaban con frecuencia de tal modo, que parecía que su misión era simplemente la de describir un corpus de datos y sufrían a ese respecto las consecuencias de una teoría inadecuada, su propia obra no quedó invalidada, pues no se deshicieron de su competencia lingüística y, en consecuencia, tenían capacidad para discernir una descripción correcta. Bernard Pottier insiste en la necesidad del «sentido común» a la hora de eliminar los resultados ridículos, como una analogía morfémica entre *prince* («príncipe»): *princeling* («principito»):: *boy* («muchacho»): *boiling* («hirviendo»), que podríamos producir, si nos pusiéramos a buscar pautas en un corpus de datos (*Systématique des éléments de relation*, p. 41). Ese sentido común no es otra cosa que la competencia lingüística, y podemos sospechar que siempre se ha tenido en cuenta.

En segundo lugar, aunque en teoría pueden haberse basado en el estudio de un corpus, las gramáticas siempre fueron generativas en el sentido de que superaban el corpus y predecían la gramaticalidad o agramaticalidad de las oraciones no contenidas en él. Hjelmslev es completamente explícito con respecto a este punto: «Exigimos a cualquier teoría lingüística que nos permita describir de modo autoconsecuente y exhaustivo no sólo un texto danés determinado, sino también todos los demás textos daneses, y no sólo todos los textos daneses determinados, sino también todos los textos daneses concebibles o posibles» (*Prolegomena*, p. 16). No explicó cómo debía alcanzarse ese objetivo, y en ese sentido su teoría es inadecuada; pero su hipótesis debió a ser la de que, al construir una gramática, tendríamos en cuenta nuestro conocimiento de la lengua y no formularíamos reglas que excluyeran oraciones posibles. Tomemos un ejemplo concreto: el estudio por

43

parte de Martin Joos del verbo inglés está basado explícitamente
en el corpus e intenta avanzar lo más rigurosamente posible; pero
da por sentado que su descripción será válida para el verbo inglés
en general, que volverá explícito «lo que cualquier hablante inglés nativo de ocho años de edad sabe ya».[11]

Por último, los lingüistas estructurales reconocieron efectivamente que había que verificar sus resultados con respecto al conocimiento que los hablantes tienen de la lengua, aunque puede
que ese criterio no formara parte explícitamente de su teoría.
Zellig Harris observa, por ejemplo, que «una de las ventajas principales de trabajar con hablantes nativos sobre trabajar con textos
escritos... es la oportunidad de verificar las formas, de obtener la
repetición de las expresiones, de poner a prueba la productividad
de relaciones morfémicas particulares, etcétera» (*Methods in Struc-
tural Linguistics,* p. 12). En este caso vemos vacilación, como si se
tratara simplemente de una ventaja práctica en lugar de una necesidad teórica, pero en otros lugares reconoce que «el criterio para
la capacidad de substitución de los segmentos es la acción del hablante nativo; su uso de ellos o su aceptación de nuestro uso de
ellos» (p. 31). Aunque hubo autores americanos que disentían, esas
opiniones estaban muy difundidas en la lingüística europea: el criterio de la prueba de conmutación en fonología, por ejemplo, era
no tanto un procedimiento de descubrimiento formal cuanto una
forma de poner a prueba hipótesis sobre las oposiciones fonológicas con respecto al conocimiento de la lengua por parte de un
hablante.

Todo esto equivale a decir que, a pesar de sus formulaciones
teóricas diferentes, la lingüística estructural puede verse en una
perspectiva chomskiana como una investigación de la competencia lingüística, cuyos resultados, independientemente de cómo se
hayan obtenido, deben ponerse a prueba en función de dicha competencia. Aunque puede que hablaran como si su misión fuese
la de analizar un corpus cerrado de expresiones, está claro que los
lingüistas esperaban que su gramática tuviera validez también para
otras expresiones y que, en consecuencia, fuese «generativa». Y
evidentemente, tampoco creían que cualquier procedimiento riguroso fuera a dar simplemente resultados válidos. Quizás a causa de

deseo de usar lo que consideraban métodos «científicos», no estaban dispuestos a tomar de su competencia lingüística un conjunto de hechos relativos al lenguaje por explicar, sino que, más que nada, intentaron desarrollar procedimientos formales que «redescubrirían» dichos hechos y en ese proceso iluminarían el sistema lingüístico. Ese conocimiento previo desempeñó un papel importante a la hora de impedirles producir descripciones ridículas, y así, en efecto, se dio por sentada siempre la primacía de los testimonios sobre la competencia lingüística. En ese sentido, la lingüística estructural presupuso por lo menos parte del marco general dentro del cual la gramática generativa ha colocado actualmente la investigación lingüística.

«Generativa» o «transformacional»

Hasta aquí he hablado de gramática «generativa» y no de gramática «transformacional», y por razones poderosas. Las gramáticas deben ser, y han sido siempre, generativas, en el sentido de que sus reglas se aplicaban a secuencias que no formaban parte de un corpus particular. Simplemente no eran explícitas: cualquiera que haya consultado una gramática pedagógica sabe que muchas veces no puede deducir de ella si una oración particular está bien construida, a pesar del deseo del autor de proporcionar las reglas para la lengua en cuestión. Es lógico esperar que quienes tomen la lingüística como modelo para el estudio de otros sistemas hagan sus gramáticas lo más «explícitas» posible. Pero las gramáticas no han sido transformacionales, y no hay razón para imponer ese requisito a los estructuralistas. La necesidad de un componente transformacional en la gramática chomskyana va determinada por una serie de consideraciones diferentes, pero las propias transformaciones son recursos técnicos específicos destinados a tomar una forma generada por un conjunto de reglas (de la estructura profunda) y cambiarlo, mecánicamente, en la forma que se está observando. Indudablemente, en otros sistemas, no lingüísticos, se descubrirán fenómenos análogos, pero, hasta que no se vuelvan más explícitas las reglas de esos sistemas, el intento de formular

45

transformaciones probablemente no induzca sino a confusión. Lévi-Strauss, por ejemplo, usa el término para referirse a lo que propiamente son relaciones paradigmáticas entre dos secuencias observadas: la «privación de la comida suministrada por una hermana» en un mito se «transforma» en otro en «privación de una madre que suministraba comida» y en «absorción de anti-comida (gas intestinal) 'suministrado' por una abuela» en un tercero (*Le Cru et le cuit*, p. 71). Semejantes transformaciones no tienen nada que ver con la gramática transformacional.

En general, no parece inapropiado decir que los intentos de usar las transformaciones en otros sectores llegarán a ser interesantes sólo cuando se haya formulado algún tipo de reglas básicas con suficiente precisión como para ofrecernos un conjunto de estructuras profundas bien definidas que han de ponerse en relación de forma rigurosa con formas superficiales observadas. No hay mucha razón para pensar en reglas transformacionales hasta que no conozcamos qué problemas específicos deberían resolver, pues dichos problemas son los que determinan la forma de las reglas. Entretanto, la precipitación con que los bobos aceptan la propuesta de Ruwet de que se consideran todos los poemas de amor como transformaciones de la proopsición «Te amo» se debe simplemente a la moda (*Langage, musique, poésie,* pp. 197-9).

Un factor que en años recientes ha tentado a los estructuralistas a convertirse a la gramática transformacional es la idea de que es más «dinámica». En tanto que la lingüística estructural era analítica y reducía una oración determinada a sus constituyentes, se considera que el modelo de Chomsky es sintético y representa la producción efectiva de las expresiones (nuevas y antiguas) por el hablante: «la gramática generativa presenta, en sus fundamentos teóricos, la ventaja con respecto a los enfoques analíticos del lenguaje de introducir un punto de vista sintético que presenta el acto de habla como un proceso generativo».[12] Pero, como ha subrayado Chomsky repetidas veces, no es así; la gramática genera descripciones estructurales, pero no representa el proceso efectivo de generación de las oraciones.

Para evitar lo que ha sido un continuo malentendido, quizá

valga la pena reiterar que una gramática generativa no es un modelo para un hablante o un oyente... Cuando decimos que una gramática genera una oración con determinada descripción estructural, queremos decir simplemente que la gramática asigna dicha descripción estructural a la oración. (*Aspects of the Theory of Syntax*, p. 9.)

De hecho, podríamos decir que el componente básico de una gramática transformacional, que empieza por reescribir *Oración* como *Frase nominal* + *frase verbal* y a continuación analiza cada uno de esos componentes constituyentes, es analítico exactamente de la misma forma que las gramáticas de estructura de frase de la lingüística estructural.

Lo importante de la gramática transformacional para el estructurlista no es un «dinamismo» especulativo ni un mecanismo transformacional específico, sino su clarificación de la naturaleza de la investigación lingüística: la misión no es describir un corpus de datos sino explicar hechos relativos a la lengua construyendo una representación formal de lo que interviene en el hecho de conocer una lengua. A la luz de esa sugerencia, ahora ha de ser posible ofrecer una exposición preliminar del alcance y las limitaciones de la lingüística como modelo para el estudio de otros sistemas.

Consecuencias e inferencias

En un artículo sobre *La structure, le mot, et l'événement,* Paul Ricoeur saca a partir de una discusión del modelo lingüístico una serie de conclusiones sobre los límite del análisis estructural. Según él, el método es válido en casos en que podemos (a) trabajar sobre un corpus cerrado; (b) establecer inventarios de elementos; (c) colocar dichos elementos en relaciones de oposición; y (d) establecer un cálculo de combinaciones posibles. Sostiene que el análisis estructural sólo puede producir taxonomías, y la nueva y dinámica concepción por parte de Chomsky de la estructura «anuncia el fin del estructuralismo concebido como ciencia de las taxono-

47

mías, de los inventarios cerrados, y de las combinaciones atestiguadas» (*Le Conflit des interprétations,* pp. 80-1).

Pero Trubetzkoy, en los comienzos de la fonología, refutó la idea de que la lingüística estructural fuera una ciencia taxonómica. Impugnando la afirmación de Arvo Sotavalta de que los fonemas eran comparables a clases zoológicas o botánicas, sostuvo que, a diferencia de las ciencias naturales, la lingüística se ocupa del uso social de los objetos materiales y, por consiguiente, no puede agrupar simplemente especímenes en una clase basándose en las semejanzas observadas. Ha de intentar determinar qué semejanzas y diferencias son funcionales en la lengua (*Principes de phonologie,* pp. 12-13). Podemos clasificar los animales de diferentes formas: según el tamaño, el hábitat, la estructura de los huesos, la filogenia. Esas taxonomías serán más o menos motivadas según la importancia concedida a esos rasgos en una teoría, pero no existe una taxonomía *correcta.*[13] Un animal particular puede clasificarse correcta o incorrectamente con respecto a una taxonomía determinada, pero la propia taxonomía no puede ser correcta ni errónea. Sin embargo, en fonología estamos intentando determinar qué rasgos diferenciales son realmente funcionales en la lengua, y debemos verificar las clases que establezcamos por su capacidad para explicar hechos atestiguados por la competencia lingüística. Desde luego, el análisis lingüístico puede producir agrupaciones de poco interés o valor explicativo, pero esa clase de fallos no son imputables al propio modelo lingüístico.

Además, como he sugerido, no podemos oponer la lingüística estructural y la gramática generativa, como hace Ricoeur. Esta última, exceptuando diferencias importantes de tipo técnico, ha vuelto explícito y coherente el programa que siempre estuvo implícito en aquélla. La lingüística siempre ha intentado descubrir las reglas de *la langue* y eso siempre entrañará segmentación, clasificación y la formulación de oposiciones y reglas de combinación.

Tampoco es exacto decir, como hace Ricouer, que el estructuralismo es resueltamente antifenomenológico, en el sentido de que se ocupa solamente de las relaciones entre los propios fenómenos y no de la relación del sujeto con los fenómenos. Pues la propia expresión, como objeto material, no ofrece asidero para el análisis: para reconstruir el sistema de reglas que hacen que esté bien construida gramaticalmente y le permiten tener significado, hemos de ocuparnos de los juicios del hablante sobre su significado y gramaticalidad. Las disciplinas estructuralistas, escribe Pierre Verstraeten en su *Esquisse pour une critique de la raison structuraliste*, analizan el objeto «teniendo en cuenta los propios criterios de inteligibilidad que el objeto entraña» (p. 73). Se ocupan de las normas por las cuales los objetos se convierten en fenómenos culturales y, por esa razón, en signos. La lingüística intenta formalizar el conjunto de reglas que, para los hablantes, constituyen su *lengua*, y en ese sentido el estructuralismo ha de producirse dentro de la fenomenología: su misión es explicar lo que va dado fenomenológicamente en la relación del sujeto con sus objetos culturales.[14]

Aun así, el análisis estructural ofrece un tipo particular de explicación. No intenta, como podría hacer la fenomenología, alcanzar un entendimiento empático: reconstruir una situación como podría haberla captado conscientemente un sujeto individual y, en consecuencia, explicar por qué escogió éste una línea de acción particular. La explicación estructural no coloca una acción en una cadena causal ni hace derivar de ella el proyecto por el que el sujeto significa un mundo; relaciona el objeto o la acción con un sistema de convenciones que le atribuyen su significado y lo distinguen de otros fenómenos de significados diferentes. Algo se explica mediante el sistema de distinciones que le confiere su identidad.

Para Lévi-Strauss, la lección más importante de la «revolución fonológica» fue el paso «del estudio de los fenómenos conscientes al de su infraestructura inconsciente» (*Anthropologie structurale*, p. 40). Un hablante no conoce conscientemente el sistema fonológico de su lengua, pero debemos postular dicho conocimiento para explicar el hecho de que interprete dos secuencias acústicamente diferentes como especímenes de la misma palabra y distinga secuencias que son muy semejantes acústicamente pero representan palabras diferentes. La necesidad de postular distinciones y reglas que operan en un nivel inconsciente para explicar hechos relativos a objetos sociales y culturales ha sido uno de los

49

axiomas más importantes que los estructuralistas han sacado de la lingüística.

Y es precisamente ese axioma el que conduce a lo que algunos consideran la consecuencia más importante del estructuralismo: su rechazo de la idea del «sujeto».[15] Toda una tradición de disertaciones sobre el hombre ha considerado el yo como un sujeto consciente. Descartes, en la formulación más categórica de esa posición, sostuvo que «Hablando estrictamente, sólo soy algo que piensa» (*res cogitans*). Otros han sido más reacios a conceder la *res,* pero han hecho del yo un sujeto fenomenológico activo que confiere significado al mundo. Pero, una vez que el sujeto consciente se ve privado de su función como fuente de significado —una vez que se explica el significado en función de sistemas convencionales que pueden escapar a la comprensión del sujeto consciente— ya no puede identificarse al yo con la conciencia. Se «disuelve» al hacerse cargo de sus funciones por una serie de sistemas interpersonales diferentes que operan a través de él. Las ciencias humanas, que empiezan por convertir al hombre en un objeto de conocimento, descubren, a medida que avanza su labor, que el «hombre» desaparece bajo el análisis estructural. «El objetivo de las ciencias humanas», escribe Lévi-Strauss, «no es constituir al hombre, sino disolverlo» (*La Pensée sauvage,* p. 326). Michel Foucault sostiene en *Les Mots et les choses* «que el hombre es simplemente una invención reciente, una figura que todavía no tiene dos siglos de edad, un simple pliegue en nuestro conocimiento, y que desaparecerá tan pronto como ese conocimiento haya descubierto una nueva forma» (p. 15).

Podríamos responder que eso sólo es cierto para los franceses, cuya concepción cartesiana del hombre es tal, que el descubrimiento del inconsciente había de destruirla; pero responder inmediatamente de ese modo sería errar el blanco, pues la tesis no es que no existe el «hombre». Es, más que nada, que la distinción entre el hombre y el mundo es variable, depende de la configuración del conocimiento en un período determinado. Se ha hecho en función de la conciencia: según eso, el mundo es todo menos la conciencia. Lo que las ciencias humanas han hecho ha sido desmenuzar y separar lo que presuntamente pertenece al sujeto pensante, hasta que cualquier noción del yo basada en él se vuelve problemática.

Una vez más, el lenguaje es el caso preferente, ejemplar. Descartes citó el uso del lenguaje por parte del hombre como testimonio primordial de la existencia de otras mentes y consideró la incapacidad de los animales para usar el lenguaje creativamente como prueba de que eran organismos puramente mecánicos, que no pensaban. También Saussure vio la capacidad del hablante para producir nuevas combinaciones de signos como una expresión de «libertad individual» que escapaba a las reglas de un sistema interpersonal (*Cours,* p. 172-3). De hecho, concebimos el habla como el ejemplo primordial de la individualidad; parece el único sector en que el sujeto consciente podría dominar.

Pero resulta fácil reducir ese dominio. Las expresiones de un hablante son entendidas por otros exclusivamente porque están ya contenidas virtualmente dentro de la lengua. *Die Sprache spricht,* afirma Heidegger,[16] *nicht der Mensch. Der Mensch spricht nur, indem er geschicklich der Sprache entspricht.* («La lengua es la que habla, no el hombre. El hombre habla sólo en la medida en que 'se acomoda' diestramente a la lengua.») Una gramática genrativa avanza un poco en el camino de la formalización de esa concepción. La construcción de un sistema de reglas con capacidad generativa infinita convierte incluso la creación de oraciones nuevas en un proceso regido por reglas que escapan al sujeto.

Desde luego, no se puede negar la existencia ni la actividad de los individuos. A pesar de que el pensamiento piensa, el habla habla y la escritura escribe, en cada caso, como dice Merleau-Ponty, entre el nombre y el verbo hay un vacío que saltamos cuando pensamos, hablamos o escribimos (*Signes,* p. 30). Los individuos escogen cuándo hablar y qué decir (si bien esas posibilidades son creación de otros sistemas), pero esos actos los hace posibles una serie de sistemas que el sujeto no controla.

Las investigaciones del psicoanálisis, de la lingüística, de la antropología han «descentrado» el sujeto en relación con las leyes de su deseo, las formas de su lenguaje, las reglas de sus acciones, o el juego de su discurso mítico e imaginativo (Foucault, *L'Archéologie du savoir*, p. 22),

y, como se ve depuesto de su función de centro o fuente, el yo acaba pareciendo cada vez más una construcción, el resultado de sistemas de convención. El discurso de una cultura pone límites al yo; la idea de la identidad personal aparece en contextos sociales; el «yo» no está dado, sino que llega a existir, en una imagen especular que empieza en la infancia, como aquello que otros ven y a lo cual se dirigen.[17]

¿Cuáles son los efectos de esa reorientación filosófica? ¿Cómo configura la desaparición del sujeto el proyecto estructuralista? Las consecuencias más obivas y pertinentes son cambios en los requisitos del entendimiento. El análisis estructural no sólo abandona la búsqueda de causas externas; además, se niega a convertir el sujeto pensante en una causa explicativa. El yo ha sido durante mucho tiempo uno de los principios más importantes de la inteligibilidad y de la unidad. Podíamos suponer que un acto o un texto eran signos cuyo significado pleno radicaba en la conciencia del sujeto. Pero, si el yo es una construcción y un resultado, ya no puede servir de fuente. En el caso de la literatura, por ejemplo, podemos fabricar un «autor», calificar de «proyecto» cualquier unidad que encontremos en los textos producidos por un hombre particular. Pero, como dice Foucault, la unidad del autor, lejos de estar dada *a priori,* se constituye mediante operaciones particulares (*L'Archéologie,* p. 35). De hecho, incluso en el caso de una sola obra, ¿cómo podría ser su *fuente* el autor? La escribió, indudablemente; la compuso; pero puede escribir poesía o historia o crítica sólo dentro del contexto de un sistema de convenciones capacitadoras que constituyen y delimitan las variedades de un discurso. Dar a entender un significado es postular reacciones de un lector imaginado que haya asimilado las convenciones pertinentes. «Los poemas sólo pueden hacerse a partir de otros poemas», dice Northrop Frye, pero no se trata simplemente de una cuestión de influencia literaria. Un texto puede ser un poema sólo porque existen ciertas posibilidades dentro de la tradición; está escrito en relación con otros poemas. Una oración del inglés puede tener sentido sólo en virtud de sus relaciones con otras oraciones dentro de las convenciones de la lengua. La intención comunicativa presupone convenciones de lectura a las que el autor puede oponerse, que puede transformar, pero que son las condiciones de posibilidad de su discurso.

Entender un texto no es preguntar «¿qué se ha dicho en lo que se ha dicho?», pero no por las razones aducidas con más frecuencia por los críticos ingleses y americanos. Decir que un poema se convierte en un objeto autónomo una vez que abandona la pluma del autor es, en un sentido, precisamente lo contrario de la posición estructuralista. El poema sólo puede *crearse* en relación con otros poemas y convenciones de lectura. Es lo que es en virtud de esas relaciones, y su carácter no cambia con la publicación. Si su significado cambia posteriormente, se debe a que entra en nuevas relaciones con textos posteriores: nuevas obras que modifican el propio sistema literario.

Pero, aunque el estructuralismo puede buscar siempre el sistema que hay tras el fenómeno, las convenciones constitutivas que hay tras cada acto individual, no puede prescindir del sujeto individual. Puede que ya no sea el origen del significado, pero el significado ha de pasar a través de él. Las estructuras y las relaciones no son propiedades objetivas de los objetos externos; surgen sólo en un proceso estructurante. Y, aunque puede que el individuo no origine ni cree siquiera ese proceso —asimila sus reglas como parte de su cultura—, éste se produce a través de él, y sólo podemos obtener testimonios de él considerando sus juicios e intuiciones.

La lingüística es la guía más segura para la compleja dialéctica del sujeto y el objeto con la que el estructuralismo tropieza inevitablemente, pues en el caso del lenguaje tres cosas están claras: primera, todos hemos «dominado» un sistema extraordinariamente complejo de reglas y normas que hace posible una gama de comportamientos, y, sin embargo, no entendemos plenamente qué es eso que hemos aprendido, qué es lo que compone nuestra competencia lingüística. Segunda, evidentemente existe algo que analizar; el sistema no es una quimera del analista entusiasta. Y, por último, cualquier descripción del sistema debe evaluarse por su

53

capacidad para explicar nuestros juicios sobre el significado y la ambigüedad, las construcciones correctas y las que no lo son. Precisamente porque podemos comprender esas proposiciones en el caso del lenguaje es por lo que la lingüística proporciona un método analógico que puede guiar las investigaciones şobre sistemas semióticos más obscuros y especializados.

En resumen, podríamos decir que la lingüística no proporciona un procedimiento de descubrimiento que, si se sigue de forma automática, dé resultados correctos. Sea cual fuere el procedimiento que utilicemos, los resultados deben verificarse por su capacidad para explicar los hechos relativos al sistema en cuestión, y, así, la misión del analista no es simplemente describir un corpus sino también explicar la estructura y significado que especímenes del corpus tienen para quienes han asimilado las reglas y normas del sistema. Al estudiar signos que, independientemente de su «naturalidad» aparente, tienen una base convencional, intenta reconstruir las convenciones que permiten a los objetos o fenómenos físicos tener significado; y esa reconstrucción le exigirá que formule las distinciones y relaciones pertinentes entre los elementos, así como las reglas que rigen su posibilidad de combinación.

La misión básica es volver lo más explícitas posible las convenciones responsables de la producción de los efectos atestiguados. La lingüística no es hermenéutica. No descubre lo que significa una secuencia ni produce una nueva interpretación de ella, sino que intenta determinar la naturaleza del sistema subyacente al fenómeno.

CAPITULO 2

EL DESARROLLO DE UN METODO:
DOS EJEMPLOS

> *the pale pole of resemblances*
> *Experienced yet not well seen; of how*
> *Much choosing is the final choice made up,*
> *And who shall speak it?* *
>
> WALLACE STEVENS

Para observar las consecuencias prácticas de la aplicación de los modelos lingüísticos a otros dominios podríamos examinar dos proyectos que son ejemplares en formas diferentes. *Système de la mode* de Roland Barthes ha merecido el elogio de otros estructuralistas por su «rigor metodológico»: «sería difícil imaginar una ilustración mejor del método semiológico».[1] Esa obra, basada en la lingüística más explícitamente que sus libros sobre la literatura, ilustra las dificultades que surgen cuando intentamos usar la lingüística de un modo particular y, por esa razón, ofrece un aviso al que debería prestarse atención a la hora de realizar otros intentos. Además, Barthes ve una estrecha analogía entre moda y literatura:

> ambas son lo que yo llamaría sistemas homeostáticos: es decir, sistemas cuya función no es comunicar un significado objetivo, externo, que exista antes del sistema, sino simple-

---

* el pálido polo de las semejanzas, sentido pero todavía no visto del todo; ¿de cuántas selecciones se compone la opción final y quién la expresará?

mente crear un equilibrio que funcione, un movimiento de significación... Si se prefiere, no significan «nada»; su esencia radica en el proceso de significación, no en lo que significan. (*Essais critiques*, p. 156.)

El segundo ejemplo, las *Mythologiques*[2] de Lévi-Strauss, es el análisis estructural más extenso jamás emprendido, y las afinidades evidentes entre mito y literatura hacen que sus procedimientos sean pertinentes para cualquier examen del estructuralismo en la crítica literaria.

El lenguaje de la moda

La moda es un sistema social basado en la convención. Si la ropa no tuviera importancia social, la gente llevaría lo que pareciese más confortable y compraría ropa nueva sólo cuando hubiera de tirar la vieja. Al conferir significado a ciertos detalles —calificándolos de elegantes o de apropiados para ciertas ocasiones y actividades—, el sistema de la moda refuerza las distinciones entre los vestidos y acelera el proceso de substitución: *c'est le sens qui fait vendre*. Al semiólogo le interesan los mecanismos por los que se produce ese significado.

Para estudiar el funcionamiento de ese sistema, Barthes decide centrarse en los epígrafes colocados debajo de las fotografías en las revistas de modas *(la mode écrite)*, porque el lenguaje de los epígrafes aísla los rasgos que hacen que un vestido particular corresponda a la moda, orienta la percepción y divide los fenómenos continuos en categorías discretas. La anchura de las solapas de los trajes forman un *continuum*, pero si el epígrafe habla de las solapas anchas de un traje determinado, introduce un rasgo distintivo para caracterizar los que están *à la mode*. La descripción es, como dice Barthes, *un instrument de structuration*: el lenguaje nos permite pasar de los objetos materiales a las unidades de un sistema de significación, al resaltar, mediante el proceso de denominación, un significado que estaba meramente latente en el objeto (*Système de la mode*, p. 26).

El modelo lingüístico de Barthes exige reunir un corpus de datos correspondientes a un estado sincrónico del sistema y, desde luego, la moda es eminentemente apropiada para semejante tratamiento, dado que cambia abruptamente una vez al año, cuando los diseñadores presentan sus nuevas colecciones. Tomando epígrafes de los números correspondientes a un año de *Elle* y *Jardin des Modes,* Barthes crea un corpus manejable que espera contenga las diferentes posibilidades del sistema en esa etapa.

¿Qué hay que hacer con el corpus? ¿Cuáles son los efectos que hay que explicar? Resultan ser bastante complejos. Considérense los dos epígrafes: *Les imprimés triomphent aux courses* («Los estampados triunfan en las carreras») y *Une petite ganse fait l'élégance* («Un cordoncillo es lo que da elegancia»). Podemos identificar una serie de *signifiés* diferentes que producen. En primer lugar, la presencia de *imprimés* y *ganse* en los epígrafes nos dice que esos rasgos están de moda. En un segundo nivel, la combinación de *imprimés* y *courses* significa que son apropiados para esa situación social particular. Por último, hay «un nuevo signo cuyo significante es la expresión completa de la moda y cuyo significado es la imagen del mundo y de la moda que la revista tiene o desea transmitir» (p. 47). La retórica de esos dos epígrafes da a entender, por ejemplo, que el cordoncillo no sólo ha recibido la calificación de «elegante», sino que de hecho produce la elegancia, y que los estampados son los agentes decisivos y activos de los triunfos sociales (son tus vestidos los que triunfan, no tú). Esos significados son connotaciones, indudablemente; pero no por eso son fenómenos fortuitos ni personales. El término «connotación» es engañoso, si sugiere que son asistemáticos y periféricos. Podríamos definir las connotaciones, más que nada, como significados producidos por convenciones distintas de las que se dan en las lenguas naturales. Como oración del francés, *Les imprimés triomphent aux courses* significa que los estampados triunfan en las carreras, pero como epígrafe tiene otros significados producidos por el sistema de la moda.

Pero, ¿qué hemos de hacer con esos significados? Barthes distingue, muy apropiadamente, dos niveles del sistema: el «código de la vestimenta», en que van expresados los rasgos pertinentes

57

de los vestidos que están de moda, y el «sistema retórico», que incluye los otros elementos de la oración. Al estudiar este último podemos investigar la visión del mundo presentada por los epígrafes (los significados del sistema retórico) o los procedimientos mediante los cuales se comunica dicha visión (el propio proceso de significación). Los problemas metodológicos graves surgen en el nivel más básico del código de la vestimenta. En éste todas las secuencias tienen el mismo significado: la presencia de un espécimen en un epígrafe significa que está de moda. Y sobre el proceso de significación hay poco que decir: el hecho de que la fotografía figure en una revista de modas es lo que conecta el significante y el significado *Mode*.

El problema que ofrece un campo para la investigación detallada es el de qué elementos de la secuencia son pertinentes en el nivel del código de la vestimenta y cuáles son retóricos. En *Une petite ganse fait l'élégance,* ¿determina *petite* el carácter de moda de «cordoncillo» o está usado por sus connotaciones retóricas (humilde, sencillo, bonito)? En *La vraie tunique chinoise plate et fendue,* ¿es *vraie* un intensificador retórico? Para responder a estas preguntas, hay que investigar las reglas de la moda que operan en ese año determinado. Tomando secuencias que describan como «bien construidos» los vestidos que están de moda, nos preguntamos cuáles son las reglas que producen esas secuencias pero no producirían secuencias que describieran vestidos que no se estilasen en esa época. La línea de investigación que sugiere el modelo lingüístico es reducir las secuencias a sus constituyentes y escribir reglas de combinación que expliquen los epígrafes bien construidos.

Para hacerlo, se necesita información sobre los vestidos que no se estilan. Sin ella, igual que el lingüista que intentara construir una gramática a partir de un corpus de oraciones bien construidas exclusivamente, no se sabe qué cambios en la secuencia la volverían mal construida y, en consecuencia, no se pueden determinar sus rasgos pertinentes. Si el corpus habla de una *Veste en cuir à col tailleur,* no podemos decir si la prenda en cuestión se ajusta a la moda por el cuero, por el cuello o por la combinación de ambos.

La solución obvia sería atenerse a los juicios de quienes conocen la moda y han llegado a dominar el sistema de algún modo, pero Barthes parece dar por sentado que un análisis estructural riguroso de un corpus excluye eso. En un momento determinado intenta resolver el problema de la pertinencia con un argumento enormemente engañoso:

> cualquier descripción de un vestido está supeditada a un fin, que es el de manifestar o, mejor aún, transmitir la Moda... alterar una secuencia de la moda (por lo menos en su terminología), imaginar, por ejemplo, un corsé que se abroche *por delante* y no *por detrás,* equivale a pasar de lo que se estila a lo que no se estila (pp. 32-3).

Pero de eso no se desprende que cada término descriptivo designe un rasgo sin el cual el vestido no estaría de moda. Como Barthes piensa que su misión es describir el corpus, pasa por alto el problema primordial de determinar qué elementos de las secuencias comprenden distinciones funcionales. Dando por sentado que la lingüística proporciona un procedimiento de descubrimiento de algún tipo, no intenta resolver un problema empírico obvio.

De hecho, su estrategia es la de pasar por alto. Dice que no le interesa lo que estaba de moda aquel año particular, sino sólo los mecanismos generales del sistema y, en consecuencia, no proporciona reglas que distingan lo que se estilaba de lo que no se estilaba. Es de lamentar esa decisión, en primer lugar porque hace que su proyecto en conjunto sea bastante obscuro. ¿Por qué escoger un estado sincrónico, si uno no está interesado en describir dicho estado? Si sólo nos interesa la moda en general, en ese caso necesitamos con toda seguridad testimonios de otros años, en que figurarán registradas combinaciones diferentes, no fuera a ser que confundiésemos las particularidades de la moda de un año con las propiedades generales del sistema. Al parecer, la elección de un corpus va determinada sólo por la afirmación del lingüista de la prioridad de la descripción sincrónica y el deseo de dar una impresión de fidelidad y rigor.

En segundo lugar, la negativa a investigar lo que está de moda y lo que no lo está hace que sus resultados sean imprecisos. Sostie-

59

ne, por ejemplo, que *petite* en *petite ganse* es retórico porque *grande ganse* no figura en el corpus y, por consiguiente, *petite* no figura en oposición alguna. Pero la oposición podría ser precisamente la existente entre *petites ganses* que estaban de moda y *grandes ganses* que no lo estaban y, por esa razón, no figuraban en las revistas de modas. Esas cuestiones no pueden zanjarse basándose en razones puramente distributivas.

Por último, sus resultados no pueden verificarse. Si la función del sistema es transmitir la moda, en ese caso hay que describirla desempeñando esa función exclusivamente, y se podría evaluar el análisis recurriendo a los testimonios de otras secuencias pertenecientes al mismo año o de los juicios de los entendidos en modas y viendo si las reglas de Barthes distinguían con éxito lo que estaba de moda de lo que no lo estaba. A falta de ese proyecto, simplemente no hay forma de verificar la adecuación de sus descripciones.

Entonces, ¿qué hace Barthes al describir el corpus? La descripción más completa sería una lista de las secuencias que aparecen pero, como eso carecería de interés, lo que hace es reducirlas a una serie de esquemas sintácticos y establecer un número de clases paradigmáticas correspondientes a posiciones sintácticas: «en primer lugar hemos de determinar las unidades sintagmáticas (o de secuencia) del vestido escrito y después cuáles son las oposiciones sistemáticas (o virtuales)» (p. 69).

El estudio de la distribución de los especímenes conduce a Barthes a postular una estructura sintagmática básica que consta de tres posiciones: «objeto», «apoyo» y «variante». En *Un chandail à col fermé, chandail* («jersey») es el objeto, *fermé* («cerrado») es la variante y *col* («cuello») es el apoyo de la variante. Esa estructura tiene validez intuitiva, en el sentido de que, al hablar de un vestido que está de moda, podemos perfectamente tender nombrarlo, a identificar la parte en cuestión y a especificar el rasgo que le hace estar de moda. El esquema está sujeto a varias modificaciones: en *ceinture à pan* la variante efectiva, «existente», no va expresada; en *Cette année les cols seront ouverts* objeto y apoyo van fundidos. De hecho, no hay secuencia concebible que no pueda describirse mediante uno de los esquemas modificados que enumera, y su afirmación de que el modelo «está justificado en la medida en que nos permite explicar *todas* las secuencias de acuerdo con determinadas modificaciones *regulares*» (p. 74), no es una hipótesis convincente sobre la forma de los epígrafes de la moda.

Más interesante y pertinente es el intento de establecer clases paradigmáticas de especímenes que pueden ocupar esas tres posiciones sintagmáticas. En primer lugar, toda una serie de especímenes, como falda, blusa, cuello, guantes, pueden hacer de objeto o de apoyo. Barthes llama «especies» a los especímenes que pueden ocupar cualquiera de las posiciones, y sostiene que un análisis distributivo nos permite agruparlas en sesenta *genera* o «tipos» diferentes. Los vestidos o partes de vestidos que son incompatibles sintagmáticamente —que no pueden combinarse como elementos de una indumentaria particular— van colocados en contraste paradigmático dentro de un mismo tipo. Cada paradigma es un repertorio de especímenes opuestos en contraste, de los que sólo uno puede escogerse en la misma ocasión: «un vestido y un traje de esquiar, a pesar de ser muy diferentes formalmente, pertenecen al mismo tipo, puesto que hay que escoger entre ellos» (p. 103). Los tipos de Barthes parecen adecuados como representación de las incompatibilidades sintagmáticas: dos miembros de un mismo tipo no aparecerán como objeto y apoyo en una misma secuencia. Pero una descripción correcta debe especificar las relaciones de coaparición con mucho mayor detalle. Por ejemplo, si un miembro del tipo «cuello» es el apoyo, en ese caso el objeto debe pertenecer a un conjunto limitado de tipos: aproximadamente, los vestidos que tengan cuellos. Y, a la inversa, si «cuello» es el objeto, en ese caso el apoyo ha de tomarse de «material», «ribete», «corte», «motivo», «color», etc.

Sería de esperar que, si la división en tipos es correcta, sean esan clases las unidades en que operan esas reglas de combinación. Pero no parece probable que sirvan las categorías de Barthes. Vestido, traje de esquiar y bikini van colocados en una misma clase paradigmática, pero como objetos tomarían apoyos muy diferentes. Si necesitáramos un conjunto de clases totalmente diferente para escribir reglas de combinación, en ese caso las que propone Barthes no tienen demasiada justificación.

61

Las variantes aparecen clasificadas de acuerdo con el mismo principio: «siempre que hay incompatibilidad sintagmática hay un sistema de oposiciones significativas establecido, es decir, un paradigma» (p. 119). Un cuello no puede ser a un tiempo abierto y cerrado, pero puede ser a la vez ancho y abierto. Las compatibilidades e incompatibilidades de ese tipo le inducen a postular treinta grupos de variantes que no pueden realizarse simultáneamente sobre el mismo apoyo. No obstante, no usa esas clases para formular reglas explícitas de combinación.

Parece que la lingüística ha inducido a Barthes a pensar erróneamente que el análisis distributivo podía producir un conjunto de clases que no tienen por qué justificarse mediante una función explicativa. Pero, aun sin eficacia explicativa, sus inventarios serían interesantes como ejemplos de lo que el análisis distributivo puede alcanzar, si procede rigurosamente. Ahora bien, en lugar de determinar qué especímenes no van nunca *en el corpus* predicados del mismo apoyo, se refiere a compatibilidades e incompatibilidades determinadas por la naturaleza de los propios vestidos. Hablando estrictamente, si su corpus contiene cuellos marrones y cuellos abiertos, pero no cuellos marrones y abiertos, debería colocar «marrón» y «abierto» dentro de una clase paradigmática; no lo hace porque sabe que, en realidad, los cuellos pueden ser a la vez abiertos y marrones.

La incapacidad de Barthes para atenerse a su programa teórico ilustra las dificultades inherentes al análisis distributivo. Si estuviera intentando determinar qué especímenes eran compatibles e incompatibles según las modas de un año determinado, necesitaría recurrir a información exterior al corpus, dado que la ausencia de una combinación particular en el corpus no significaría necesariamente que no estuviese de moda. Si no le interesan las combinaciones permitidas por la moda en un año determinado, sino sólo las compatibilidades e incompatibilidades generales de los vestidos, no debería haber escogido su corpus a partir de un solo año; pero, aun disponiendo de un corpus más amplio, tendría que recurrir a información suplementaria para anotar combinaciones que físicamente son perfectamente posibles (chaquetas de pijama y pantalones de esquiar) pero no aparezcan en el corpus por no haber estado nunca de moda. Así, pues, en cualquiera de los casos, el analista ha de ir más allá del corpus hasta la información proporcionada por quienes entienden de modas o de ropa. Ese conocimiento de las compatibilidades y de las incompatibilidades —como la competencia de los hablantes nativos— es el objeto auténtico del análisis y habría que centrar la atención en él directamente en lugar de recurrir a él de manera ocasional y subrepticia.

Así, pues, se trata de una descripción confusa, incompleta e inverificable del código de la vestimenta que no puede servir ni siquiera de espécimen de análisis formal. No ofrece un sistema de reglas que especifiquen lo que está de moda; tampoco intenta un análisis distributivo riguroso de un corpus. Barthes, confundido por el modelo lingüístico, emprendió su tarea precisamente por el camino equivocado y después no estuvo dispuesto a seguir un método formal hasta el final. No se preocupó de decidir qué era lo que estaba intentando explicar y se detuvo sin haber explicado nada.

Es en extremo importante mencionar el fracaso de Barthes en razón de la tendencia tanto de los críticos como de los admiradores a aceptar su obra como un modelo de procedimiento estructuralista. La perniciosa ignorancia de la opinión de Roger Poole: «pero hay que reconocer que el *Système* es un ejemplo de análisis correcto» lo único que puede hacer es conducir a un entendimiento equivocado del estructuralismo.[3] El comentario de Barthes es mucho más apropiado: «Pasé por un sueño eufórico de cientifismo» (*Réponses*, p. 97). Apenas puede sorprender que un modelo lingüístico percibido en un sueño eufórico diera resultados confusos e inadecuados.

Afortunadamente, el examen que hace Barthes del nivel retórico del sistema es más pertinente y está más logrado que su descripción del código de la vestimenta. ¿Cuáles son las consecuencias de la forma como se presentan las secuencias de la moda? ¿Qué se puede descubrir sobre el sistema a partir de una investigación de sus procesos de significación? Así como el rasgo más

63

importante de un poema puede no ser su significado, sino la forma de producirse dicho significado, así también la estrategia retórica de la moda es más interesante que las propias modas. Uno de los rasgos más sorprendentes del sistema es la variedad de procedimientos concebidos para «motivar» sus signos: «evidentemente como la Moda es tiránica y sus signos arbitrarios, tiene que convertirlos en hechos naturales o leyes racionales» (p. 265). En primer lugar, el sistema asigna funciones a los vestidos al afirmar su «carácter práctico» (*Una chaqueta de lino para las noches frías del verano*) sin explicar por qué han de ser más apropiados que los vestidos que no están de moda. Además, puede usar descripciones detallistas (*Un impermeable para los paseos nocturnos por los muelles de Calais*) que, por ser tan contingentes las funciones que proponen, incluso inútiles, parecen las más «naturales».

> La propia precisión de la referencia al mundo es la que vuelve irreal la función; en eso encontramos la paradoja del arte de la novela: cualquier moda así detallada se vuelve irreal pero, al mismo tiempo, cuanto más contingente es la función más «natural» parece. Así, la literatura sobre la moda regresa al postulado del estilo realista, según el cual una acumulación de detalles pequeños y precisos confirma la verdad de la cosa representada (p. 268).

Por último, el sistema puede usar varias formas sintácticas para naturalizar sus signos. Los tiempos de presente y de futuro convierten decisiones arbitrarias sobre lo que estará de moda en hechos que existen pura y simplemente por derecho propio o son resultado de un proceso natural inescrutable (*Este verano los vestidos serán de seda; Los estampados ganan en las carreras*). Los verbos reflexivos convierten los propios vestidos en agentes de su elegancia (*Les robes se font longues; Le vison noir s'affirme* [«Los vestidos se están volviendo largos»; «El visón negro se está imponiendo»]). Las decisiones arbitrarias sobre lo que estará de moda quedan encubiertas en una retórica que no nombra los agentes responsables, que toma los efectos y, ocultando sus causas, los trata como hechos que se han observado o como fenómenos que se desarrollan de acuerdo con un proceso independiente y autónomo. La esencia de la moda como sistema semiótico estriba en la energía con que naturaliza sus signos arbitrarios.

Pero esa energía es duplicada por la insistencia con que la moda produce constantemente distinciones, sin que haya otras utilitarias que estén en correlación con ellas. Desde luego, no tiene que haber diferencias importantes entre el estilo de un año y el del siguiente, para que la gente no se niegue a cambiar. Y, en consecuencia, la moda debe dar importancia a las modificaciones más triviales: *Cette année les étofes velues succèdent aux étoffes poilues*. No importa que una tela «peluda» tenga las mismas propiedades que una «velluda» ni que sólo noten las diferencias observables quienes están al corriente de la moda. Lo que la moda valora es la propia distinción más que su contenido. Pero la proliferación de distinciones vacías aumenta los significados potenciales de un modo que niega valor intrínseco al vestido material: la elegancia radica en la descripción más que en el propio objeto.

Así, el sistema de la moda ofrece la espléndida paradoja de un sistema semántico cuyo único fin es debilitar el significado que elabora de forma tan lujuriante... sin contenido, se convierte así en el espectáculo a que los hombres se invitan a sí mismos del poder que tienen para hacer que lo insignificante signifique. De modo que la moda se convierte en una forma ejemplar del acto de significación y de esa forma coincide con la esencia de la literatura, que consiste en hacernos leer el *significante* de las cosas en lugar de su significado (p. 287).

En ese nivel es en el que el estudio de la moda es especialmente gratificador y sugiere algo de la naturaleza paradójica de los sistemas semióticos. Una sociedad, como muestran esta y otras obras de Barthes, dedica tiempo y recursos considerables a la elaboración de sistemas destinados «a cargar de significado el mundo», a convertir los objetos en signos. Pero, por otro lado, parece que «los hombres despliegan igual energía para enmascarar la naturaleza sistemática de sus creaciones y reconvertir la relación

65

semántica en una natural o racional» (p. 285). Pero, por otro lado, la propia energía empleada en la proliferación y naturalización de los signos —el deseo de hacer que todo signifique y, aún así, volver intrínsecos e inherentes todos esos significados— debilita finalmente el significado concedido a los objetos. Esos dos procesos que intentan afirmar de modo opuesto el significado, creándolo y naturalizándolo, contribuyen a lo que se convierte efectivamente en una actividad autónoma. Al absorber y debilitar las dos fuerzas contribuyentes, el proceso de la significación se convierte en una operación autónoma del significado. Para comprender que semejantes paradojas no son exclusivas de la moda basta con pensar cómo ha servido la consigna unitaria del 'realismo' para justificar cambios en el artificio literario y cómo ha conducido a la creación de mundos autónomos el deseo de hacer que lo real signifique.

La lógica mitológica

Los cuatro volúmenes de las *Mythologiques* de Lévi-Strauss constituyen el ejemplo más extenso e impresionante de análisis estructural hasta la fecha. La propia *grandeur* del proyecto —un intento de reunir los mitos de Norteamérica y Sudamérica, de mostrar sus relaciones con el fin de ofrecer la prueba de los poderes unificadores de la mente humana y la unidad de sus productos— hace de ella una obra que no podemos aspirar a evaluar ni describir, siquiera, en poco espacio. Pero podemos enfocarla con ambiciones más limitadas: ver de qué modo podría el modelo lingüístico animar y apoyar un análisis del discurso narrativo.

La investigación del mito forma parte de un proyecto a largo plazo que usa el material etnográfico para estudiar las operaciones fundamentales de la mente humana. En el nivel consciente y especialmente en el inconsciente, según Lévi-Strauss, la mente es un mecanismo estructurador que confiere forma a cualquier clase de material que encuentre a mano. En tanto que las civilizaciones occidentales han desarrollado categorías abstractas y símbolos matemáticos para facilitar las operaciones intelectuales, otras culturas usan una lógica cuyos procedimientos son semejantes, pero cuya categorías son más concretas y, por tanto, metafóricas. Tomemos un ejemplo puramente hipotético: en lugar de decir que dos grupos son semejantes, pero distintos y, sin embargo, no rivales, podrían llamar al primero «jaguares» y al segundo «tiburones».

En sus obras *La Pensée sauvage* y *Totémisme*, Lévi-Strauss intentó mostrar que les antropólogos no han sido capaces de explicar numerosos hechos relativos a los pueblos primitivos porque no han entendido la lógica rigurosa subyacente a ellos. Las explicaciones atomistas y funcionalistas fracasan en gran cantidad de casos y hacen que los otros pueblos parezcan excesivamente primitivos y crédulos. Si un clan tiene un animal particular como tótem no es necesariamente porque le atribuya importancia económica o religiosa. El sentimiento de referencia o los tabús particulares conectados con un tótem pueden ser resultados más que causas. «Decir que a un clan A se le hace 'descender' del oso y a un clan B del águila es simplemente una forma concreta y abreviada de exponer la relación entre A y B como análoga a la relación entre las dos especies» *(Le Totémisme aujourd'hui,* p. 44). Explicar un tótem es analizar su lugar en un sistema de signos. El oso y el águila son agentes lógicos, signos concretos, con los que se hacen afirmaciones sobre los grupos sociales.

Se han elegido los mitos como sector para un «experimento decisivo» en la investigación de su lógica concreta porque en la mayoría de las actividades es difícil decir qué regularidades del sistema se deben a operaciones mentales comunes y cuáles a constricciones externas. Pero, en el dominio de la mitología, todas las constricciones son internas; en principio en un mito puede ocurrir cualquier cosa, de modo que, si podemos descubrir un sistema subyacente, dicho sistema, según Lévi-Strauss, puede atribuirse a la propia mente:

> si fuera posible mostrar también en este caso que la aparente arbitrariedad de los mitos, la supuesta libertad de inspiración, el proceso de invención aparentemente incontrolado, significan la existencia de leyes que operan en un nivel más profundo, en ese caso la conclusión sería ineludible... si la mente humana está determinada incluso en su creación de

67

mitos, *a fortiori* está determinada también en otras esferas. (*Le Cru et le cuit,* p. 18.)

Así, pues, el primer postulado es el de que los mitos son la *parole* de un sistema simbólico cuyas unidades y reglas de combinación pueden descubrirse. «La experiencia prueba que el lingüista puede elaborar la gramática de la lengua que está estudiando a partir de una cantidad de oraciones ridículamente pequeña», y, de forma semejante, el antropólogo ha de poder presentar una descripción del sistema a partir del estudio de un corpus limitado (*ibid.,* p. 15). El ejemplo de la fonología sugiere que las estructuras estudiadas no tienen por qué ser conocidas por ninguno de los participantes, que los elementos aislados no tienen por qué tener significado intrínseco, sino que su importancia puede proceder enteramente de sus relaciones mutuas y que las operaciones de segmentación y de clasificación deben conducirnos a un sistema de términos.

En un ensayo anterior sobre *La structure des mythes* en que se propuso seguir los métodos de la fonología, Lévi-Strauss se preguntaba cómo se podían reconocer y determinar los constituyentes del mito y llegó a la conclusión de que no eran términos individuales de relación, sino «haces de relaciones». Si se llama al fonema «haz de rasgos distintivos», se debe a que un fonema individual participa en una serie de oposiciones a la vez, pero en la práctica el haz de Lévi-Strauss es un conjunto de especímenes que comparten un mismo rasgo funcional. No existe un procedimiento automático para aislar los haces o «mitemas» y, en consecuencia, Lévi-Strauss ha de partir de una hipótesis sobre el significado de un mito, si desea descubrir en él un conjunto de mitemas que expliquen dicho significado. Postula que los mitos explican o reducen una contradicción al poner en relación sus dos términos con otro par de especímenes en una homología de cuatro términos. Dado ese *signifié* bastante formal y abstracto, sabemos qué buscar al analizar un mito y podemos identificar, como hace Lévi-Strauss, los cuatro mitemas agrupando los especímenes bajo cuatro encabezamientos de modo que cada grupo posea un rasgo común que pueda formar parte de la estructura homológica. E nito de Edipo, por ejemplo, aparece tratado del modo siguiente (*Anthropologie structurale,* p. 236):

A	B	C	D
Cadmo busca a su hermana Europa	Los espartanos se matan	Cadmo mata al dragón	Labdacos = inválido
Edipo se casa con Yocasta	Edipo mata a Layo	Edipo «mata» a la Esfinge	Layo = zurdo
Antígona entierra a su hermano Polínice	Etéocles mata a su hermano Polínice		Edipo = de pies hinchados

Los acontecimientos de la primera columna comparten el rasgo de sobreestimar el parentesco (*rapports de parenté sur-estimés*) y, por esa razón, contrastan con el parricidio y el fratricidio de la segunda columna (*rapports de parenté sous-estimés*). La tercera columna se ocupa del hecho de que se mata a los monstruos anómalos, que son semihumanos y nacidos de la tierra. Destruirlos, dice Lévi-Strauss, equivale a negar el origen autóctono del hombre; mientras que la última columna muestra la persistencia de orígenes autóctonos en la incapacidad, típica, al parecer, del hombre ctónico, para caminar correctamente. Según se cree, el hombre nació de la tierra, pero los individuos nacen de la unión del hombre y la mujer. El mito pone en relación esa oposición con la oposición entre sobreestimación y subestimación de los lazos de parentesco, las cuales se observan en la vida social, y, de ese modo, lo vuelve, al parecer, más aceptable: «la experiencia puede refutar la teoría del origen autóctono, pero la vida social verifica la cosmología en el sentido de que ambas exhiben la misma estructura contradictoria» (*ibid.,* p. 239).

El método es insatisfactorio por una serie de razones. En primer lugar, al tomar los mitos individualmente no proporciona formas evidentes de ponerlos en relación unos con otros. En segundo lugar, la necesidad de seleccionar los acontecimientos que encajen en la estructura propuesta lo vuelve bastante arbitrario: se omite

69

una serie de especímenes importantes. Pero, por último, lo más importante es que no hace avanzar realmente nuestra comprensión de la lógica del mito: la única lógica revelada es la de la estructura homóloga postulada por adelantado y una lógica elemental de la pertenencia a ciertas clases. En consecuencia, cuando emprende un estudio del mito a gran escala, Lévi-Strauss abandona —si bien no lo rechaza explícitamente— el enfoque anterior. En particular, el intento de descubrir una homología de cuatro términos dentro de cada mito o detrás de él da preferencia a una comparación de los mitos destinada a revelar la lógica de los «códigos» que usan.

Un código es un conjunto de objetos o categorías procedentes de un solo sector de la experiencia y relacionados entre sí de forma que se convierten en herramientas lógicas útiles para expresar otras relaciones. «El objetivo de este libro», escribe Lévi-Strauss en la introducción a su primer volumen, «es mostrar que las categorías empíricas —como lo 'crudo' y lo 'cocido', lo 'fresco' lo 'podrido', lo 'humedecido' y lo 'quemado'...— pueden hacer de herramientas conceptuales para elaborar nociones abstractas combinarlas en proposiciones» (*Le Cru et le cuit*, p. 9). Así, pues podemos concebir su tarea como la de explicar la presencia de distintos especímenes o acontecimientos en mitos identificando los códigos de que proceden y mostrando lo que expresan dichos códigos. Nuestros ejemplos más familiares de ese procedimiento proceden de la crítica literaria. Podríamos decir, por ejemplo, que en su soneto CXLIV, *Two love I have of comfort and despair,* Shakespeare toma la oposición básica bueno/malo y la explora en una serie de códigos: el religioso (ángel/diablo, santo/maligno), moral (pureza/orgullo) y el físico (hermoso/demacrado). Explicar la presencia de cualquiera de esos especímenes equivale a mostrar que el código procedente de un sector particular de la experiencia forma parte de una oposición binaria cuya función es expresar un contraste temático subyacente.

En el caso de la literatura sabemos más o menos cómo proceder. Sabemos que en nuestra cultura el cabello obscuro y el cabello rubio se oponen o que ángel y demonio contrastan en el código religioso, y captamos los significados que el poema transmite ie modo que podemos comprobar nuestra explicación de los detalles por su pertinencia en relación con dichos significados. Sin embargo, en el caso de los mitos la situación es completamente diferente: para construir el contexto cultural que proporciona claves para la naturaleza de los posibles códigos es necesario considerable esfuerzo y perspicacia, y empezamos sin una apreciación firme del significado que nos permitiría evaluar la descripción de los mitos. Así, pues, el análisis ha de descubrir tanto la estructura como el significado. Ese requisito produce lo que Lévi-Strauss llama un movimiento en espiral, en que un mito es usado para elucidar otro, y eso conduce a un tercero, que, a su vez, sólo puede interpretarse cuando se lee a la luz del primero, etc. El resultado final ha de ser un sistema coherente en que cada mito vaya estudiado y entendido en sus relaciones con los demás: «el contexto de cada mito acaba por componerse cada vez más de otros mitos» (*Du Miel aux cendres*, p. 305). Para explicar un espécimen o acontecimiento de un mito particular, el analista ha de considerar no sólo sus relaciones con otros elementos de dicho mito, sino que, además, ha de intentar determinar cómo se relaciona con otros elementos que aparezcan en contextos semejantes en otros mitos.

Lévi-Strauss argüiría que su procedimiento es análogo al estudio de un sistema lingüístico: en ambos casos se comparan secuencias sintagmáticas para construir clases paradigmáticas y se examinan otras clases con el fin de determinar las oposiciones pertinentes entre miembros de cada paradigma. Desde el punto de vista del analista, sostiene, una sola cadena sintagmática carece de significado: lo que hemos de hacer es o bien «dividir la cadena sintagmática en segmentos que puedan superponerse y con respecto a los cuales podamos mostrar que constituyen otras variaciones sobre un tema único», que fue el procedimiento seguido en su ensayo anterior, o bien «oponer toda una cadena sintagmática entera, es decir, un mito completo, a otros mitos o segmentos de mitos». Sea cual fuere el procedimiento elegido, el efecto es substituir una cadena sintagmática única por un conjunto paradigmático, cuyos miembros adquieren entonces importancia por el simple hecho de que se oponen mutuamente (*Le Cru et le cuit*, p. 313).

La lingüística enseña que dos especímenes pueden tomarse como miembros de una clase paradigmática sólo cuando pueden substituirse mutuamente en un contexto determinado. Si tuviéramos dos versiones de un mito que difiriesen en un punto determinado, en ese caso, mediante la comparación de los dos elementos divergentes, podríamos descubrir casos en que diferirían y si supiéramos si las dos versiones del mito tenían el mismo significado o significados diferentes, habríamos descubierto un caso bien de variación libre bien de oposición funcional que habría que incluir en una descripción del sistema. Y, a la inversa, si tuviéramos varios mitos con el mismo significado, los compararíamos para descubrir las semejanzas formales responsables de dicho significado. En los casos en que así es, el método de Lévi-Strauss parece irrecusable y sus argumentos convincentes. Por ejemplo, cita ritos folklóricos de Inglaterra y de Francia en que, cuando una hermana menor se casaba antes que una mayor, a esta última se la alzaba y se la colocaba en el horno en un caso, se la obligaba a bailar descalza en otro y, en un tercer caso, se le exigía que comiera una ensalada de cebollas, raíces y clavo. Lévi-Strauss sostiene que no debemos intentar interpretar esas costumbres por separado y que sólo conseguiremos entenderlas, si las ponemos en relación y descubrimos sus rasgos comunes (*ibid.*, p. 341). El paradigma usa la oposición entre lo crudo y lo cocido para codificar la distinción entre naturaleza y cultura. El rito expresa la condición natural, no socializada de la hermana mayor (bailando descalza, comiendo una ensalada cruda) o bien se la socializa con un «cocción» simbólica.

Aunque no intervenga en él el mito propiamente dicho, este ejemplo ilustra varios problemas cruciales para el análisis del mito. En primer lugar, el análisis parece confirmado por la «plausibilidad» del significado atribuido a los ritos. Sabemos bastante sobre la cultura occidental de la que esos ejemplos proceden como para prescribir ciertas condiciones que una interpretación viable debe cumplir: que no se desee la soltería de la hermana mayor y que lo que se le exija sea bien un castigo simbólico bien una cura simbólica. De ese modo, es nuestra competencia la que hace de criterio muy general en función del cual deben verificarse las explic

:aciones. En segundo lugar, evidentemente tiene importancia que
os grupos en cuestión sepan en qué ocasión deben practicar esos
itos particulares, pues al conocer la ocasión sabemos ya algo de lo
que significa el rito. Así, pues, no necesitamos investigar lo que la
gente piensa realmente de los ritos o qué explicaciones ofrecería
a su vez, a no ser, naturalmente, que ofreciera explicaciones que
uesen aplicables también a los otros casos. El sistema operativo
puede funcionar de forma perfectamente inconsciente: las opiniones de la gente de que esos ritos son apropiados para esas ocasiones son correspondencias empíricas suficientes como para que
emos por sentada la existencia de un sistema. Por último, los tér-
ninos usados en la explicación —«crudo», «cocido», «naturaleza»,
«cultura»— quedan justificados no sólo por el hecho de que pare-
en aplicarse a esa gama de casos particular, sino también por su
ertinencia y aplicabilidad también a otros fenómenos. No son términos *ad hoc* inventados para las ocasiones, sino distinciones gene-
ales cuya importancia está documentada en otros casos. En resu-
nen, ese ejemplo del método de Lévi-Strauss funciona porque en-
ocamos los hechos con una firme presunción de unidad y sentido
e las condiciones de explicación plausible, incluyendo un conoci-
niento por lo menos rudimentario de los significados de los ritos
 de los términos explicativos que podrían ser pertinentes para
los.

Pero supongamos que tres casos no «coincidieran» de forma
n evidente: supongamos, por ejemplo, que se nos presentasen
es clases de relatos cortos en que intervinieran bodas: en el pri-
ero los invitados exclaman durante las festividades: «¡Después
toca a ti, Ursula!» y alzan a la hermana mayor hasta el horno;
 el segundo, la hermana mayor se quita los zapatos y baila des-
lza en torno a los recién casados; en el tercero, el padre dice:
Tú no tendrás pastel de bodas hasta que no encuentres novio»,
da a la hija una ensalada de lechuga y cebolla. Cada cuento con-
ndría un rasgo curioso que exigiría explicación, pero no sería
idente que requirieran una explicación común, y al crítico que
entase elucidar un acontecimiento comparándolo con los otros
dría acusársele perfectamente de demasiado ingenioso. Ese es
 problema que plantean continuamente los análisis de Lévi-

Strauss: si dos mitos coinciden en algún sentido —si tienen e
mismo significado o desempeñan la misma función—, en ese cas‹
es probable que cualesquiera semejanzas formales que puedan des
cubrirse sean pertinentes; pero, si no coinciden, el análisis result
discutible en extremo. Dos especímenes pueden compararse por di
ferentes razones; ¿qué razones ofrecerán relaciones pertinentes?

Considérese, por ejemplo, la primera comparación de *Le Cr*
et le cuit. El mito 1 puede resumirse así:

> Un muchacho viola a su madre y como castigo se le asigna
> varias misiones difíciles, que lleva a cabo con la ayuda ‹
> animales, aves, etc. El padre, irritado, propone una exp‹
> dición para capturar papagayos y, cuando el muchacho es›
> a medio camino del risco, quita la escala y lo deja desamp›
> rado. El muchacho consigue trepar por una enredadera has›
> la cima del risco y, después de una serie de privaciones y de
> gracias, regresa disfrazado a su pueblo. Esa noche una to›
> menta apaga todos los fuegos de la aldea excepto el de s›
> abuela. Para vengarse de su padre, el muchacho hace qi
> éste organice una cacería y, convirtiéndose en un venad›
> carga contra el padre y lo arroja a un lago donde es dev›
> rado por los peces, excepto los pulmones, que flotan en ›
> superficie y se convierten en plantas acuáticas. En otra ve›
> sión envía viento y lluvia para castigar a la tribu del pad›
> (pp. 43-5).

Lévi-Strauss compara éste con otro mito de la misma trib›

> Al contemplar la violación de su madre, un muchacho se ›
> cuenta a su padre, quien mata a los dos participantes. B›
> cando a su madre muerta, el muchacho se convierte en ›
> pájaro cuyas deyecciones, al caer sobre el hombro del pad›
> hacen que le crezca en él un árbol. El padre, humillado, an›
> errante, y en todos los sitios donde se detiene se form›
> lagos; recíprocamente, el árbol va encogiendo hasta que ll‹
> a desaparecer. El padre permanece en esos parajes agra›
> bles, rodeando su poste tribal dedicado a su propio pad›

y fabricando adornos y sonajeros que entrega a los miembros de su antigua tribu (*ibid.,* pp. 56-8).

Podemos observar distintas relaciones entre los dos mitos en niveles diferentes de abstracción. Por ejemplo, podríamos considerarlos de estructura semejante, exceptuando ciertas inversiones de sus términos. Colocando los términos invertidos entre paréntesis, tendríamos: la participación (no participación) en la violación de su madre crea relaciones hostiles (no hostiles) entre un muchacho y su padre, que conducen al aislamiento del hijo (del padre) de la tribu por las fuerzas humanas (naturales). Sin embargo, Lévi-Strauss percibe un paralelismo diferente:

> Cada cuento entraña un héroe tugare que crea bien agua de origen celestial después de haberse trasladado hacia arriba (trepando por una enredadera que cuelga) bien agua de origen terrestre después de haber sido empujado hacia abajo (inclinándose a medida que el árbol que sostiene va creciendo). Además, el agua celestial es dañina... mientras que el agua terrenal es benéfica... el primer héroe se ve separado involuntariamente de su aldea por la malevolencia de su padre; el segundo se separa voluntariamente de su aldea, impulsado por sentimientos afectuosos hacia su padre (*ibid.,* p. 58).

Ambas propuestas abarcan sólo unos pocos detalles de cada mito (Lévi-Strauss usa otros en una comparación posterior) y tratan los detalles como manifestaciones de categorías más generales. Evidentemente, mediante semejantes métodos podrían presentarse otros grupos de relaciones, y su condición depende de los fundamentos de la comparación particular. Para alguien formado en la literatura occidental, la oposición entre el movimiento *hacia arriba* y el movimiento *hacia abajo* sugerida por Lévi-Strauss parece bastante artificiosa, dado que el rasgo llamativo del apuro del padre en el segundo relato no es el propio movimiento hacia abajo en sí, sino el hecho de que le árbol crezca a partir de su hombro le haga inclinarse. Ahora bien, la interpretación de Lévi-Strauss está justificada en parte por la documentación etnográfica. Los bororo distinguen tres clases originales de plantas: las enredaderas que cuelgan, el árbol jatoba y las plantas de las marismas, que corresponden, respectivamente, a los elementos del cielo, de la tierra y del agua. La oposición entre la enredadera que cuelga en el primer mito y el árbol jatoba que crece del hombro del padre en el segundo puede muy bien ser pertinente como expresión de la oposición entre arriba y abajo, cielo y tierra. Semejante información proporciona bases para la comparación, porque se refiere a la forma como los miembros de la tribu en cuestión podrían interpretar sus mitos. Una vez establecidas esas bases, resulta posible elaborar relaciones entre los mitos.

En ese caso, podríamos distinguir tres situaciones analíticas diferentes. Dados dos mitos con significados o funciones diferentes, ha de ser posible establecer relaciones entre ellos. Y, a la inversa, cuando tomamos dos mitos de la misma cultura y disponemos de información sobre las distinciones usadas en dicha cultura tenemos también bases para la comparación. Pero cuando, como ocurre con frecuencia, Lévi-Strauss compara dos mitos correspondientes a culturas diferentes y sostiene que su significado procede de las relaciones existentes entre ellos, su análisis puede volverse muy problemático realmente. No existe una razón *a priori* para pensar que los mitos tengan algo que ver entre sí.

En un capítulo anterior de *L'origine des manières de table,* por ejemplo, Lévi-Strauss recopila una serie de mitos procedentes de las regiones más diversas de Norteamérica y de Sudamérica que contienen el motivo de la *femme-crampon,* una mujer que se ata literalmente a un hombre. Como varios de dichos mitos relacionan a esa mujer con el sapo de una forma o de otra, Lévi-Strauss se cree justificado para añadir a ese grupo otros mitos que contienen el motivo de la mujer-sapo.

> Disponemos de dos paradigmas, el de la *femme-crampon* y el de la mujer-sapo, cuya zona de distribución es Norteamérica y Sudamérica. En cada hemisferio los paradigmas van asociados mutua e independientemente. De hecho, hemos mostrado que aquí y allá la *feme-crampon* es un sapo. Aho

ra podemos entender la razón de su unión: uno dice explícitamente lo que el otro dice metafóricamente. La *femme-crampon* se ata físicamente y de la forma más abyecta a la espalda de su portador, que es su marido o alguno a quien desea hacer su marido. La mujer-sapo, una madrastra ofensiva, o con frecuencia una amante entrada en años incapaz de resignarse a la marcha de su galán, evoca un tipo de mujer que, como diríamos nosotros mismos, «se pega», dando en este caso a la expresión su significado figurado (p. 57).

Nuestro autor sostiene que mediante la comparación de esos mitos es como podemos determinar su estructura subyacente y, por tanto, su significado. Algunos mitos expresarán porciones de la estructura que otros no expresen. Pero, desde luego, ese ejercicio de idear un esquema común que representa el significado de este grupo de mitos depende de la hipótesis previa de que todos tienen el mismo significado.

Según Lévi-Strauss, afirman que es reprobable y peligroso confundir las diferencias físicas entre las mujeres con los rasgos específicos que distinguen a los hombres de los animales o a una especie animal de otra. Las mujeres, tanto si son bellas como si son feas, son todas humanas y merecen un marido (p. 60). Ahora bien, si supiéramos por la documentación etnográfica que todos esos mitos tienen el mismo significado, Lévi-Strauss podría afirmar perfectamente haberlo descubierto; o, si los mitos procediesen todos de una misma cultura, en ese caso estaría justificado buscar una explicación única para las diferentes *femme-crampon*. Pero en este caso no hay una razón particular para pensar que el motivo tenga significado semejante en cada cultura o mito.

Por consiguiente, está claro que en el nivel más general los problemas y procedimientos de Lévi-Strauss son bastante diferentes de los del lingüista. Lévi-Strauss está intentando mostrar que los mitos correspondientes a culturas diferentes coinciden efectivamente, como la *parole* de una lengua mitológica general; pero el lingüista tiene que probar que las oraciones del inglés deben tratarse como un grupo. Sabe que existe una gramática del inglés porque los hablantes de la lengua se entienden entre sí y utilizan diferencias formales para comunicar significados diferentes. El lingüista puede descubrir qué diferencias funcionales están en correlación con diferencias de significado y son responsables de éstas comparando y analizando secuencias, porque tiene información sobre los juicios de los hablantes y sobre el significado de las oraciones. La comparación entre *bet* («apuesta») y *bed* («cama») revela una oposición funcional que se usa para comunicar dos significados diferentes. Lévi-Strauss sostiene que el significado se revela mediante la comparación de los mitos, pero las diferencias entre dos mitos procedentes de culturas diferentes no se usan para comunicar nada.

Más que ninguna otra cosa, la falta de datos sobre el significado es lo que invalida la analogía con la lingüística, pues en el estudio del lenguaje no se pueden disociar lo estructural y lo semiológico: las estructuras pertinentes son las que permiten que secuencias funcionen como signos. La falta de perspectiva semiológica conduce a Lévi-Strauss a centrar su atención en lo estructural, a encontrar pautas y modos de organización en su material, pero sin pruebas sobre el significado es difícil mostrar que dichas pautas sean más pertinentes que otras. Aunque ha tomado de la lingüística unos cuantos principios básicos —el de que los fenómenos sociales pueden estar regidos por un sistema subconsciente, el de que el analista debe intentar establecer clases paradigmáticas con el fin de determinar los rasgos distintos de los miembros del paradigma, el de que las relaciones entre los términos son más importantes que los propios términos—, la ausencia de algo que corresponda a la competencia lingüística, que proporcionaría los datos por explicar y un criterio en función del cual verificar los resultados, es una diferencia tan crucial, que no podemos convenir con Jean Viet en que lo que inspira confianza en el método de Lévi-Strauss es el ejemplo proporcionado por la lingüística estructural.[4] En este caso, como en el de *Système de la mode,* podemos observar la insuficiencia de una interpretación particular de la lingüística estructural: la idea de que al estudiar un corpus podemos descubrir la gramática o lógica de un sistema mediante la división y comparación de formas puede inducir a pasar por alto el problema básico de determinar con precisión lo que hay que explicar.

Pero las dificultades de Lévi-Strauss no se deben, como las de Barthes, a la inadvertencia o a la confusión metodológica. Podría haberse propuesto estudiar el sistema de los mitos en una sociedad particular y haber intentado aislar las diferencias funcionales dentro de dicha sociedad. Pero ha escogido deliberadamente otra perspectiva: la de la mitología en general. En su estudio anterior del parentesco se había enfrentado a un problema semejante: las sociedades atribuyen significados muy diferentes a sus reglas matrimoniales, pero el antropólogo no puede limitarse a aceptar esos significados y hacer la vista gorda ante las relaciones subyacentes que percibe entre las reglas de sociedades diferentes. Cuando describe y compara los sistemas de parentesco como procedimientos para garantizar la circulación de las mujeres y crear la solidaridad social —cuando usa ese significado general para fundamentar su análisis de sistemas particulares—, las conclusiones y el propio enfoque no pueden justificarse, como él dice, inductivamente. «Lo que aquí nos interesa no son los hechos, sino su importancia. La pregunta que me formulé fue la del *significado* de la prohibición del incesto (lo que el siglo XVIII habría llamado su 'espíritu')» (*Leçon inaugurale,* p. 28). El objeto de estudio no es el significado de una regla para la sociedad que la cumple, sino el significado de los propios fenómenos en sus relaciones. En el caso de la mitología el *quid* de la cuestión estriba en eso también. Cuando Lévi-Strauss dice que los mitos resuelven oposiciones hemos de preguntarnos si la oposición se resuelve *para el mito,* o, de hecho, *para los nativos.*[5] Lévi-Strauss ha escogido resueltamente la primera: «De modo que no me propongo mostrar cómo piensan los hombres en mitos, sino cómo piensan los mitos en los hombres sin que éstos lo sepan» (*comment les mythes se pensent dans les hommes, et à leur insu*) (*Le Cru et le cuit,* p. 20).

Para justificar esa elección hemos de explicar por qué las afirmaciones sobre el significado no se pueden reducir a asertos sobre las reacciones de los individuos, y en este sentido la literatura proporciona una analogía útil. Existe un sentido en el que la resolución de oposiciones que se produce en una metáfora es la idea del propio poema y no la idea de un grupo de lectores. La razón es que los textos tienen significado para quienes saben cómo leerlos, quienes, en sus encuentros con la literatura, han asimilado las convenciones que constituyen la literatura como institución y medio de comunicación. En los términos de la literatura o de la poesía es como los poemas tienen significado, y podríamos decir, parafraseando a Lévi-Strauss, que la misión del crítico es mostrar *comment la littérature se pense dans les hommes.*

De hecho, esa analogía proporciona la clave tanto para una comprensión favorable del proyecto de Lévi-Strauss como para una identificación de sus dificultades. Pues lo que le interesan no son los significados que los mitos puedan tener para los individuos que sólo conozcan los mitos de su sociedad, sino los significados que los mitos podrían tener dentro del sistema global de los mitos: dentro de la mitología como institución. En ese sentido su proyecto es tan justificable como el del crítico moderno que no intenta reconstruir el significado que podría haber tenido un poema para un público del siglo XVII, sino que explora los significados que puede tener ahora, dentro de una institución de la literatura enormemente enriquecida. Pero mientras que la institución de la literatura se ve fomentada y mantenida por la educación literaria y mientras que la literatura tiene muchos lectores expertos que conocen la gama de sus productos, la institución de la mitología lleva una existencia insegura y de pocas personas podría decirse que han asimilado su sistema. Por expresarlo de la forma más simple, sabemos cómo leer la literatura, pero no sabemos cómo leer los mitos. Y eso es crucial, porque, aun cuando los significados de los mitos o de los poemas pueden no ser reducibles a los juicios de los individuos, dichos juicios son los únicos testimonios que tenemos sobre la naturaleza de las convenciones que funcionan dentro de las instituciones para producir significado. Para descubrir cómo funciona la literatura hemos de pensar cómo leemos los poemas; sobre eso tenemos testimonios, pero sabemos poco sobre cómo leer los mitos.

De hecho, la pregunta que parece haberse formulado Lévi-Strauss es «¿Cómo puede el mito tener un significado?».

«¿Cuáles son las convenciones y procedimientos de lectura que permitirían a la institución de la mitología volverse tan real y presente como la institución de la literatura?» Está intentando enseñarse a sí mismo y a sus lectores el lenguaje del mito, que hasta ahora no tiene hablantes nativos. Está creando, por decirlo así, una teoría de la lectura: postulando diferentes códigos y operaciones lógicas que nos permitirán leer un mito en relación con otro y producir un sistema coherente del que surgirá el significado. Eso es claramente lo que ha ocurrido en el caso de la *femme-crampon*. Por ser como es un estructuralista demasiado bueno como para cometer el error elemental de dar por sentado que un elemento determinado ha de tener el mismo significado en contextos diferentes, su uso del motivo como recurso de conexión representa la tesis de que esos mitos llegan a ser interesantes e inteligentes cuando se los lee unos en función de otros, *como si* tuvieran el mismo significado. Si los procedimientos que desarrolla consiguen hacer inteligibles los mitos se deberá indudablemente a una concordancia entre el método y el objeto. Y dicha concordancia ilustrará lo que, al fin y al cabo, era el objetivo general de su proyecto: el carácter específico de las operaciones de la mente y la unidad de sus productos, ya sean mitos o teorías del mito.

> No hay mucha diferencia entre el hecho de que en este libro el pensamiento de los indios sudamericanos tome forma a través de las operaciones de mi pensamiento y el hecho de que sea mi pensamiento el que tome forma a través del suyo. Lo que importa es que la mente humana, independientemente de la identidad de quienes sean sus representantes por el momento despliegue aquí una estructura cada vez más inteligible a partir de la progresión de ese movimiento doblemente reflejo de dos pensamientos influyéndose mutuamente (*ibid.*, p. 21).

Las técnicas de interpretación que desarrolla manifestarán, naturalmente, e iluminarán las operaciones de la mente.

Considerada como una teoría de la lectura, la descripción del mito por parte de Lévi-Strauss ofrece al estudioso de la literatura se raro espectáculo de un intento de inventar y verificar las convenciones para la lectura del discurso narrativo. Puesto que el mito y la literatura comparten, como mínimo, una «lógica de lo concreto», debemos considerar sus propuestas relativas a la lectura del mito como hipótesis sobre operaciones semiológicas que puede que se realicen intuitivamente en la lectura de la literatura.

De su examen de los códigos, por ejemplo —culinario, gustativo, olfativo, astronómico, acústico, zoológico, sociológico, cosmológico—, surge la hipótesis de que los elementos de un texto adquieren significado como resultado de oposiciones en las que se han organizado diferentes sectores de experiencia y que, una vez reconocidas por un lector que haya asimilado los códigos pertinentes, pueden ponerse en correlación con otras oposiciones más abstractas. Si la heroína de un relato aparece vestida de blanco, puede atribuirse un significado a ese detalle porque la oposición entre blanco y negro es un agente lógico codificado. Ampliada a la literatura, la obra de Lévi-Strauss sobre los códigos podría inducir a afirmar que lo que denominamos 'connotaciones' no son significados asociados de forma atomista a términos individuales, sino el resultado de contrastes dentro de los códigos, de que depende al final el proceso de interpretación simbólica.

El análisis de «sol» y «luna» es un ejemplo apropiado. Lévi-Strauss ve esa oposición como un agente mitológico poderoso con gran potencial semántico: «mientras siga siendo una oposición, el contraste entre sol y luna puede significar casi cualquier cosa». El significado de *sol* no está determinado por propiedad real efectiva o intrínseca alguna del objeto, sino por el hecho de que contrasta con *luna* y de que ese contraste se puede poner en correlación con otros. Así, la distinción puede ser sexual: el sol será masculino y la luna femenina, o viceversa; pueden ser marido y mujer, hermana y hermano. O pueden ser del mismo sexo, dos mujeres o dos hombres opuestos por el carácter o por el poder.[6] Aunque los mitos pueden perfectamente explotar los contrastes binarios con más libertad que la literatura, la facilidad con que los poetas usan *día* y *noche* para expresar una serie de oposiciones diversas sugiere que no se debe limitar la teoría de Lévi-Strauss al dominio de la mitología.[7]

El principio básico en que se basa el análisis de los códigos es la noción fundamentalmente saussureana de que la materia e sólo el instrumento de significación, no el propio significante. «Para que pueda desempeñar esa función, primero hemos de reducirla, conservando sólo unos pocos de sus elementos que son idóneos para expresar contrastes y formar pares en oposición» (*Le Cru et le cuit,* pp. 346-7). Fundamentalmente, se trata de una hipótesis sobre el proceso estructurador de la lectura que, para hacer que el texto signifique, organiza sus elementos en series en oposición que después pueden ponerse en correlación con otras oposiciones. Dicho proceso tiene una consecuencia extraordinariamente importante: la extracción de los rasgos pertinentes deja un residuo que puede organizarse, a su vez, en diferentes oposiciones, que producen el tipo de plurivalencia o ambigüedad que muchos han considerado la característica esencial del lenguaje literario. A causa del principio mismo en virtud del cual están construidos los códigos, al leer es posible multiplicar los códigos que podrían ser pertinentes para cualquier discurso particular.

Otro aspecto de la teoría de Lévi-Strauss es la tesis de que existen algunos contrastes semánticos básicos cuya expresión constituye la misión de los diferentes códigos. Al analizar los mitos generalmente considera las afirmaciones sobre las relaciones de parentesco o sociales como los significados más importantes, pero no intenta justificar esa preferencia y observa, de hecho, que «carece de sentido aislar niveles semánticos preferentes en los mitos» (*ibid.,* p. 347). No sólo va implícito en su teoría de los códigos, sino que, además, lo confirma la analogía con la literatura. No puede haber duda de que, al leer poemas o novelas, establecemos una jerarquía de rasgos semánticos. Podemos interpretar las afirmaciones sobre el tiempo atmosférico como metáforas correspondientes a estados de la mente, pero nadie ha interpretado nunca las afirmaciones sobre los estados de ánimo como metáforas correspondientes al tiempo atmosférico. Podríamos decir que la oposición entre el buen tiempo y el malo no se reconoce como fundamental en sí misma y, en consecuencia, se interpreta en el sentido de que expresa algún otro contraste más importante. Una de las misiones de la crítica podría ser la de determinar qué rasgos semánticos gozan de esa condición privilegiada y parecen hacer de *signifiés* fundamentales de los símbolos.

Precisamente porque trata materiales que no nos son familiares —textos pertenecientes a culturas diferentes de la nuestra—, la obra de Lévi-Strauss expone algunos de los problemas básicos de la lectura que en otros casos puede no convertirse en objeto de reflexión explícita, ya que los resuelve una experiencia cultural más rica. La propia singularidad de los mitos que cita, la dificultad de alcanzar lo que ordinariamente consideraríamos una comprensión satisfactoria revela claramente hasta qué punto dependemos —en la lectura de textos pertenecientes a la cultura occidental— de una serie de códigos y convenciones de las que no somos plenamente conscientes. El carácter extraño inicial del mito se atenúa un poco cuando Lévi-Strauss lo contrapone a otros mitos y proporciona los códigos que permiten a sus elementos significar y encajar dentro de pautas; y ese proceso de naturalización del mito sirve de imagen de las operaciones que estamos acostumbrados a realizar en relación con nuestros propios textos de creación literaria. Volver explícitas esas operaciones, describir el proceso estructurador, los códigos empleados y los fines que orientan la actividad, ha de ser más fácil en el caso de la literatura que en el del mito, dado que en los juicios de los lectores expertos hay abundantes testimonios de cómo funciona. Es decir, que hay más «hablantes nativos» de esa «lengua» y, al contrario que Lévi-Strauss, no tenemos necesidad de inventar un método de lectura al tiempo que investigamos.

Estos dos ejemplos confirman algunas de las conclusiones preliminares sobre la aplicación de modelos lingüísticos al estudio de otros sistemas culturales. Ambos demuestran que la lingüística no proporciona un procedimiento de descubrimiento que pudiera seguirse mecánicamente y que los intentos de usarla como si lo proporcionara efectivamente pueden inducir a pasar por alto el problema básico de determinar lo que deseamos explicar. *Système de la mode* muestra la indeterminación que resulta de proponerse simplemente describir un corpus en lugar de formular las reglas de un sistema generativo que representaría «competencia» de algún tipo. *Mythologiques* no encuentra precisamente esa dificultad, pero

84

se ve perjudicada por el hecho de que hasta ahora existen muy pocos testimonios sobre los significados de los especímenes en el sistema general que pretende reconstruir. En ninguno de los dos casos existe un corpus le oraciones que proporcione al analista testimonios suficientes. Este necesita recurrir a juicios sobre la semejanza y la diferencia de significado, sobre las construcciones correctas y las que no lo son, para hacer algo más que identificar pautas. Tanto Barthes como Lévi-Strauss parecen formular relaciones y pautas sin tener en cuenta suficientemente su valor explicativo, y por esa razón ninguno de ellos ofrece un modelo de lo que debe ser el análisis estructural.

En el estudio de la literatura debe ser posible, en teoría, eludir la mayoría de esos problemas, pero, como vamos a ver, muchas de las mismas dificultades surgen a causa de interpretaciones equivocadas sobre concepciones erróneas de la naturaleza y la eficacia de los métodos lingüísticos.

CAPITULO 3

LOS ANALISIS POETICOS DE JAKOBSON

> *I wished beauty to be considered as*
> *regularity or likeness tempered by*
> *irregularity or difference* *
>
> GERARD MANLEY HOPKINS

Para cualquier interesado en aplicar los métodos lingüísticos al estudio de la literatura un procedimiento obvio sería usar las categorías de la lingüística para describir el lenguaje de los textos literarios. Si la literatura es, como dice Valéry, «una especie de extensión y aplicación de ciertas propiedades del lenguaje»,[1] el lingüista podría contribuir a los estudios literarios mostrando qué particularidades de la lengua aparecen explotadas en textos particulares y cómo van ampliadas y reorganizadas. La afirmación de que esa actividad podría ser fundamental para el estudio de la literatura forma parte de una posición general compartida por los formalistas rusos; y el enlace entre esos grupos —el hombre que ha contribuido más que nadie a confirmar esa afirmación— es Roman Jakobson, cuyas formulaciones teóricas y análisis prácticos son los textos básicos de esa variedad de estructuralismo que intenta aplicar las técnicas de la lingüística estructural directamente al lenguaje de los poemas.

* «Deseo que se considere la belleza como regularidad o semejanza moderada por la irregularidad o la diferencia.»

Como la literatura es ante todo lenguaje y como el estructuralismo es un método basado en la lingüística, el punto de encuentro más probable, como observa Genette, es el del propio material lingüístico (*Figures*, p. 149). El lingüista podría analizar las estructuras fonológicas, sintácticas y semánticas de las oraciones de los poemas, pero quedaría para el crítico la tarea de analizar las funciones especiales que ese material lingüístico adquiere cuando se lo organiza como poema. Sin embargo, Jakobson insiste en que esas restricciones a la función de la lingüística «se basan en un prejuicio anticuado que priva a la lingüística de su objetivo fundamental, es decir, el estudio de la forma verbal en relación con sus funciones, o bien cede al análisis lingüístico sólo una de las diversas funciones del lenguaje: la función referencial» (*Questions de poétique*, p. 485). Todos los ejemplos lingüísticos desempeñan por lo menos una de las seis funciones: la referencial, la emotiva, la fática, la conativa, la metalingüística y la poética. Y el lingüista no puede pasar por alto una de esas seis, si pretende llegar a una teoría completa del lenguaje. En realidad, para Jakobson la poética es una parte integrante de la lingüística y puede definirse como «el estudio lingüístico de la función poética en el contexto de los mensajes verbales en general y en la poesía en particular» (*ibid.*, p. 486).

En cada acto de habla

> el *emisor* envía un *mensaje* al *receptor*. Para ser eficaz el mensaje requiere un *contexto* al que se hace referencia, que el receptor pueda captar, y que sea bien verbal bien capaz de verbalizarse; un *código* total, o por lo menos parcialmente, común al emisor y al receptor; y, por último, un *contacto*, un canal físico y una conexión psicológica entre el emisor y el receptor, que permita a ambos entrar y mantenerse en comunicación. (*Linguistics and Poetics*, p. 353).

El hecho de enfocar uno de esos factores produce una función lingüística particular, y la función poética aparece definida como «[el hecho de] enfocar el mensaje en sí mismo». Naturalmente, por «mensaje» Jakobson no entiende «contenido de una

87

proposición» (esto lo subraya la función referencial del lenguaje), sino simplemente la expresión en sí misma como forma lingüística. En palabras de Mukarovsky, «la función del lenguaje poético consiste en la colocación en primer plano, al máximo, de la expresión».[2] La colocación en primer plano puede realizarse de diversas formas, pero para Jakobson la técnica principal es el uso de un lenguaje profundamente pautado. Eso explica su famosa definición del criterio lingüístico mediante el cual se debe identificar la función poética: «La función poética proyecta el principio de equivalencia desde el eje de la selección hasta el eje de la combinación» (*Linguistics and Poetics,* p. 358). O, en una versión posterior: «Podríamos declarar que en poesía la semejanza se superpone a la contigüidad, y por esa razón 'la equivalencia asciende a la categoría de recurso constitutivo de la oración'» (*Poetry of grammar and grammar of poetry,* p. 602). En otras palabras, el uso poético del lenguaje entraña la colocación en sucesión de elementos que están relacionados fonológica o gramaticalmente. Las pautas formadas por la repetición de elementos similares será a un tiempo más común y más perceptible en la poesía que en otros tipos de lenguaje.

Según Jakobson, el análisis lingüístico de un texto puede revelar esas pautas:

> Cualquier descripción imparcial, atenta, exhaustiva, total, de la selección, distribución e interrelación de diversas clases morfológicas y construcciones sintácticas en un poema determinado sorprende al propio autor del examen con simetrías y antisimetrías impresionantes, estructuras equilibradas, acumulación eficaz de formas equivalentes y contrastes sobresalientes y, por último, con rígidas restricciones en el repertorio de los constituyentes morfológicos y sintácticos usados en el poema, eliminaciones que, por otro lado, nos permiten seguir la magistral interacción de las construcciones actualizadas (*ibid.,* p. 603).

Este pasaje sorprendente y optimista sugiere que, si seguimos pacientemente los procedimientos del análisis lingüístico —y los seguimos mecánicamente con el fin de evitar la parcialidad—, podemos producir un inventario completo de las pautas del texto. La tesis parece ser, primero, que la lingüística proporciona un algoritmo para la descripción exhaustiva e imparcial de un texto y, segundo, que ese algoritmo de la descripción lingüística constituye un procedimiento de descubrimiento para las pautas poéticas, en el sentido de que, si se sigue correctamente, producirá una descripción de las pautas que están presentes objetivamente en el texto. Dichas pautas sorprenderán al propio analista, pero como los procedimientos que las han revelado son objetivos y exhaustivos, aquél puede gozar de la sorpresa del descubrimiento y no tiene por qué preocuparse de la condición ni de la pertinencia de esos resultados inesperados.

No obstante, hay razones poderosas para preocuparse. Dejando de lado de momento la pertinencia de las pautas descubiertas de ese modo, hemos de impugnar seriamente la tesis de que la lingüística proporciona un procedimiento determinado para la descripción exhaustiva e imparcial. Desde luego, una gramática de una lengua asignará descripciones estructurales a cada oración, y, si la gramática es explícita, dos analistas que la usen asignarán la misma descripción a una oración determinada; pero, una vez que superamos esa etapa y emprendemos un análisis distributivo de un texto, entramos en un dominio de extraordinaria libertad, en el que una gramática, por explícita que sea, ya no proporciona un método determinado. Podemos producir categorías distributivas casi *ad libitum*. Podríamos empezar, por ejemplo, estudiando la distribución de los substantivos y distinguir los que eran complementos de verbos de los que eran sujetos. En la siguiente etapa, podríamos distinguir los que eran complementos de verbos en singular y los que eran complementos de verbos en plural, y después podríamos subdividir cada una de esas clases según el tiempo de los verbos. Ese proceso de diferenciación progresiva puede producir una cantidad casi ilimitada de clases distributivas, y así, si deseamos descubrir una pauta de simetría en un texto, siempre podemos producir alguna clase cuyos miembros estarán dispuestos apropiadamente. Si deseamos mostrar, por ejemplo, que la primera y última estrofas de un poema están relacionadas mediante una distribución semejante de algún elemento lingüístico, siempre podemos definir una categoría tal, que sus miembros estén distribuidos simétricamente entre las dos estrofas. No hace falta decir que esas pautas están presentes «objetivamente» en el poema, pero no sólo por esa razón tienen importancia.

Nadie ha contribuido tanto como Jakobson a mostrar la importancia del paralelismo sintáctico y de los tropos gramaticales en la poesía, y aquí no ponemos en cuestión ese aspecto de su obra. La afirmación que impugnamos es a un tiempo más específica y más universal: la de que el análisis lingüístico nos permite identificar, como rasgo distintivo del uso poético del lenguaje, la forma como van relacionados los pareados o las estrofas mediante la distribución simétrica de las unidades gramaticales. Un examen del análisis por parte de Jakobson de uno de los poemas de *Spleen* de Baudelaire mostrará que, con un poco de inventiva, se pueden descubrir simetrías de todas clases e ilustrará el carácter espacioso de algunas de las pautas identificadas de ese modo:

> I Quand le ciel bas et lourd pèse comme un couvercle
> Sur l'esprit gémissant en proie aux longs ennuis,
> Et que de l'horizon embrassant tout le cercle
> Il nous verse un jour noir plus triste que les nuits;
>
> II Quand la terre est changée en un cachot humide,
> Où l'Espérance, comme une chauve-souris,
> S'en va battant les murs de son aile timide
> Et se cognant la tête à des plafonds pourris;
>
> III Quand la pluie étalant ses immenses traînées
> D'une vaste prison imite les barreaux,
> Et qu'un peuple muet d'infâmes araignées
> Vient tendre ses filets au fond de nos cerveaux,
>
> IV Des cloches tout a coup sautent avec furie
> Et lancent vers le ciel un affreux hurlement,
> Ainsi que des esprits errants et sans patrie
> Qui se mettent à geindre opiniâtrement.

V   *Et de longs corbillards, sans tambours ni musique,*
    Défilent lentement dans mon âme; l'Espoir,
    Vaincu, pleure, et l'Angoisse atroce, despotique,
    Sur mon crâne incliné plante son drapeau noir.

(Cuando el cielo bajo y cargado pesa como una tapa
sobre el espíritu que gime presa de largas penas,
y desde el horizonte, abarcando todo el círculo,
nos ofrece un día negro más triste que las noches;

Cuando la tierra se convierte en un calabozo húmedo,
donde la Esperanza, como un murciélago,
se va batiendo su tímida ala contra los muros
y golpeándose la cabeza contra techos podridos;

Cuando la lluvia desplegando sus inmensos regueros
de una vasta prisión imita los barrotes,
y una muchedumbre muda de infames arañas
viene a tender sus redes en el fondo de nuestros cerebros,

De repente saltan campanas con furia
y lanzan al cielo un horrible alarido,
como espíritus errantes y sin patria
que se ponen a gemir obstinadamente

y largos entierros, sin tambores ni música,
desfilan lentamente en mi alma; la Esperanza,
vencida, llora, y la Angustia atroz, despótica,
sobre mi cráneo inclinado planta su bandera negra.)

La técnica básica de Jakobson al analizar los poemas consiste en dividirlos en estrofas y mostrar que la distribución simétrica de los elementos gramaticales organiza las estrofas en distintas agrupaciones, especialmente las estrofas pares e impares, las anteriores y las posteriores, las exteriores y las interiores.[3] En su estudio de *Spleen* observa la distribución de las formas pronominales. Una lista completa por estrofas sería la siguiente: I: *Il, nous*; II: *s', son, se*; III: *ses, ses, nous*; IV: *se, qui*; V: *mon, mon, son*. La simetría no es evidente, si bien podríamos decir, desde luego, que la primera y la cuarta estrofas están enlazadas y separadas de las restantes por el hecho de que las dos primeras contienen dos formas gramaticales y las segundas tres. Pero Jakobson prefiere tipos de organización más simétricos y sostiene, en cambio, que las estrofas impares se distinguen de las pares en virtud de que sólo las primeras contienen pronombres de primera persona (*nous* en la primera, *nos* en la tercera, y dos *mon* en la quinta) (*Questions de poétique,* p. 421). Podemos encontrar fácilmente otras pautas en el material: III, que contiene adjetivos pronominales plurales *(ses, ses, nos),* se distingue, como estrofa central, de las demás, que no contienen ninguno; III y IV, que no contienen pronombres propiamente dichos, sino sólo adjetivos pronominales (posesivos), contrastan con I, II y IV, que sí contienen pronombres personales ordinarios. Pero Jakobson no cita ninguno de esos contrastes, ya que lo que le interesa sobre todo es la simetría de los versos impares frente a los pares.

Otra pauta que enlaza las estrofas impares es, según Jakobson, la distribución de los calificativos. La distribución de los adjetivos es la siguiente: I: *bas, lourd, longs, tout, noir, triste* (6); II: *humide, son, timide, pourris* (4); III: *ses, immenses, vaste, muet, infâmes, ses, nos* (7); IV: *affreux, errants* (2); V: *longs, mon, atroce, despotique, mon, incliné, son, noir* (8). En este caso no hay simetría inicial pero con un poco de ingenio podemos descubrir pautas. En primer lugar, Jakobson sostiene que cuatro substantivos en cada una de las estrofas van modificados directamente por un adjetivo o participio, pero, para producir esas figuras omite los adjetivos posesivos de la clase de los adjetivos, suprime *tout* de la lista de los adjetivos, a pesar de que en este caso es claramente una forma adjetiva,[4] y añade *gémissant,* lo que en el mejor de los casos es una decisión discutible, pues no parece probable que *gémissant* modifique directamente a *esprit,* sino que es el verbo de una frase participial que tomada en conjunto modifica a *esprit.* Además, Jakobson sugiere que los participios adjetivos (*participes épithetes*) están distribuidos simétricamente en las estrofas impares: I: *gémissant*; III: *étalant*; V: *incliné.* Ahora bien, si *étalant* fuera realmente un calificativo directo, Jakobson se vería obligado a añadir *pluie,* al que modifica, a la lista de substantivos con calificadores directos, que le da cuatro en la primera estrofa, cinco en la tercera y cuatro en la quinta... simetría no tan satisfactoria como su figura original de cuatro en cada una. En respuesta a esa crítica,[5] Jakobson admite que *étalant* no es calificador directo, pero sostiene que puede clasificarse con ellos porque es «simplemente una etapa menos avanzada de la transformación del verbo en adjetivo». Desde luego, eso es absolutamente cierto, pero si admite *étalant* basándose en eso, ha de incluir también *vaincu,* que está por lo menos tan próximo a la condición de adjetivo, y encontraría enormes dificultades para justificar la exclusión del participio *embrassant,* que es también una «etapa menos avanzada de la transformación del verbo en adjetivo».

Cuando pasa a ocuparse de la distribución de los propios calificadores, consigue una simetría magnífica al ampliar la clase para que incluya los adverbios de modo y seguir excluyendo los adjetivos posesivos y el adjetivo *tout.* Las estrofas impares contienen ahora cada una tres calificadores, ya que se ha omitido *son* de la segunda y se ha añadido *opiniâtrement* a la cuarta. Las estrofas externas contienen seis, dado que *gémissant* ha substituido a *tout* en la primera y se ha añadido *lentement* a la quinta, después de la exclusión de *mon* y *son.* Y la estrofa del medio, con la omisión de *ses* y *nos,* contiene ahora bien cuatro bien cinco, según se conserve o no *étalant* (*Questions de poétique,* p. 422).

Por poco prometedora que sea la distribución de las categorías gramaticales más obvias, parece que podemos encontrar formas de producir simetría. Pero la cuestión no estriba en que por su celo a la hora de mostrar figuras equilibradas Jakobson trate la gramática descuidadamente: ese subterfugio sería de poco interés y, en cualquier caso, no impugnaría el propio método. Más que nada, lo que ocurre es que la forma de proceder de Jakobson indica la debilidad e incluso falta de pertinencia de ese tipo de simetría numérica. Conceder importancia a esa clase de equilibrio numérico significa, por ejemplo, que el poema está mejor organizado si interpretamos *gémissant* como calificativo o si nos condicionamos a nosotros mismos para considerar calificativos los ad-

93

verbios de modo, pero no los adjetivos posesivos. Si convenimo
en que el hecho de reconocer el carácter auténtico de esos elemen
tos no debilita el poema ni altera su efecto, hemos rechazado, e
esencia, la afirmación de Jakobson de que esa pauta que él percib
hace una contribución importante a la unidad y a la poeticidad
del texto. No ofrece argumentos para convencernos de la impor
tancia de la simetría numérica, ni las propias pautas contribuye
a una convicción de esa clase.

Además de descubrir pautas que enlazan las estrofas de lo
poemas en una diversidad de combinaciones, en general Jakobso
se propone mostrar que el verso o versos centrales del texto s
distinguen de algún modo del resto, como si un poema bien cons
truido requiriera un centro identificable en torno al cual gira. E
Spleen hay pocas pruebas en favor del aislamiento de los do
versos centrales.

> *D'une vaste prison imite les barreaux,*
> *Et qu'un peuple muet d'infames araignées,*

y, aunque señala algunas semejanzas entre esos dos versos, s
afirmación de que se distinguen del resto del poema depende c
un argumento sobre la distribución de las formas gramaticale
transitorias (formas verbales impersonales y adjetivos adverbiales
«notamos en la primera mitad de *Spleen* cinco participios de pr
sente y en la segunda mitad un par de infinitivos seguidos c
dos adverbios y, finalmente, de dos participios ahora pasivos, mie
tras que los dos versos centrales no llevan ninguna forma tra
sitoria» (p. 429).

Se trata de un argumento extraordinariamente curioso, p
la simple razón de que los dos primeros versos de la segunc
estrofa y los tres primeros versos de la cuarta estrofa carecen ta
bién de formas transitorias, de modo que ese criterio apen
basta para distinguir los dos versos centrales del resto del poem
poema. Pero el detalle es interesante precisamente porque el des
de Jakobson de usar un argumento tan especioso parece dar a e
tender que es en extremo importante encontrar alguna pauta dist
butiva que haga resaltar el centro del poema, y puede que no est

94

mos equivocados al atribuirle la afirmación implícita de que *Spleen*
ería un poema mejor, o por lo menos mejor organizado, si
os versos centrales fueran, de hecho, los únicos carentes de formas transitorias. La sugerencia parece ser que, si introdujéramos
ormas transitorias en los tres primeros versos de la cuarta estrofa,
que ahora carece de ellos tanto como los versos centrales de la
ercera, la prominencia de esta última se vería intensificada y la
rganización del poema fortalecida. La sustitución de *tout à coup*
or el adjetivo adverbializado *subitement* y el cambio del adjetivo
rrants, no transitorio, por un participio con un complemento
propiado (por ejemplo, *errant sans compagnie* en lugar de *errants*
t sans patrie) introducen dos nuevas formas transitorias y hacen
que el poema se ajuste más fielmente a la pauta de organización que
akobson desearía ver en él. Pero es dudoso que los cambios de
sa clase en la cuarta estrofa consigan alterar el efecto de los ver-
os centrales de la tercera estrofa. Y si pensamos que la intro-
ucción de esas formas transitorias no hace destacar con mayor
laridad los dos versos centrales del poema y contrastar con el
esto del mismo, en ese caso estamos rechazando implícitamente la
esis de Jakobson sobre la importancia de esa pauta distributiva
articular.

Las afirmaciones de Jakobson sobre la pertinencia de diversas
autas se ven debilitadas en primer lugar por el hecho de que
a presencia de factores (como la cuestión de si deberíamos inter-
retar *gémissant* como calificativo) que tienen poca relación con
os efectos del poema y, en segundo lugar, por el hecho de que
s categorías lingüísticas son tan numerosas y flexibles, que pode-
os usarlas para encontrar testimonios prácticamente para cual-
uier forma de organización. Si tomamos la estrofa como la uni-
ad básica, un poema de cinco estrofas como *Spleen* puede orga-
izarse en una infinidad de formas: las estrofas impares pueden
ponerse a las pares (1, 3, 5/2, 4), las externas a las internas
, 5/2, 3, 4), y las centrales a las periféricas (3/1, 2, 4, 5).
demás, hay cuatro divisiones lineales (1/2, 3, 4, 5), (1, 2/3,
, 5), (1, 2 3/4, 5) y (1, 3, 3, 4/5). No obstante, no es difícil
ostrar que, según los criterios de un análisis jakobsoniano, el
oema contiene también esas estructuras.

En primer lugar la estructura (1/2, 3, 4, 5): la estrofa primer se distingue claramente de las otras cuatro restantes por el hech de que es la única estrofa que contiene pronombres personales n reflexivos, que van colocados juntos para mayor énfasis (*il nou verse un jour noir*).

En segundo lugar, la estructura (1, 2/3, 4, 5). Si observamc la distribución de las formas verbales, descubrimos una simetrí que enlaza las dos primeras estrofas y las hace resaltar del rest del poema. Ambas estrofas contienen dos verbos en forma pe sonal (I: *pèse, verse;* II: *est changée, va*) y dos participios d presente (I: *gémissant, embrassant;* II: *battant, cognant*), pero n otras formas verbales. Esa simetría ordenada se opone al desorde de las tres últimas estrofas que contienen, además de form: personales distribuidas simétricamente, una diversidad de part cipios de presente, participios pasivos e infinitivos.

Esas categorías y simetrías no son menos naturales y evide tes que la de Jakobson, y nos vemos obligados a sacar la concl sión bien de que el poema está organizado de cualquiera de l: siete formas posibles bien de que el método de Jakobson nos pe mite descubrir en un poema cualquier tipo de organización qi busquemos. Si adoptamos la segunda conclusión, de ello se de prende que las estructuras que descubrimos en un poema por es métodos carecen de la pertinencia de las características distintiva ya que podríamos haber encontrado otras estructuras usando m todos diferentes.

Sin embargo, podría ser que Jakobson no pusiera objecion a semejante conclusión. De hecho, a pesar de sus numerosas exp siciones teóricas y análisis de poemas concretos, no está del toc claro qué afirmaciones haría en favor de su método analítico. lo que mantiene es que el análisis lingüístico nos permite desc brir precisamente qué formas de organización, de entre todas l estructuras posibles, aparecen actualizadas en un poema deterr nado, en ese caso podemos impugnar su tesis mostrando que 1 hay tipo de organización que no pueda encontrarse en un poen particular. Por otro lado —y quizás esto sea probable, dado qi tiende a encontrar las mismas simetrías organizativas en los dif rentes poemas que analiza—, su posición puede ser más que na la de que, como la función poética convierte la equivalencia en el recurso constitutivo de la secuencia, podemos encontrar innumerables simetrías en un poema, y que ese hecho precisamente es el que distingue la poesía de la prosa.

Para rebatir ese argumento necesitaríamos simplemente mostrar que usando los métodos analíticos de Jakobson podemos encontrar las mismas simetrías de impar y par, externo e interno, anterior y posterior en un texto en prosa determinado. Si tomamos, por ejemplo, la primera página del *Postscriptum* a *Questions de poétique* de Jakobson y, dejando de lado la primera oración, que es excepcionalmente corta, tomamos las cuatro oraciones siguientes como unidades, podemos descubrir simetrías y antisimetrías sorprendentes que enlazan y oponen las unidades de todas las formas idóneas (p. 485).

> I *D'un côté, la science du langage, evidemment appelée à étudier les signes verbaux dans tous leurs arragements et fonctions, n'est pas en droit de négliger la* fonction poétique *que se trouve coprésente dans la parole de tout être humain dès sa première enfance et qui joue un rôle capital dans la structuration du discours.*
>
> II *Cette fonction comporte une attitude introvertie à l'égard des signes verbaux dans leur union du signifiant et du signifié et elle adquiert une position dominante dans le langage poétique.*
>
> III *Celui-ci exige de la part du linguiste un examen particulièrement méticuleux, d'autant plus que le vers paraît appartenir aux phénomènes universaux de la culture humaine.*
>
> IV *Saint Augustin jugeait même que sans expérience en poétique on serait à peine capable de remplir les devoirs d'un grammairien de valeur.*

[(I) Por un lado, la ciencia del lenguaje, evidentemente destinada a estudiar los signos verbales en todas sus disposiciones y funciones, no tiene derecho a pasar por alto la función poética, que está presente en el habla de todos los

97

seres humanos desde su primera infancia y que desempeña un papel capital en la estructuración del discurso. (II) Dicha función entraña una actitud introvertida hacia los signos verbales en su unión del significante y del significado y adquiere una posición dominante en el lenguaje poético. (III) Éste exige por parte del lingüista un examen particularmente meticuloso, con tanta mayor razón cuanto que el verso parece ser uno de los fenómenos universales de la cultura humana. (IV) San Agustín creía incluso que sin experiencia en poética apenas podríamos desempeñar los deberes de un gramático competente.]

Las unidades impares están relacionadas con las pares y se oponen a ellas en virtud del hecho de que los únicos adjetivos adverbializados del pasaje están distribuidos simétricamente en las oraciones impares (I: *évidemment;* III: *particulièrement*). En las oraciones pares no hay adverbios de esa clase.

Las oraciones exteriores están relacionadas mutuamente y se oponen a las interiores por la distribución de los verbos en forma personal: en primer lugar, cada una de las oraciones exteriores contiene un verbo principal (I: *est;* IV: *jugeait*), mientras que las interiores contienen dos, enlazados por una conjunción copulativa o una conjunción comparativa de carácter más copulativo que adversario (II: *comporte... et... acquiert;* III: *exige... d'autant plus que... paraît*); en segundo lugar, los únicos verbos en cláusulas subordinadas figuran en las oraciones exteriores, ocupando posiciones inversas como el verbo principal en I (*est*) y el verbo subordinado en IV (*serait*).

Las dos primeras oraciones van enlazadas y se distinguen de las otras dos por una serie de pautas. Las primeras contienen los únicos adjetivos posesivos del pasaje (I: *leurs, sa;* II: *leur*). Los sujetos de todos los verbos en forma personal de las primeras son femeninos gramaticalmente (I: *la science, la fonction poétique;* II: *Cette fonction, elle*), mientras que los de las segundas son masculinos (III: *Celui-ci, le vers;* IV: *Saint Augustin, on*). Las oraciones tercera y cuarta están enlazadas por la distribución de los sustantivos: no sólo contienen el mismo número (seis, por oposición a catorce y nueve en la primera y en la segunda), sino que, además, su distribución por número y género es rigurosamente simétrica (un masculino plural y ningún femenino plural en la tercera, pero dos masculinos singulares y tres femeninos singulares en la cuarta). Las cuatro conjunciones copulativas están limitadas a las dos primeras oraciones, una vez más en distribución simétrica, dos en cada una de ellas (I: *et, et;* II: *et, et*).

Indudablemente, podríamos descubrir otras simetrías y antisimetrías, si deseáramos seguir examinando. Éstas deben bastar para ilustrar la posibilidad de aislar, en prosa que no sea especialmente poética, «simetrías y antisimetrías inesperadas y sorprendentes, acumulación eficaz de formas equivalentes, y contrastes sobresalientes». Esta clase de simetría por sí sola no puede servir de característica definidora de la función poética del lenguaje.

El mismo tipo de problemas encontramos en el nivel de las pautas fónicas. Nuestras ideas sobre lo que hace que un verso sea eufónico o logrado o de cómo contribuyen las modulaciones fonológicas de un verso a otro a los efectos de un poema son de lo más toscas; y está claro que la lingüística debe prestar alguna ayuda en esto. Pero la sugerencia de que los métodos del análisis fonológico nos ofrecen un procedimiento para descubrir las pautas poéticas da por sentadas más cuestiones de las que resuelve. Indudablemente, la lingüística ofrece un primer paso: reescribir el poema o estrofa como una serie de matrices de rasgos distintivos. Pero la lingüística no nos dice cómo seguir adelante a partir de eso. ¿Qué contará como relación de equivalencia? ¿Cuántos rasgos distintivos han de compartir dos fonemas para que los consideremos relacionados? ¿Hasta qué punto deben estar alejados dos fonemas para que su relación se produzca? Y ¿es proporcional esa distancia al número de rasgos distintivos que comparten o bien depende de consideraciones sintácticas y semánticas? El método lingüístico por sí mismo no proporciona una respuesta a esas preguntas, y argumentos procedentes de la lingüística pueden perfectamente oponerse a lo que sabemos es verdad. Por ejemplo, al analizar el verso de Racine *Le jour n'est pas plus pur que le fond de mon coeur,* Nicolas Ruwet afirma que la lingüística nos autoriza a considerar sólo los elementos léxicos al determinar las pautas fónicas, con lo que limita su descripción a las relaciones entre los sonidos de *jour, pur, fond* y *coeur* (*Langage, musique, poésie*, p. 213). Pero cualquier escolar sabe que la aliteración de p*as, plus, pur* y la asonancia de *le fond de m*on son decisivas para la pauta fónica del verbo, como podemos ver si alteramos los elementos no léxicos para producir un verso con resonancias diferentes, como: *Le jour n'est guère si pur que le fond d'un tel coeur.*

En su análisis de *Spleen* Jakobson insiste con toda razón en la intensidad del juego fonético y expone numerosos ejemplos de repeticiones, en muchos casos entre versos muy alejados. Pero no nos hace avanzar hacia una teoría general de las relaciones pertinentes y no pertinentes entre los sonidos. Ni siquiera en los casos en que la lingüística proporciona procedimientos perfectamente comprobados para clasificar y describir los elementos de un texto resuelve el problema de lo que constituye una pauta y, en consecuencia, no proporciona un método para descubrir las pautas. *A fortiori*, no proporciona un procedimiento para el descubrimiento de pautas poéticas.

Si rechazamos las afirmaciones de Jakobson de que la lingüística proporciona un procedimiento analítico determinado para descubrir la organización de textos poéticos y de que las pautas así descubiertas son necesariamente pertinentes en virtud de su presencia «objetiva» en el texto, todavía podemos salvar gran parte de su teoría, pues es primordialmente la importancia concedida a l simetría numérica lo que conduce a la postulación indiscriminad de estructuras. Para colocar otros aspectos de su obra en una perspectiva que les confiara su valor propio, podríamos dar una interpretación diferente a la definición de la función poética. Pues como resultará evidente a la luz de los procedimientos analítico de Jakobson, la repetición de constituyentes semejantes puede observarse en cualquier texto y, por esa razón, no puede servir po sí misma de rasgo distintivo de la función poética.

De hecho, cuando Jakobson analiza versos individuales o frases particulares en lugar de poemas completos, no se limita a advertir las pautas distributivas, sino que, además, explica la función poética con respecto al efecto de dichas pautas. El lema *I like Ik*

100

(«Me gusta Ike» —Eisenhower—) revela un grado elevado de repetición poética, y dicha repetición tiene también una función: presenta «una imagen paronomásica del sujeto amante envuelto por el objeto amado» (*Linguistics and Poetics,* p. 357). La relación indisoluble entre *I, like* y *Ike* sugiere que es perfectamente natural, inevitable incluso, que me guste Ike. Podríamos decir, usando el propio ejemplo de Jakobson como guía, que estamos ante un ejemplo de la función poética sólo cuando podemos señalar efectos que podrían explicarse como resultado de proyecciones particulares del principio de equivalencia desde el eje de selección hasta el eje de combinación.

Podemos encontrar pruebas en favor de esa interpretación más convincente en las exposiciones teóricas de Jakobson. Aunque la rima es un primer ejemplo primordial de repetición fonológica, «sería una simplificación exagerada e incorrecta tratar la rima meramente desde el punto de vista del sonido. La rima entraña necesariamente la relación semántica entre las unidades que riman» (*ibid.,* p. 367). Y una vez más, «En poesía, cualquier semejanza fónica sobresaliente se valora con respecto a la semejanza y/o desemejanza en significado» (p. 372). Precisamente, la «tendencia hacia el mensaje» en la poesía, por oposición a las orientaciones con que enfocamos variedades de prosa discursiva, es la que confiere a la repetición fonológica esa función de plantear la cuestión de la relación semántica. Así, el lector de la oración anterior no saca consecuencias semánticas de la repetición fonológica en *approaches* ... pro*se* («enfocamos ... prosa»), pero la rima en la primera estrofa de *Spleen* entre *ennuis* y *nuits* impone una posible conexión semántica. De forma semejante, en la primera estrofa de *La Géante* de Baudelaire:

Du temps que la Nature en sa verve puissante
Concevait chaque jour des enfants monstrueux,
J'eusse aimé vivre auprès d'une jeune géante,
Comme aux pieds d'une reine un chat voluptueux.

En la época en que la Naturaleza en su poderosa inspiración concebía cada día niños monstruosos,

101

me habría gustado vivir junto a una joven gigante,
como a los pies de una reina un gato voluptuoso),

aunque los nombres que *monstrueux* y *voluptueux* modifican están
en una relación diferente, la rima entre los dos adjetivos supone
una asociación estrecha de lo monstruoso y lo voluptuoso que no
está fuera de lugar en absoluto en el poema.

En un momento determinado Jakobson afirma de forma total
mente explícita que

> la equivalencia de sonido, proyectada en la secuencia como su
> principio constitutivo, entraña inevitablemente equivalencia
> semántica, y en cualquier nivel lingüístico cualquier constitu
> yente de dicha secuencia sugiere una de dos experiencias
> correlativas que Hopkins define claramente como «compa
> ración por semejanza» y «comparación por desemejanza»
> (*ibid.*, pp. 368-9).

La insistencia en la «experiencia» sugerida por la equivalencia
constituye un rasgo saludable que con demasiada frecuencia está
ausente en sus análisis prácticos. Raras veces estamos seguros
exactamente de qué clase de experiencias corresponde sugerir a la
distribución simétrica de las formas gramaticales transitorias o de
los nombres modificados por calificativos directos. No parece im
procedente sugerir que las pautas descubiertas son pertinentes sólo
cuando pueden ponerse en correlación con alguna experiencia que
expliquen, pero en esto pisamos un sendero mal señalado. Michael
Riffaterre sostiene, por ejemplo, que muchas de las pautas de
Jakobson abarcan componentes que el lector no puede percibir
y que, en consecuencia, permanecen ajenos a la estructura poética
(*Describing poetic structure,* p. 207). Pero su «ley de la percepti
bilidad», como él la llama, apenas puede hacer avanzar la argu
mentación ni proporcionar una forma de distinguir las estructuras
poéticas de las no poéticas, por la simple razón de que constituye
una estrategia extraordinariamente torpe señalar una pauta parti
cular y después afirmar que no se la puede percibir. Como tampoco
podemos considerar como criterio propio lo que los lectores *han*

percibido, en primer lugar porque los lectores no saben necesariamente qué constituyentes o pautas pueden haber contribuido a los efectos experimentados, en segundo lugar porque no deseamos eliminar por razones de principio la posibilidad de que un crítico nos señale algo que no hayamos observado en el texto, pero cuya importancia estamos dispuestos a conceder, y en tercer lugar porque habría que establecer reglas bastante arbitrarias para excluir a Jakobson y otros como él de la compañía de los lectores cuyas percepciones sirven de criterio de perceptibilidad.

Además, el propio Jakobson no afirma que las estructuras en cuestión se perciban conscientemente: pueden funcionar perfectamente en un nivel subliminal, según él, sin decisiones deliberadas ni conocimiento consciente por parte del autor o del lector (*Questions de poétique,* p. 292). Desde luego, todavía más difícil es argumentar sobre lo que podría tener efecto subliminal que sobre lo que podría ser perceptible, pero creo que Jakobson no está intentando mediante su formulación eludir todas las posibilidades de falsificación. Al replicar a la objeción de que el lector no percibe esas relaciones complejas entre elementos gramaticales, sostiene que

> los hablantes emplean un sistema complejo de relaciones gramaticales inherentes a su lengua sin poder aislarlas ni definirlas, tarea que queda reservada al análisis lingüístico. Como quienes escuchan música, el lector del soneto se deleita con sus estrofas, y, aun cuando experimente y sienta la concordancia de los dos cuartetos y los dos tercetos, ningún lector carente de preparación especial podrá determinar los agentes latentes de dicha concordancia (*ibid.,* p. 500).

La afirmación de la primera oración expresa la cuestión perfectamente. Los hablantes de una lengua experimentan el significado de las oraciones y saben si son gramaticales o agramaticales, si bien no pueden explicar el complejo sistema de las relaciones gramaticales que producen esos efectos. Pero la única causa de que los lingüistas tengan algo que explicar es el hecho de que los hablantes tengan esas experiencias. El análisis gramatical más

103

elegante se vería rechazado, si no hiciera contribución alguna al proyecto de explicar la gramaticalidad de las oraciones y las relaciones de significado entre sus componentes. Cuando Jakobson emplea esa analogía y habla de «la capacidad [de los lectores] para captar los efectos inmediata y espontáneamente sin aislar racionalmente los procesos por los que se producen», deja claro que su teoría no queda fuera del dominio de la verificación. Su opinión de que las pautas gramaticales son importantes le obliga a afirmar que tiene consecuencias, con lo que coloca el problema en un nivel en que por lo menos es posible discutir. La función poética no deja de ser una función comunicativa, y para verificar si las pautas aisladas son de hecho responsables de efectos particulares podemos intentar modificar aquéllas para ver si cambian éstos. Desde luego, no siempre es fácil verificar tesis de este modo, dado que los efectos pueden ser difíciles de captar o aislar; pero cuanto más difícil resulta percibir cambios de efecto, menos plausible es la afirmación de que ciertas pautas desempeñan un papel decisivo en el texto poético.

En sus formulaciones teóricas Jakobson se muestra con frecuencia bastante explícito sobre los efectos de los recursos gramaticales. Subraya que el paralelismo sintáctico, como dice Hopkins, engendra —o se convierte en— paralelismo de pensamiento, muestra que lo mismo es aplicable en gran medida al paralelismo fonológico pronunciado (*Linguistics and Poetics,* pp. 368-72). Según dice, la yuxtaposición de categorías gramaticales en contraste puede compararse con el «montaje dinámico» en el cine:

> un tipo de montaje que, por ejemplo, en la definición de Spottiswoode, usa la yuxtaposición de tomas o secuencias en contraste para generar ideas en la mente del espectador, que dichas tomas o secuencias no transmiten por sí mismas. (*Poetry of grammar,* p. 604.)

Esto sugiere que la función del análisis gramatical podría ser la de explicar cómo es que en casos particulares se generan ideas en las mentes de los lectores que no se habrían generado, si se hubieran usado otras combinaciones de tipos gramaticales o fonológicos. En otras palabras, en lugar de intentar usar el análisis lingüístico como una técnica para descubrir pautas en un texto, podríamos partir de los datos sobre los efectos del lenguaje poético e intentar formular hipótesis que explicaran dichos efectos. El propio Jakobson es muy aficionado a usar la lingüística de ese modo como una herramienta crítica: cuando se le pide, no que analice todo un poema, sino que explique un efecto particular, aventaja a la mayoría de los críticos literarios. Así, cuando en la conferencia de Indiana sobre el estilo en el lenguaje John Lotz preguntó por qué el título del poema de I. A. Richards *Harvard Yard in April/April in Harvard Yard* era muy superior a su inverso, *April in Harvard Yard/Harvard Yard in April,* Richards balbuceó una respuesta poco convincente, pero Jakobson acudió en su socorro con una explicación precisa e indudablemente correcta: la de que, mientras que en el primer caso las seis sílabas tónicas van todas separadas unas de otras por sílabas átonas, «un orden invertido de las dos oraciones anularía su continuidad rítmica con un choque de dos sílabas tónicas: ...*Yard/Harvard*...» y destruiría la simetría que coloca un énfasis en la primera y última sílabas del verso (Sebeok, *Style in Language,* p. 24). Podríamos añadir que el orden invertido produciría la monotonía de seis vocales idénticas (o ligeramente diferentes, según la pronunciación) en sucesión inmediata. Las afirmaciones de ese tipo pueden verificarse cambiando las vocales y las pautas de acentos, como en *May in Memorial Court/Memorial Court in May* que parece por lo menos tan efectivo poéticamente como *Memorial Court in May/May in Memorial Court.*

Pero si usamos la lingüística como herramienta crítica de ese modo, ¿cómo afecta eso a la definición de la función poética? Deja de ser la clave para un método de análisis, y se convierte en una hipótesis sobre las convenciones de la poesía como institución en particular sobre el tipo de atención al lenguaje que a poetas lectores les está permitido prestar. La definición de Jakobson supondría, por ejemplo, que una de las cosas que hacen los lectores de poesía, y que se les permite hacer, cuando se encuentran ante un paralelismo fonético o gramatical sorprendente, es intentar colocar los dos elementos en una relación semántica y considerar-

105

los como equivalentes o bien como opuestos. Samuel Levin, cuya teoría de los «acoplamientos» está sacada directamente de la obra de Jakobson, ha explorado las consecuencias semánticas de los paralelismos no semánticos que acoplan dos elementos. Cuando leemos el verso de Pope *A soul as full of worth as void of pride* («Un alma tan llena de valía como falta de orgullo»), damos por sentado que orgullo es un vicio. Ese efecto es producido por el tipo de atención que prestamos al paralelismo en la poesía: puesto que *full of worth* («llena de valía») y *void of pride* («falta de orgullo») van en relación gramatical estricta y muestran correspondencia estructural, suponemos que son bien equivalentes bien opuestos en significado (tanto de una buena calidad como de la otra o tanto de una buena cualidad como de una mala). Optamos por la equivalencia, dado que el contexto parece ser elogioso. Y como *full* («lleno») y *void* («vacío») son equivalentes por la posición y antónimos, *worth* («valía») y *pride* («orgullo»), que son también equivalentes por la posición, han de volverse antónimos para que queden satisfechas nuestras expectativas sobre el paralelismo de los constituyentes más amplios (*Linguistic Structures in Poetry*, p. 30). Sin embargo, lo que confirma realmente este análisis es el hecho de que la interpretación alternativa es considerar el orgullo como una virtud indiscutible, con lo que se conservan los efectos del paralelismo, en lugar de decir que el orgullo no es ni virtud ni vicio.

Para ver la fuerza de esas expectativas podríamos considerar un caso en que no queden satisfechas y en que ese hecho produzca una sensación de incoherencia. El soneto *El Desdichado* de Gérard de Nerval comienza con una declaración de pérdida y una identidad definida negativamente: *Je suis le ténébreux —le veuf— l'inconsolé* («Soy el tenebroso, el viudo, el inconsolado»). Los tercetos ofrecen una serie de identidades posibles y algunos de los testimonios pertinentes:

> *Suis-je Amour ou Phébus?... Lusignan ou Biron?*
> *Mon front est rouge encor du baiser de la reine;*
> *J'ai rêvé dans la grotte où nage la sirène...*

Et j'ai deux fois vainqueur traversé l'Achéron:
Modulant tour à tour sur la lyre d'Orphée
Les soupirs de la sainte et les cris de la fée.

(¿Soy Amor o Febo?... ¿Lusignan o Biron? Mi frente está todavía roja del beso de la reina; he soñado en la gruta donde nada la sirena... Y por dos veces he atravesado victoriosamente el Aqueronte: modulando sucesivamente en la lira de Orfeo los suspiros de la santa y los gritos del hada.)

En el primer verso el paralelismo gramatical estricto establece expectativas que deben verificarse en el nivel semántico. Como las dos preguntas son equivalentes por la posición, podríamos suponer que la elección entre Amor y Febo es paralela a la existente entre Lusignan y Biron y, en consecuencia, que Amor y Lusignan comparten algún rasgo que los diferencia de Febo y Biron (si bien, como señala Léon Cellier, un quiasmo que opusiera Amor y Biron a Febo y Lusignan sería posible teóricamente).[6] Pero es extraordinariamente difícil descubrir rasgos distintivos apropiados. Si, como Jacques Geninasca, quien somete el soneto a un exhaustivo análisis jakobsoniano, damos por sentado el paralelismo gramatical y suponemos que debe de haber un paralelo semántico, podemos ejercitar gran ingenio al escoger entre los Birons conocidos de la historia y entre las aventuras de Febo (*Analyse structurale des* Chimères *de Nerval,* pp. 49-100). Pero ese intento se opone a los testimonios proporcionados por el resto del soneto, en que hay una oposición pronunciada entre el mundo clásico, por un lado (Amor, Febo), y el mundo de las leyendas medievales francesas, por otro (Lusignan, Biron). Como la cita de esos dos pares va seguida directamente por dos versos que continúan esa oposición (el beso de la reina y la gruta de la sirena), podemos sacar la conclusión de que el primer verso de los tercetos gira en torno a esa oposición también, pero que, al agrupar sus elementos así, de un modo que establece expectativas que no quedan satisfechas, a un tiempo refuerza la impresión de que la búsqueda de una identidad viable no puede lograrse mediante la clara forma del *bien/o bien* y promueve una fusión en lugar de un aislamiento de las categorías: las alternativas propuestas por la sintaxis no son distintivas de forma significativa y las opciones que el resto del poema manifiesta no son tan excluyentes mutuamente como para ir enlazadas y separadas por una disyuntiva *o*. Si consideramos que la teoría de Jakobson se refiere al proceso de la lectura, ayuda a explicar los efectos poéticos de ese tipo.

De hecho, en esa perspectiva, como teoría de las operaciones que las figuras gramaticales pueden inducir a los lectores a realizar, es más útil considerar la descripción por parte de Jakobson del lenguaje poético. Decir que hay muchos paralelismos y repeticiones en los textos literarios tiene poco interés en sí mismo y menos valor explicativo. La cuestión decisiva es qué efectos pueden tener las pautas, y no podemos acercarnos a una respuesta a menos que incorporemos dentro de nuestra teoría una descripción de cómo abordan y estructuran los lectores los elementos de un texto

Un ejemplo final de la utilidad de la teoría de Jakobson y de las dificultades que encuentra al aplicarla incorrectamente, puede tomarse de su análisis del soneto CXXIX de Shakespeare.

> *Th'expense of Spirit in a waste of shame*
> *Is lust in action, and till action, lust*
> *Is perjured, murderous, bloody, full of blame,*
> *Savage, extreme, rude, cruel, not to trust,*
> *Enjoyed no sooner but despised straight,*
> *Past reason hunted, and no sooner had,*
> *Past reason hated, as a swallowed bait,*
> *On purpose laid to make the taker mad.*
> *Mad in pursuit, and in possession so,*
> *A bliss in proof, and proved, a very woe,*
> > *Before a jol proposed, behind a dream.*
> > *All this te world well knows, yet none knows well*
> > *To shun the heaven that leads men to this hell.*

(La lujuria en acción es el abandono del alma en un desierto de vergüenza; la lujuria, hasta que es satisfecha, es perjura, asesina, sanguinaria, vergonzosa, salvaje, excesiva, grosera, cruel e indigna de confianza.

Apenas se ha gustado de ella se la desprecia, se la persigue contra toda razón; y no bien saciada, contra toda razón se la odia, como un incentivo colocado expresamente para hacer locos a los que en ella se dejan coger.

Es una locura cuando se la persigue, y una locura cuando se la posee; excesiva al haberse tenido, al tenerse y en vías de tener; felicidad en la prueba y verdadero dolor probada; en principio, una alegría propuesta; después, un sueño. Todo el mundo lo sabe perfectamente; y, sin embargo, nadie sabe evitar el cielo que conduce a los hombres a este infierno.) *

Al enfocar el soneto desde un punto de vista lingüístico, Jakob-son descubre un ejemplo de paralelismo gramatical y saca de él conclusiones semánticas:

Sólo las estrofas impares presentan hipotaxis y acaban en estructuras «progresivas» de muchos niveles, por ejemplo, construcciones con varios grados de subordinadas, cada una de ellas pospuesta al constituyente subordinante:

II A) *hated* («odiada») B) *as a swallowed bait* («incenti-vo») C) *on propose laid* («colocado expresamente») D) *to make* («hacer») E) *the taker* («el que se deja coger») F) *mad* («loco»).

IV A) *none knows well* («nadie sabe») B) *to shun* («evitar») C) *the heaven* («el cielo») D) *that leads* («que condu-ce») E) *men* («hombres») F) *to this hell* («a este in-fierno»).

Los penúltimos constituyentes de ambas estructuras progre-sivas son los únicos nombres animados del soneto (II *the taker*, IV *men*), y ambas construcciones acaban con los úni-cos tropos substantivos: *bait* y *taker*, *heaven* y *hell* en lugar de séptimo cielo y tormento infernal (*Shakespeare's Verbal Art in* Th'Expence of Spirit, p. 21.)

* Trad. castellana de Astrana Marín.

Dado ese paralelismo, Jakobson sostiene que el primer verso centrífugo del soneto «presenta al héroe, *the taker*», que es manifiestamente una víctima, y que «el verso centrífugo final aporta la revelación del malévolo culpable, *the heaven that leads men to this hell* («el cielo que conduce a los hombres a este infierno»), con lo que revela por qué es perjura la alegría propuesta y colocado el incentivo» (*ibid.*, p. 18).

A partir de un paralelismo estructural Jakobson deduce la equivalencia de los constituyentes individuales. Por eso, pone en relación *on purpose laid* («colocado expresamente») con *the heaven* («el cielo») y sugiere que el séptimo cielo es el culpable de haber colocado el incentivo deliberadamente. La interpretación errónea procede de una confusión con respecto a la naturaleza y función del paralelismo. El lector no considera la estructura gramatical del soneto aisladamente, ni le permite que anule otras consideraciones. Toma los rasgos sintácticos junto con otros rasgos y, así, ha de encontrar un paralelo temático y gramatical evidente entre *to make the taker mad* («volver loco al que se deja coger») y *leads men to this hell* («conduce a los hombres a este infierno»): el segundo es una versión generalizada del primero. Esa relación de equivalencia sugiere que lo que quiera que vuelve loco al que se deja coger ha de estar relacionado con lo que conduce a los hombres a ese infierno y, en consecuencia, que *bait* («incentivo») es el equivalente en el segundo cuarteto de «cielo» en el pareado. Así pues, la interpretación natural es considerar *heaven* («cielo») como la visión de *bliss* («felicidad») y *joy proposed* («alegría propuesta») que pone el cebo al que se deja coger) y no como tropo de *heaven's sovereign* («séptimo cielo»).

Jakobson, pensando en términos distributivos, considera la posición el factor decisivo: puesto que *on purpose laid* («colocado expresamente») precede a *to make* («hacer»), Jakobson lo relaciona con *heaven* («cielo»), que precede directamente a *that leads* («que conduce»). Pero el lector sólo haría esa conexión en el caso de que enfocara el poema sin prestar la menor atención a las relaciones lógicas y temáticas. La posición desempeña un papel efectivamente, pero no de la forma que da a entender Jakobson; está subordinada a las consideraciones temáticas. El lector puede advertir que la frase *on purpose laid,* que aparece entre *bait* y *to make,* no tiene un constituyente correspondiente a ella en el verso final del soneto. Se ha violado el paralelismo lógico, y eso tiene considerable importancia: el tono vituperioso y acusatorio de *on purpose laid* ha desaparecido cuando llegamos al pareado. La lascivia ya no es *past reason hated* («odiada contra la razón») con una pasión que induce a acusaciones casuales e indirectas. Se nos sugiere que la culpa no es de un reo desconocido que haya colocado ese incentivo expresamente, sino de los propios hombres que no pueden pasar de un tipo de conocimiento a otro: de *conocer* a *saber.* La estructura gramatical refuerza ese efecto al hacernos advertir que, cuando llegamos al pareado, un constituyente particular ha sido reprimido o superado.

La interpretación errónea de Jakobson es muy instructiva porque muestra claramente que una hipótesis equivocada invalida la aplicación de su teoría. La disposición con que acepta su interpretación sugiere que cree que es correcta *porque* se ha llegado a ella mediante el análisis lingüístico. Si damos por sentado que la lingüística proporciona un método para el descubrimiento de pautas poéticas, en ese caso es probable que no seamos capaces de ver las formas como funcionan realmente las pautas gramaticales en los textos poéticos, por la sencilla razón de que los poemas, en virtud de que se los lee como poemas, contienen estructuras diferentes de las gramaticales, y la interacción resultante puede conferir a las estructuras gramaticales una función que no es en absoluto la que el lingüista esperaba. Sólo partiendo de los efectos del poema e intentando ver cómo contribuyen y ayudan las estructuras gramaticales a explicar dichos efectos podemos evitar los errores resultantes de considerar el análisis gramatical como un método interpretativo.

Pues, incluso en su propio dominio, la misión de la lingüística no es la de decirnos qué significan las oraciones; al contrario, es la de explicar cómo es que tienen los significados que los hablantes de una lengua les atribuyen. Si el análisis lingüístico llegara a proponer significados que los hablantes de la lengua no pudieran aceptar, sería el lingüista quien no estaría en lo cierto, no los hablantes. Lo mismo en gran medida es aplicable al estudio de

111

la función poética del lenguaje: los efectos poéticos constituyen los datos que hay que explicar. Jakobson ha hecho una contribución importante a los estudios literarios al llamar la atención sobre las variedades de las figuras gramaticales y sus funciones potenciales, pero sus propios análisis están viciados por la creencia de que la lingüística proporciona un procedimiento de descubrimiento automático para las pautas poéticas y por su incapacidad para advertir que la misión fundamental es mostrar cómo surgen las estructuras poéticas de la multiplicidad de las estructuras lingüísticas potenciales.

CAPITULO 4

GREIMAS Y LA SEMANTICA ESTRUCTURAL

> *Mais si le langage exprime autant par ce qui est entre les mots que par les mots? Par ce qu'il ne dit pas que par ce qu'il dit?* *
>
> MERLEAU-PONTY

Podríamos esperar que la semántica fuera la rama de la lingüística que a los críticos literarios les pareciera más útil. Si existe un dominio en que los métodos de la descripción lingüística podrían aplicarse provechosamente, es el del significado. ¿Qué crítico no sueña en algún momento con una forma científicamente rigurosa de caracterizar el significado de un texto, de demostrar con instrumentos de idoneidad probada que ciertos significados son posibles y otros imposibles? Y aun cuando la teoría semántica no bastara para explicar todos los significados observados en la literatura, ¿no constituiría por lo menos una etapa primordial en la teoría literaria y en el método crítico, al indicar qué significados deben caracterizarse mediante reglas suplementarias? Si la semántica pudiera proporcionar una descripción de la estructura semántica de un texto, no hay duda de que sería de gran utilidad para los críticos, aun cuando no fuese una panacea.

Esas esperanzas, por bien fundadas que estuvieran, han sido vanas. La semántica no ha llegado todavía a poder caracterizar

* «Pero, ¿y si el lenguaje expresa tanto por lo que queda entre las palabras como por las palabras? ¿Por lo que no «dice» como por lo que «dice»?

el significado de un texto y apenas ha alcanzado los objetivos más modestos que se ha fijado. Katz y Fodor, quienes, como la mayoría de los gramáticos transformacionales, no se caracterizan precisamente por la modestia de sus afirmaciones teóricas, consideran que la misión de la semántica es describir aspectos seleccionados de la competencia de un hablante: su capacidad para determinar el significado literal de las oraciones, para reconocer las oraciones sinónimas y para rechazar las interpretaciones anómalas. Sólo les interesa el significado de las oraciones, no el de las pronunciaciones ni el del discurso conexo, y no intentan caracterizar con detalle el significado de las cadenas que se alejan de la norma (es decir, las metafóricas).[1] El crítico literario que espera que la semántica pueda hacer una contribución sustancial a la comprensión del significado en la literatura convendrá indudablemente con la opinión de Uriel Weinreich de que «se ocupan de una parte extraordinariamente limitada de la competencia semántica», y de que «es muy dudoso que tengan el menor sentido teorías semánticas que sólo sean válidas para casos especiales del habla: a saber, la prosa trivial, sin humor» (*Explorations in Semantic Theory,* pp. 397-9).

El crítico preferiría una teoría más ambiciosa, aun cuando fuera menos sistemática; y, por esa razón, es sorprendente que la *Sémantique structurale* de A. J. Greimas haya recibido tan poca atención,[2] pues intenta explicar el significado verbal de todas clases, incluido el de las metáforas, de las oraciones en el discurso conexo e incluso la *totalité de signification* de un texto o de un conjunto de textos. Partiendo de los significados de las palabras o de los elementos léxicos, Greimas intenta formular reglas y conceptos para explicar los significados producidos cuando se combinan en oraciones o en textos completos; y su libro concluye con un estudio «el mundo imaginativo» del novelista Georges Bernanos, «un ejemplo de descripción casi completa realizada sobre un corpus determinado, especificando los procedimientos usados, y proponiendo, al final, modelos definitivos de organización para un microuniverso semántico» (*Sémantique structurale,* p. 222). Si, como da a entender este pasaje, la teoría de Greimas proporcionara efectivamente un algoritmo para la descrip ción semántica y temática de un corpus literario, sería verdaderamente de extraordinario valor; y, en lugar de suscitar esperanzas falsas, más vale que digamos ahora mismo que esa clase de afirmaciones no están justificadas. No obstante, mediante el examen de las dificultades con que tropieza su teoría, de su forma de fallar, podemos confiar en arrojar alguna luz sobre las posibilidades y limitaciones de las teorías semánticas de esa clase. La obra de Greimas es sólo el ejemplo más ambicioso de una forma particular de aplicar los modelos lingüísticos a la descripción de un lenguaje literario, y hemos de intentar determinar hasta qué punto es posible explicar el significado en la literatura a partir de la hipótesis de que los rasgos semánticos mínimos se combinan de acuerdo con las reglas para producir efectos semánticos en gran escala.

Una teoría semántica ha de aspirar a la adecuación tanto descriptiva como operativa; es decir, que debe usar conceptos que puedan definirse en función de las técnicas u operaciones y debe explicar hechos relativos al significado atestiguados intuitivamente. Una teoría de la descripción adecuada sólo es operativamente adecuada, si es suficientemente explícita como para que lingüistas diferentes, usando su mecanismo, alcancen los mismos resultados o, de forma más precisa, como para que se programe un computador a fin de usar sus técincas a la hora de producir descripciones. Si se formulara la teoría como un conjunto de instrucciones que produjesen interpretaciones, su adecuación descriptiva dependería de la «corrección» de dichas interpretaciones. En el estado actual de la semántica cualquier teoría fallará por lo menos en uno de estos sentidos: o bien usará un metalenguaje coherente y explícito, pero fallará a la hora de explicar ciertos efectos semánticos, o bien desarrollará conceptos que especifiquen los efectos por explicar pero que, a su vez, no estén definidos explícitamente en términos operativos. El problema inicial a la hora de evaluar la teoría de Greimas —y que quizás explique por qué, a pesar de su fama de estructuralista destacado, se ha escrito tan poco sobre él— es que no hay seguridad sobre el sentido de sus fallos. Cuando introduce un nuevo concepto lo define tanto en función de otros conceptos de la teoría como en función de los efectos semánticos que está destinado a explicar, pero con frecuencia esas dos definiciones no coin-

115

ciden y tenemos que escoger cuál ha de ser la especificación decisiva. ¿Es su teoría un conjunto de conceptos trabados que no consigue explicar una serie de efectos semánticos, o es, más que nada, una especificación de aspectos de la competencia semántica cuyos términos deben recibir una definición operativa más adecuada? En cualquier caso, su ejemplo ilustra con considerable claridad la dificultad de llenar el vacío entre los rasgos semánticos de las palabras y los significados de las oraciones o de los textos.

Toda la base de la teoría de Greimas, como cualquier semántica seria, es una oposición entre «inmanencia» y «manifestación»: entre un «mapa» conceptual de los posibles rasgos del mundo, independientemente de cualquier lengua, y las agrupaciones efectivas de dichos rasgos en las palabras y oraciones de una lengua. El plano de la inmanencia consta de rasgos semánticos mínimos o «semas» que son el resultado de oposiciones (masculino/femenino, viejo/joven, humano/animal, etc.). Los elementos léxicos o «lexemas» de una lengua particular manifiestan ciertas combinaciones de dichos rasgos: *mujer,* por ejemplo, combina una forma fonológica y los semas «hembra» y «humana», que son el resultado de oposiciones inmanentes. Cualquier teoría semántica requerirá un conjunto jerárquicamente organizado de rasgos semánticos, pero nadie se ha acercado siquiera a ese objetivo, ya que nos exigiría confeccionar una lista ordenada de todos los atributos posibles. No obstante, la condición mínima de adecuación para un análisis en semas se enuncia de forma muy simple: para dos elementos léxicos cualesquiera que difieran en significado ha de haber uno o más semas que expliquen esa diferencia.

Como el significado de un elemento léxico puede variar de un contexto a otro, Greimas postula que la representación semántica de un lexema consta de un núcleo invariable (*le noyau sémique*), compuesto de uno o más semas, y de una serie de semas contextuales, cada uno de los cuales se manifestará sólo en contextos específicos. Para determinar la composición semántica de un elemento léxico particular, consideramos todas las acepciones o «sememas» que el lexema tiene en un corpus e inferimos, como componentes del *noyau sémique,* los rasgos compartidos por todos los sememas. Las variaciones en significado se reducen a una serie de semas contextuales alternativos. Esa primera etapa de descripción, en el análisis de los lexemas en función de los rasgos semánticos, puede considerarse como la formalización de un diccionario de la lengua. Todas las teorías semánticas descansan sobre una base de esa clase, y en ese nivel la obra de Greimas no es particularmente descriptiva. La cuestión crucial, es: dada alguna representación del significado de las palabras, ¿cómo hemos de explicar los significados de las oraciones y las secuencias de las oraciones?

El caso más elemental es la combinación de un sujeto y un verbo o de un adjetivo y un nombre. ¿Cómo explicará la semántica el hecho de que *bark* tenga un significado diferente en *The dog barked at me* («El perro me ladró») y *The man barked at me* («El hombre me gritó») o que el sentido de *colourful* no sea el mismo en *a colourful dress* («un vestido de colores») y *a colourful character* («un personaje pintoresco»)? Un hablante que conozca el significado de las palabras individuales no tiene dificultad para inferir el significado correcto a partir de sus combinaciones. ¿Qué representación de esa capacidad puede ofrecer la lingüística? Greimas sostiene que la elección entre los semas contextuales unidos a un elemento léxico va determinada por la presencia de uno de esos semas en el otro elemento. Así, el lexema *bark* tendría como núcleo algo así como «un sonido vocal agudo» y como variantes contextuales los rasgos «humano» y «animal». Seleccionamos cualquiera de esos rasgos, «humano» o «animal», que esté presente en el sujeto del verbo (p. 50). Si así fuera, el proceso de determinar la acepción correcta por pares de palabras podría representarse como un procedimiento explícito: búsquese cada lexema en el diccionario y escríbase su especificación semántica; después, tómense cada uno de los semas contextuales del primer lexema por turno y véase si están presentes en el segundo lexema: si es así, reténgaselos; si no, abandóneselos.

Indudablemente, algún proceso de este tipo funciona en la competencia semántica, pero la formulación de Greimas tropieza con varias dificultades. En primer lugar, ni siquiera funciona en el caso

117

del espécimen léxico que cita como ejemplo: *aboyer* («ladrar, gritar, hostigar») contiene el núcleo «una clase de grito» y los semas contextuales «animal» y «humano», de modo que *Le chien aboie après le facteur* significa «El perro ladra al cartero» y *L'enfant aboie après sa mère* significa «El niño clama por su madre». Pero la selección no siempre funciona de esa forma simple: aunque los policías son humanos, *La police aboie après le criminel* no significa que clamen por él, lanzando gritos humanos, sino que lo persiguen con la tenacidad de lebreles que lo han olfateado y van tras sus pasos. Para explicar efectos de ese tipo, la teoría ha de volverse mucho más compleja, pues en su estado presente sólo puede explicar las acepciones metafóricas que ha incorporado a las palabras en el nivel léxico. En *Ese hombre es un león,* ejemplo que Greimas cita, el significado metafórico correcto se produce sólo si hemos incluido en el artículo del diccionario correspondiente al lexema *león* los semas contextuales opuestos de «humano» y «animal», de modo que la presencia de un sujeto humano puede seleccionar los rasgos «humano», «valiente», etc. Eso significa, por ejemplo, que cada término animal o vegetal que se puede usar para insultar o elogiar a un ser humano ha de tener ese significado metafórico inscrito en el léxico como una de sus variantes contextuales. Sin embargo, el caso del lenguaje poético parece indicar tanto la futilidad de intentar incorporar a un léxico todos los posibles significados metafóricos (dado que siempre se producen nuevas metáforas) como el carácter innecesario de semejante procedimiento (dado que las nuevas metáforas pueden entenderse). Más adelante consideraremos otras formas de explicar los significados metafóricos; por el momento la cuestión es simplemente que el intento de Greimas de avanzar desde las unidades mínimas hasta las unidades mayores tropieza con dificultades, porque ha de intentar incorporar en los niveles inferiores todos los significados que podrían encontrarse en los niveles superiores.

Otro problema que procede de la misma causa es la constricción general impuesta a los sememas por la teoría de Greimas: para asignar los significados correctos a *colourful dress* y *colourful character* hemos de inventar algún rasgo que esté presente tanto en *colourful* como en *dress* y otro que esté presente tanto en *co-*

lourful como en *character,* y como la distinción entre *dress* y *character* que causa los significados diferentes de *colourful* parece ser «objeto físico» frente a «humano», el artículo léxico correspondiente a *colourful* ha de especificar como parte de su significado las alternativas «objeto físico» y «humano». Eso, en el mejor de los casos, es contrario a la evidencia y preferiríamos algún tipo de regla generalizable que indicara cómo se comporta un conjunto de adjetivos ante los especímenes que lleven esos rasgos; pues «humano» no parece ser parte de un significado de *colourful* en el sentido de que «humano» y «objeto físico» formen parte de dos significados alternativos de *cortador* (alguien que corta/algo que corta).

No obstante, para la teoría de Greimas es decisivo que las acepciones correctas se seleccionen mediante una repetición efectiva de los semas, pues los semas que se repiten así en un texto se denominan «clasemas» y son responsables en gran medida de la coherencia de los textos. Así como la repetición de los semas conduce a la formación de clasemas, así también la repetición de clasemas en un texto permite al lector identificar un nivel de coherencia o una «isotopía» que lo unifica.

> Esa concepción de los clasemas, como elementos cuya característica es repetirse, puede tener un valor explicativo preciso, aunque sólo sea al hacer más comprensible el concepto —todavía vago, pero muy necesario— de *totalidad significativa* (*totalité de signification*)... Vamos a intentar mostrar, mediante el uso del concepto de *isotopía,* cómo es que textos enteros están situados en niveles semánticos homogéneos, cómo es que el siginficado global de un conjunto de significantes, en lugar de postularse *a priori,* puede interpretarse como una propiedad estructural real de manifestación lingüística (p. 53).

Si consiguiera mostrar el modo de obtener el significado total de un texto mediante operaciones definibles a partir de un conjunto de significantes, su obra sería verdaderamente de gran importancia para el crítico literario; pero, desgraciadamente, la idea de que la repetición de clasemas conduce a una forma particular de unidad sencillamente no se ve confirmada por los ejemplos que cita.

Según él, los chistes proporcionan testimonios excelentes del funcionamiento de las isotopías, ya que el chiste es una forma que muestra deliberadamente las operaciones lingüísticas que abarca la comprensión y juega con ellas. En una fiesta nocturna espléndida y elegante un invitado comenta a otro, *Ah! belle soirée, hein? Repas magnifique, et puis jolies toilettes, hein?* («¡Espléndida velada!, ¿verdad? Comida magnífica, y además vestidos (lavabos) bonitos, ¿eh?»). A lo que el otro da la siguiente respuesta inesperada: *Ça, je n'en sais rien... je n'y suis pas allé* («Eso no lo sé... no los he visitado») (p. 70). Greimas afirma, con toda razón, que la primera parte del chiste, que presenta la situación, establece un contexto y nivel de coherencia y que la respuesta del segundo hablante «destruye su unidad al oponer de repente una segunda isotopía a la primera». Indudablemente, eso es lo que ocurre, pero es difícil ver cómo podría explicarse eso como resultado de la repetición de los clasemas. La acepción «vestidos» para *toilettes* va determinada por rasgos del contexto bastante más sutiles que el tipo de clasema comentado anteriormente. Para ver que ningún rasgo de *brillante soirée mondaine* es suficiente por sí mismo para determinar esa acepción de *toilettes,* basta con que invirtamos el chiste y hagamos que el primer hablante pregunte: *Où sont les toilettes?* o *Avez-vous vu les toilettes?,* y el segundo responda: «Están alrededor de usted». En este caso el lector selecciona los significados correctos sin dificultad, a pesar de que el lema «servicio» o lo que sea no se relaciona con ninguna cosa de la introducción al chiste. Sabe que no vamos a preguntar dónde están los vestidos en una fiesta nocturna elegante.

Es extraordinariamente importante que una teoría del discurso pueda explicar la capacidad de los lectores para escoger entre acepciones alternativas y establecer niveles de coherencia, pero el proceso abarca algunas nociones bastante complejas de *vraisemblance* e idoneidad que no parece que puedan representarse mediante una lista de los clasemas que aparecen más de una vez en un trozo determinado de texto. Greimas parece reconocerlo, cuando escribe en un capítulo posterior que la necesidad de que un *retículo cultural* resuelva las dificultades relativas al descubrimiento de las isotopías... pone en cuestión la propia posibilidad del análisis semántico objetivo. Pues el hecho de que en el estado de conocimiento presente sea difícil imaginar semejante rejilla que satisficiera los requisitos de un análisis mecánico indica que la propia descripción todavía depende, en gran medida, de las decisiones subjetivas del analista (p. 90).

En otras palabras, Greimas ve que el esquema propuesto no es en sí mismo un procedimiento para el análisis semántico. Las isotopías, para poder captar verdaderamente los niveles de coherencia de un texto, no pueden identificarse automáticamente mediante la anotación de las repeticiones de clasemas. Sin embargo, representan efectivamente un aspecto importante de la competencia del lector —aspecto que requiere explicación indudablemente— y más abajo vamos a comentar detalladamente el uso del concepto.

Una vez identificadas las diferentes isotopías de un texto, en teoría podemos dividir un texto en sus estratos isotópicos. Como observa Greimas con pesar, ese procedimiento va determinado todavía en gran parte por las percepciones subjetivas del analista, pero afirma que poniendo mucho cuidado y volviendo atrás repetidas veces en el texto podemos confiar en evitar omisiones (pp. 145-6). Desde luego, eso da por sentado que conocemos lo que estamos buscando, lo que dista mucho de estar claro. Por ejemplo, Greimas ha identificado lo que llama las isotopías básicas: la «práctica», que es una manifestación de la «cosmológica» o mundo exterior, y la «mítica» que se refiere al mundo «noológico» o interior (p. 120). El ejemplo que ilustra esa distinción —*a heavy sack* («un saco pesado») frente a *a heavy conscience* («una conciencia culpable»)— es bastante claro, e indudablemente la distinción podría hacerse en gran cantidad de casos, especialmente en aquellos en que dos sentidos de una palabra van en correlación con referencias interiores y exteriores. Pero existen innumerables casos en que la distinción no parece pertinente —¿cómo decidir si las oraciones de esta página son prácticas, míticas o ambas co-

121

sas?— o en que se consigue poco intentando fragmentar un significado unitario (*La police aboie après le criminel* es a un tiempo interior y exterior sin ser ambigua). Greimas parece dar por sentado que las frases estarán ya marcadas con los clasemas pertinentes, *intéroceptive* y *extéroceptive,* para cuando lleguemos a esta etapa, pero eso lo único que hace es transferir el problema a un nivel inferior. El procedimiento tiene una validez intuitiva evidente: al interpretar un poema, por ejemplo, extraeremos y relacionaremos unas con otras todas las secuencias emparentadas con un clasema como *humano* para determinar qué significados se agrupan en torno a ese núcleo semántico. Pero Greimas no se ha acercado siquiera a una definición formal de la operación: ¿qué longitud tiene una secuencia, por ejemplo?

El paso siguiente en la descripción semántica es la normalización de series que se han construido aislando las secuencias pertenecientes a una única isotopía. Se trata esencialmente de un proceso de reducir las oraciones a una serie de sujetos y predicados que recibirán una forma constante de modo que puedan relacionarse mutuamente, y, por decirlo así, sumarse. Todo lo referente al acto de la enunciación se elimina en primer lugar: los pronombres de primera y segunda persona (que quedan sustituidos por «el hablante» y «el oyente»), todas las referencias al tipo del mensaje, los deícticos, en la medida en que son dependientes de la situación del hablante y no simplemente de otras partes del mensaje (pp. 153-4). Después se reduce cada secuencia a un conjunto de frases nominales (*actantes*) y un predicativo que es bien un verbo bien un adjetivo predicativo (Greimas los llama predicados «dinámico» y «estático» o *funciones* y *calificaciones*). Los predicados pueden incluir también agentes modales y un elemento adverbial de algún tipo (*aspecto*). Los *actantes* o grupos nominales desempeñarán uno de estos seis papeles diferentes: sujeto, objeto, emisor, destinatario, oponente y ayudante. Así pues, una sola oración contendrá hasta seis actantes, una función o calificación, y posiblemente un agente modal y un elemento adverbial.

Una función de ese esquema es hacer la estructura de la oración homóloga aproximadamente a la «trama» del texto. La historia de una búsqueda, por ejemplo, tendrá un sujeto y un objeto, oponentes y ayudantes, y quizás otros actantes cuya función sea dar o recibir. De forma ideal, dicha trama podría concebirse como una suma ordenada y distintiva de las relaciones de actantes manifestadas en las oraciones que van situadas en la isotopía apropiada. Sin embargo, está claro que no podríamos transcribir simplemente las oraciones en esa notación y combinar los resultados, pues el protagonista no será el sujeto de todas las oraciones, como tampoco ocuparán necesariamente otros personajes en las oraciones los papeles de actantes temáticamente apropiados.

En el capítulo 9 vamos a tratar de la aplicación del modelo del actante al análisis de la narrativa, pero ésta no es su única función. También ofrece una representación, aunque de nuevo tal vez más en teoría que en la práctica, del proceso de interpretación que, por la hipótesis que esa notación supone, entraña recorrer el texto y agrupar los diferentes papeles de actante en que un grupo nominal particular aparece, la serie de calificaciones añadidas a grupos nominales particulares y la serie de funciones o acciones que se combinan para formar la acción de un texto. No sabemos si un análisis realizado desde ese punto de vista ofrecía una representación pertinente del proceso de síntesis semántica, ya que al parecer no ha habido ningún intento sistemático de transcribir un texto de acuerdo con esas fórmulas y después mostrar cómo funcionaría un proceso formalizado de síntesis.[3] Pero parece haber dos obstáculos importantes. En primer lugar, en el nivel de la propia oración, los debates relativos a la gramática del caso, que es formalmente análoga al enfoque de Greimas en el sentido de que hace de la oración un predicado con una constelación de expresiones nominales en diferentes posiciones lógicas, muestran que el número de papeles de actante que se requieren para representar las relaciones entre los constituyentes de la oración no puede determinarse sin considerable experimentación empírica.[4] Greimas da muy pocos ejemplos para mostrar la adecuación de su modelo de la oración. Y, en segundo lugar, no da indicaciones sobre cómo trataría su modelo todos los problemas de relaciones entre oraciones que convierten el análisis del discurso en una actividad tan intimidante y todavía no formalizada. Aun suponiendo que se aislaran los trozos isotópicos del discurso, seguirían sin resolverse

123

todos los problemas de formalizar las relaciones anafóricas y de presuposición.[5]

Greimas afirma explícitamente que su «normalización» del texto nos ayuda a «descubrir con mayor facilidad sus redundancias y articulaciones estructurales» (p. 158), y en su último capítulo intenta determinar la estructura del «universo imaginario» del novelista Georges Bernanos como forma de ilustrar su método de la descripción semántica. Desgraciadamente, no toma los propios textos para mostrar cómo podríamos partir de los rasgos semánticos y a continuación determinar clasemas, isotopías y, por último, estructuras globales del significado. Basa su estudio en una tesis leída en Estambul por Tahsin Yücel sobre *L'imaginaire de Bernanos,* cuyos resultados, afirma de modo bastante candoroso, «no nos permiten *eludir* las dificultades que cualquier descripción entraña» (p. 222). Eso es cierto sólo en el sentido de que no las supera, y el lector que desee ver cómo podemos «normalizar» un texto y después, mediante un procedimiento bien definido, determinar sus articulaciones y redundancias estructurales, es perfectamente consciente de que verdaderamente no se han eludido las dificultades de semejante enfoque. No se nos presenta analizado ningún trozo de texto, por corto que sea.

Greimas sostiene que su procedimiento es el siguiente: escoge como isotopía básica la oposición entre *vida* y *muerte* e infiere a partir del corpus todas las calificaciones situadas en dicha isotopía. Tomando los especímenes que califican la *vida,* los reducimos a un conjunto limitado de sememas y después, mediante un segundo proceso de extracción, reunimos todos los contextos en que cada uno de ellos aparece. Así, pues, lo que está haciendo es un análisis distributivo del tipo más tradicional. Si, por ejemplo, estamos ante una oración como *La vida es bella,* en la segunda extracción preguntamos qué otros grupos nominales del texto van calificados por *bello,* y así obtenemos una clase de especímenes que son equivalentes con respecto a ese rasgo distributivo particular. Analistas menos diestros tropezarían indudablemente con oraciones como *María es hermosa* o *Ese vestido es hermoso,* con lo que se verían obligados a poner en relación *vida* con *María* y *vestido,* pero por alguna razón Greimas no obtiene disposiciones irritantes de

124

ese tipo y descubre, al contrario, la equivalencia distributiva de *vie* («vida»), *feu* («fuego») y *joie* («gozo»), que como clase se oponen a *mort* («muerte»), *eau* («agua») y *ennui* («hastío»). Después puede pasar a determinar las calificaciones que aparecen con los cuatro términos nuevos, «y así sucesivamente hasta que se haya agotado el corpus, es decir, hasta que la última extracción (n) usando el último inventario (n-1) no haga aparecer nuevas calificaciones» (p. 224). Ese rigor espurio no sería tan censurable, si Greimas se dignara indicar mediante un solo ejemplo cómo propone tratar oraciones como las que contienen los primeros ejemplos de *vie* en *Sous le soleil de Satan* de Bernanos: «Era el momento del poeta que destiló vida en su cabeza para extraer su esencia secreta, perfumada, envenenada». «Todavía cavila melancólicamente sobre el paraíso perdido de la vida burguesa.» «El Marqués de Cardigan llevaba en el mismo lugar la vida de un rey sin reino.» No está nada claro qué especímenes extraería el procedimiento de Greimas como calificaciones de *vida*.

Los rasgos semánticos que Greimas infiere a partir de su serie de inventarios van dispuestos en un sistema de oposiciones que representan las asociaciones de vida y muerte. O, mejor, los resultados de proyectar esa oposición fundamental en otras esferas semánticas que captan en forma de disyunciones correspondientes: transparente *versus* opaco, caliente *versus* frío, ligereza *versus* pesadez, ritmo *versus* monotonía, etc. Los cuadros tienen considerable validez intuitiva, ya que las propias oposiciones son inherentes a la estructura semántica de la lengua y los valores asignados a los polos de las oposiciones no parecen ajenos a las excentricidades del mundo imaginario de Bernanos. Pero la cuestión crucial es cómo podría defenderse un análisis de esa clase. ¿Cuál es la diferencia, por ejemplo, entre el carácter de los resultados que Greimas ha obtenido y el de análisis más tradicionales de las imágenes como el realizado, por ejemplo, por Jean-Pierre Richard? [6] Es decir, ¿qué se consigue intentando obtener la estructura de un mundo imaginativo a partir de un análisis del discurso realizado de forma presuntamente formal y rigurosa y no a partir de la consideración más intuitiva de conjuntos de imágenes? Greimas no da una respuesta directa, pero podríamos suponer que se limitaría a afirmar que cuenta con una mayor objetividad, como virtud necesaria de un estudio exhaustivo de las calificaciones. Pero, como puede atestiguar cualquiera que haya intentado semejante tarea incluso con respecto a un texto corto en prosa, los inventarios sistemáticos producen disposiciones que no parecen pertinentes para los fines a que van encaminados y que generalmente quedan eliminados en las presentaciones finales de las pautas. La disposición de *vida* y *burguesía*, por ejemplo, no aparece en ninguna parte del esquema de Greimas, a pesar de que la encontramos en la oración de *Sous le soleil de Satan* citada más arriba; y probablemente la razón sea que Greimas la ha eliminado por los mismos motivos que inducirían al estudioso de las imágenes más impresionista a no tenerla en cuenta en primer lugar. Para convencernos de la superioridad del método de Greimas no sólo necesitaríamos ver el funcionamiento sobre los textos mismos de los procedimientos de extracción, de modo que apreciáramos de algún modo su rigor efectivo; necesitaríamos también una explicación de cómo se llevó a cabo la selección de las disposiciones pertinentes.

Según Greimas, un conjunto de diez categorías basta para describir el universo mítico de Bernanos (p. 246). Verificamos esa afirmación determinando si cualquier cosa que consideremos una exposición verdadera de ese mundo imaginativo puede representarse como una relación entre dichas categorías y si las relaciones entre categorías, tal como las define Gremias, son tales, que excluyen exposiciones del mundo imaginativo que consideremos falsas. Pero aun cuando los resultados de Greimas pasaran esa prueba con todo éxito, eso les conferiría simplemente el carácter de una exposición crítica lograda. La afirmación de mayor alcance que Greimas desearía hacer, la sugerencia de que su teoría proporciona un procedimiento determinado para la descripción del significado no puede comprobarse sin ejemplos precisos de procedimientos descriptivos y formalización de las reglas del análisis. Nadie esperaría que Greimas, en el estado actual de conocimientos, hubiera alcanzado esa etapa, y está claro que no lo ha hecho; pero su forma de fracasar, inspira dudas sobre la viabilidad del propio proyecto: puede ser imposible, en principio y también en la práctica construir un modelo que obtenga el significado de un texto o de un conjunto de textos a partir del significado de los elementos léxicos.

Si deseamos aprovechar el ejemplo de Greimas, la mejor estrategia es invertir su perspectiva y, partiendo de la suposición de que el significado de los textos no se puede obtener automáticamente a partir de los significados de los elementos léxicos, centrar la atención en las lagunas de la teoría de Greimas, que nos ayudan a definir, en virtud del entorno en que aparecen, las consideraciones suplementarias que requeriría una teoría adecuada de la lectura. Examinando los eslabones rotos en la cadena algorítmica de Greimas podemos ver lo que hace falta aportar desde fuera del dominio de la semántica lingüística para completar la cadena.

Hasta ahora se han identificado tres regiones problemáticas: procedimientos para explicar la selección de las acepciones en el nivel clasemático en que dos o más especímenes léxicos van unidos en una frase, métodos para identificar isotopías o niveles de coherencia y formas de explicar la organización del significado por encima del nivel isotópico o, en otras palabras, dentro del propio texto como universo semántico. Aunque los conceptos de la teoría de Greimas clasifican y, por tanto, identifican las operaciones que hemos de suponer realizan los lectores, no hacen progresar demasiado su explicación.

La dificultad para explicar nuestra capacidad para seleccionar acepciones en el nivel de la frase queda ilustrada con mayor fuerza por la metáfora. El sistema de Greimas requiere, como hemos observado más arriba, que los elementos léxicos que pueden servir de vehículo de una metáfora lleven el potencial metafórico incorporado a sus artículos léxicos, de modo que, por ejemplo, la producción de la acepción correcta para *Este hombre es un león* depende de la presencia del sema contextual *humano* en el artículo léxico correspondiente a *león*. No sólo es ese requisito excesivamente engorroso y contrario a la evidencia; además, tiene la desgraciada consecuencia de entrañar la supresión de rasgos semánticos de que puede depender el sentido de la metáfora. Pues llamar a alguien león no es simplemente decir que es valiente; es dar a entender también que su arrojo tiene un carácter animal. Ahora bien, ese efecto se pierde si incorporamos al artículo léxico correspondiente a *león* una oposición entre los semas contextuales *humano* y *animal* tal, que la selección de uno excluya el otro. En el verso de Donne, *For I am every dead thing* («Pues soy todas las cosas muertas»), que reúne lo animado y lo inanimado, tenemos un efecto que el mecanismo semántico que nos obliga a seleccionar tanto para el sujeto como para el predicado bien el clasema *animado* bien el clasema *inanimado,* pero no los dos, no puede captar. La identificación con lo inanimado tiene sentido sólo si el *I* («yo») conserva parte de su carácter animado.

La capacidad de los lectores para encontrar acepciones metafóricas para las disposiciones más sorprendentes indica la futilidad de intentar explicar las metáforas en el nivel del léxico y sugiere, más que nada, que debemos intentar definir las operaciones semánticas que la interpretación metafórica entraña. Naturalmente, son extraordinariamente complejas: en la oración *Golf plays John* («El golf juega a John»), un ejemplo canónico de la violación de las restricciones de selección, sabemos que *plays* requiere un sujeto animado y, por eso, asignamos el rasgo *animado* a *golf.* Pero no sólo eso: al rechazar el significado de *play* que recibe un objeto directo humano (con el que competir) privamos a *John* de parte de su condición humana y lo convertimos en objeto de la actividad (sólo cuando se está tan degradado como para convertirse en objeto puede el inanimado *golf* convertirse en sujeto que se entrena y juega con la víctima inanimada). Los requisitos de coherencia metafórica producen reajustes en el valor semántico de los tres términos, de modo que no podemos representar el proceso simplemente como el de la alineación del contenido semántico de un término junto al de otro. Si así fuera, mantendríamos el contenido de *play* y *John* y simplemente refundiríamos el de *golf,* lo que produciría *Golf competes with John* («El golf compite con John»). En cambio nuestro conocimiento de las relaciones ordinarias entre *play* y *golf* establece una estructura esperada en que moldeamos los términos redistribuidos, invirtiendo los papeles que asignaríamos a *John* y *golf* en *John plays golf* («John juega al golf»). Los rasgos semántiros que se añaden a cada elemento en el proceso de la interpretación metafórica no eliminan los anteriores, a los que se oponen, sino que coexisten con ellos, produciendo una tensión entre lo animado y lo inanimado dentro de cada elemento léxico que es la fuente de la agudeza que pueda tener la metáfora.

Greimas parece reconocer la importancia de conservar los semas contradictorios, cuando propone la noción de isotopías positivas y negativas (pp. 99-100). Cuando el narrador de un poema se compara con un barco ebrio, el clasema *humano* que establece la isotopía «positiva» sigue siendo dominante, mientras que el clasema *no humano*, presente pero reprimido, establece una isotopía negativa. Sin embargo, en el caso de un loco que piensa que es un candelabro, el clasema *no humano*, que establece la isotopía negativa, sería dominante.

La conservación de los semas no dominantes es un progreso considerable, pero todavía no es un análisis adecuado del proceso por el que se seleccionan acepciones. Sería necesario, por ejemplo, alguna representación del modo de escoger el clasema dominante. En las metáforas de la forma A es B, que distan de ser las más complejas e interesantes, los rasgos semánticos del primer término dominan generalmente, pero *Una poderosa fortaleza es nuestro Dios* no significa que adoremos el castillo como si fuera un dios. En las metáforas genitivas, el A de B, los rasgos del primer término que no coinciden con los del segundo quedan suprimidos generalmente, pero una vez más no siempre es así: *De sus ojos encendidos/Lágrimas rojas salieron*. En casos como éstos los rasgos del contexto son los decisivos, y no hay razón para pensar que la elección de las acepciones pueda explicarse como un reajuste automático de clasemas anterior al establecimiento o identificación de isotopías o niveles de coherencia.

«La principal dificultad de la lectura», escribe Greimas, «consiste en descubrir la isotopía del texto y en mantenerse en ese nivel» (p. 99). La teoría literaria y la semántica se enfrentan al mismo problema: «la lucha contra el carácter logomáquico de los textos, la búsqueda de condiciones que establezcan objetivamente las isotopías que permiten la lectura, es una de las primeras preocupaciones de la descripción semántica en sus fases iniciales» (*Du*

129

sens, p. 93-4). Al leer un texto, recibimos una impresión sobre lo que trata; aislamos un campo semántico en que una serie de elementos recaen como tema del texto y, por tanto, como punto central de referencia con el que hay que relacionar, de ser posible, los otros elementos que encontremos. Pero, como observa Greimas, podemos escoger al azar una serie de elementos en un texto considerarlos como un conjunto, y construir alguna teoría que los abarque a todos: «siempre es posible reducir un inventario, tomado por separado, a un semema construido» (*Sémantique structurale,* p. 167). En ese caso, ¿qué es lo que impide que la actividad del lector sea totalmente arbitraria, aunque lógica? Idealmente, la descripción explícita de las isotopías de un texto «debe explicar todas las acepciones coherentes posibles. Sin llegar hasta el extremo de enumerar explícitamente cada acepción, definiría las condiciones de cada una de ellas».[7] Para que ese fin sea posible siquiera remotamente, hemos de formular algunas reglas para explicar el hecho de que para un texto determinado no sea válida cualquier isotopía concebible. ¿Cuáles son, entonces, «las condiciones para establecer objetivamente las isotopías»?

En algunos casos simples podríamos aceptar la tesis de Greimas de que la repetición de un clasema particular basta para explicar la isotopía. El segundo *Spleen* de Baudelaire, *J'ai plus de souvenirs que si j'avais mille ans,* comienza con una secuencia paratáctica de oraciones, cada una de las cuales contiene una forma pronominal en primera persona del singular, y en cada caso la relación entre el pronombre y el predicado es la del continente con el contenido. Así, cuando el lector llegue al verso, *Je suis un vieux boudoir plein de roses fanées* («Soy un viejo tocador lleno de rosas marchitas»), intentará, como dice Greimas, «de forma más o menos consciente, inferir a partir de la descripción 'física' del tocador todos los semas que pueden desarrollar y mantener la segunda isotopía, que se ha postulado desde el principio, del espacio interior del poeta» (*ibid.,* p. 97).

Pero en otros casos es mucho más difícil explicar lo que ocurre o cómo llega a imponerse una isotopía. François Rastier ha aplicado la teoría de Greimas a *Salut* de Mallarmé en un análisis que muestra la validez intuitiva del concepto de isotopía, pero también

130

los tremendos problemas que entraña la tarea de especificar cómo se aísla.

Salut
Rien, cette écume, vierge vers
A ne désigner que la coupe;
Telle loin se noie une troupe
De sirènes, mainte à l'envers.

Nous naviguons, ô mes divers
Amis, moi déjà sur la poupe
Vous l'avant fastueux qui coupe
Le flot de foudres et d'hivers;

Une ivresse belle m'engage
Sans craindre même son tangage
De porter debout ce salut

Solitude, récif, étoile
A n'importe ce qui valut
Le blanc souci de notre toile.

(Salud
Nada, esta espuma, virgen verso
para designar sólo la copa;
así a lo lejos se ahoga una tropa
de sirenas, muchas al revés.

Navegamos, mis diversos
amigos, yo ya en la popa
vosotros la proa fastuosa que corta
la oleada de rayos y de inviernos;

una bella embriaguez me incita
sin temer siquiera su cabeceo,
a ofrecer este brindis

131

soledad, arrecife, estrella
a lo que quiera que valiera
la blanca preocupación de nuestra tela.)

«La labor del lector», escribe Rastier, «consiste en enumerar y nombrar de forma metalingüística los semas que caracterizan la isotopía escogida» (*Systématique des isotopies,* p. 88). Cualquier elemento que pueda interpretarse como relacionado de algún modo con el campo semántico general que rodea al concepto se saca del texto y se le da una interpretación que completa esa isotopía. Por ejemplo: «rien = estos versos (connota la modestia requerida a los hablantes); *écume* = burbujas de champán; *vierge vers* = un brindis ofrecido por primera vez...» (p. 86). Una segunda isotopía es la de la navegación (por ejemplo, *salut* = salvado del mar; *écume* = la espuma de las olas). Y, por último, postula un tercer nivel, «que podemos designar mediante la palabra *escritura*» (p. 92).

Pero esas isotopías no son simplemente el resultado de clasificaciones que se hayan repetido. Entre otras cosas, porque al construir aquéllas el lector necesita conocer el sistema semiótico que define los ritos de los banquetes. Para poder extraer «modestia» de *rien*, «champán» de *écume* y «mantel» de *toile,* ha de conocer lo que sucede en los banquetes y tener un profundo deseo de leer el poema en ese sentido. Además, para poder interpretar el poema como referido a la escritura, se necesitan muchos testimonios procedentes de otros poemas de Mallarmé, que vinculan, por ejemplo, la escritura y la negatividad (*rien*). Esta última isotopía no puede ser el resultado de la repetición de rasgos, dado que el único elemento del texto que se relaciona directamente con ella es *vierge vers.* Es decir, que, si imaginamos un lector que sepa francés, pero no tenga experiencia de la poesía ni de sus convenciones y que *a fortiori* no conozca los poemas de Mallarmé, es imposible creer que encontrase, al leer este poema, una serie de elementos que proponen reiteradamente se interprete el poema como relativo a la escritura. Por otro lado, el lector de poesía experimentado sabe que los poemas, especialmente los poemas de Mallarmé, probablemente traten de la poesía, que ni los banquetes ni los viajes por mar sirven de isotopías finales satisfactorias, en el sentido de que los banquetes siempre celebran algo y los viajes por mar son tradicionalmente metáforas correspondientes a otros tipos de búsqueda. Sólo por poseer conocimiento de esa clase —sólo por enfocar el poema con modelos implícitos de esa clase— es por lo que puede interpretar el poema como relativo a la escritura.

La importancia de las expectativas de los lectores con respecto a la poesía está todavía más clara en otro caso comentado por Rastier. «En *The Windhover,* de Gerard Manley Hopkins, ningún interpretante semántico nos permite interpretar otra cosa que la isotopía evidente que podemos formular toscamente como 'un halcón levanta el vuelo y después desciende en picado'» (p. 100). Entonces, ¿cómo es que no satisface a los lectores esa interpretación? ¿Qué es lo que les permite «seguir adelante»? Comprometido como está con la concepción de que los niveles de coherencia se manifiestan por una repetición de rasgos, Rastier se ve obligado a sostener que

> la presencia... de gran cantidad de lexemas de origen extranjero, franceses la mayoría, indica un carácter extranjero cuyas connotaciones, para un inglés, son aristocráticas y, para un jesuita, sagradas (por el origen latino); eso explica el descubrimiento de una segunda isotopía resumida toscamente como «Cristo se eleva a los cielos y baja a tierra» (p. 100).

Naturalmente, de ese criterio se desprendería que podríamos interpretar cualquier texto que contenga muchas palabras de origen latino como un tema sagrado. Por «objetivo» que sea semejante procedimiento, falla por el simple cómputo de la adecuación empírica. Además, la hipótesis es totalmente innecesaria. El lector de poesía sabe que cuando se emplea semejante energía metafórica en un ave, esta criatura resulta exaltada y se convierte en metáfora, así que, en cualquier caso, dicho lector buscaría analogías que generalicen y capten el esplendor del «pandeo»; y si la isotopía religiosa no se ofreciera en la búsqueda interpretativa, podría quedar justificada por expectativas generales relativas al autor, cuyos poe-

mas exigen por lo menos un ensayo de interpretación religios.
Como muestra el ensayo de análisis de Rastier, no hay razón par
creer que el proceso de construir niveles de coherencia pueda ex
plicarse sin referencia a algunos modelos literarios generales qu
guíen el enfoque del texto por parte del lector.

Al comentar un ejemplo de un tipo diferente, un chiste tomad
de Freud, Greimas demuestra que, incluso en textos en pros
compuestos de oraciones bien construidas perfectamente compren
sibles, el proceso de lectura puede consistir en captar un rasgo pa
ticular del texto y construir sobre él una hipótesis conceptual con
pleja para la cual existen en realidad muy pocos testimonios e
la lengua, si bien todo el mundo coincidiría en que la interpre
tación es correcta.

> Un tratante de caballos ofrece un caballo a un cliente
> —Si toma usted este caballo y sale a las cuatro de I
> mañana, a las seis y media estará en Presburgo.
> —¿Y qué voy a hacer a las seis y media de la mañan
> en Presburgo?

El lector reconoce que hay un conflicto de isotopías entre I
observación del vendedor y la del cliente y que eso es lo que pro
duce el chiste. Pero en realidad el texto en sí contiene muy poc
testimonios en favor de esa interpertación. El lector no sabe dónd
se produce el intercambio, ni si el viaje hasta Presburgo es largo
corto ni en qué tiempo podría recorrer esa distancia un caball
veloz. Así, pues, existen pocas razones objetivas para la reacció
natural y correcta de considerar la observación del vendedor com
un ejemplo de la velocidad del caballo. El factor decisivo, aunqu
Greimas no lo mencione, probablemente sea la conclusión del tex
to. Si las observaciones del vendedor y del cliente estuvieran e
el mismo nivel isotópico, el texto no concluiría donde lo hace
pero, como se interrumpe tan repentinamente, ha de haber suf
ciente significado en las pocas oraciones presentadas y dicho sign
ficado probablemente sea generado por una estructura opositiva
Para que el pasaje tenga un mínimo de interés, ha de haber u
contraste entre la afirmación del vendedor y la respuesta de

134

cliente, y esa expectativa es lo bastante intensa como para hacernos rechazar las interpretaciones plausibles con el fin de descubrir un conflicto. Podemos considerar que la breve exposición introductoria establece una isotopía que sugiere que lo que sigue será una afirmación relativa al caballo hecha por el vendedor y que, dados nuestros modelos culturales, se referirá a alguna cualidad positiva del caballo. Así, cuando encontramos en la oración siguiente la oposición entre salida y llegada, eso determina, según Greimas, «la elección de una de las variables dentro de la clase de las cualidades positivas de los caballos de montar» (*Sémantique structurale,* p. 92). Entonces podemos interpretar la observación del cliente como un malentendido —ridículo o deliberado— y podemos hacerlo con tal confianza que podremos reír de una de las dos figuras.

Este caso proporciona pruebas suficientes de que las isotopías no se producen mediante la simple repetición de rasgos semánticos y de que puede ser engañoso concebir los textos como «totalidades orgánicas». Su unidad no se debe tanto a los rasgos intrínsecos de sus partes cuanto al propósito totalizador del proceso interpretativo: la fuerza de las expectativas que inducen a los lectores a buscar determinadas formas de organización en un texto y a encontrarlas. Una teoría semántica que explique la coherencia de los textos no puede desconocer los modelos que permiten la producción y organización del contenido.

De vez en cuando Greimas reconoce que, de hecho, no puede pasar automáticamente de niveles inferiores a niveles superiores, que un problema con el que tropieza «pone en tela de juicio una vez más la condición diacrónica de la descripción considerada como procedimiento». Aunque teóricamente ha de ser posible primero reducir el texto a una serie de sememas y después mostrar cómo se combinan dichos sememas para formar clasemas, isotopías y, por último, el contenido estructurado que es el «significado global» del texto, de hecho, está claro que «la reducción presupone la representación hipotética de estructuras que hay que describir, pero esa estructuración, a su vez, para llevarse a cabo con éxito, presupone una reducción completa» (*ibid.,* p. 167). Desde el punto de vista de Greimas ese tipo de inferencia recí-

135

proca es un obstáculo para la formulación de un algoritmo descriptivo, pero para el crítico se trata de una especificación útil de la importancia de las representaciones hipotéticas de estructuras para el proceso de comprensión. Como dice Merleau-Ponty, el significado del conjunto no se debe a una suma de los significados de las partes; sólo a la luz de hipótesis sobre el significado del conjunto puede definirse el significado de las partes. La comprensión *n'est pas une série d'inductions* — *C'est* Gestaltung *et* Rückgestaltung... *Celà veut dire: il y a* germination *de ce qui* va avoir été *compris* («no es una serie de inducciones —es la *postulación* y *nueva postulación* de totalidades... Es decir, que hay una *germinación* de lo que *va a haberse* comprendido») (*Le Visible et l'invisible,* p. 243). Intentamos una reducción en función de nuestra hipótesis y, si ésta no da resultado, probamos otra. La descripción semántica ha de proporcionar una representación de la actividad estructuradora del lector.

Las hipótesis estructurales para el reconocimiento del significado son extraordinariamente importantes en todos los niveles, pero especialmente una vez hayamos reconocido isotopías y debamos organizar los semas en contenido. Aunque Greimas no propone un procedimiento formal, sí que ofrece una serie de sugerencias sobre las *conditions de la saisie du sens* («las condiciones para la percepción del sentido»).

Nuestro autor sostiene que al construir los objetos culturales la mente está sometida a diferentes constricciones que definen las «condiciones de existencia para los objetos semióticos». La más importante de éstas es la «estructura elemental de la significación», que reviste la forma de una homología de cuatro términos (A:B::—A:—B) y «proporciona un modelo semiótico destinado a explicar las articulaciones iniciales del significado dentro de un microuniverso semántico» (*Du sens,* p. 161). Como el significado es diacrítico, cualquier significado depende de oposiciones, y esa estructura de cuatro términos relaciona un elemento tanto con su inverso como con su contrario (negro:blanco::no-negro:no-blanco). Esa configuración básica es aplicable también, según Greimas, a la representación más simple del significado de un texto en conjunto. Se capta como una correlación entre dos pares de términos opuestos. Esa estructura puede ser bien estática bien dinámica, según se interprete el texto sintagmática o paradigmáticamente: es decir, como narración o como lírica.

«Para tener significado, una narración ha de formar un todo dotado de significado y, por consiguiente, está organizada como una estructura semántica elemental» en que una oposición temporal está en correlación con la oposición temática homóloga: *avant*: *après*::*contenu inversé*:*contenu posé* (*ibid.*, p. 187). En otras palabras, la relación entre estado inicial y estado final está en correlación con la oposición entre una situación temática inicial o problema y una conclusión temática o resolución. Hablando aproximadamente, la tesis es la de que el lector sólo puede captar el *récit* como un todo acomodándolo a esa estructura y relacionando un desarrollo temático con el desarrollo de la trama. Y, naturalmente, esa expectativa estructural contribuye a hacer posible la interpretación de los incidentes o los acontecimientos u oraciones individuales del texto.

Sin embargo, la lírica puede captarse con frecuencia como un todo sin referencia alguna a un desarrollo temporal; no tiene por qué haber paso de A a B. Según Greimas, la poesía moderna en particular es la «manifestación discursiva de una taxonomía». El lector se encuentra frente a frases o imágenes, enlazadas de forma discursiva elemental, de las cuales ha de deducir rasgos que puede usar para organizar el texto en clases en oposición. Los sememas del discurso poético «llevan, por un lado, los semas que constituyen la isotopía poética y, por otro, hacen de repetidores sémicos, es decir, de lugares en que se produce la substitución de los semas». Los elementos pasan a ser equivalentes con respecto a la estructura poética e intercambian rasgos semánticos, y la combinación particular de semas que cualquier palabra lleva pasa a ser mucho menos importante que los rasgos que hacen de eslabones entre palabras y, por tanto, de bases de las clases semánticas del poema. Es más importante, por ejemplo, que los semas *fluidez* y *luminosidad* se usen para enlazar palabras y para establecer oposiciones dotadas de significado que el hecho de que se manifiesten ambos en el semema *cielo* o *lago*. «Eso sólo puede explicarse, si consideremos la producción de clases sémicas homólogas como hecho pri-

137

mordial y la estructura semémica de la manifestación lingüística como secundario» (*Sémantique structurale,* pp. 135-6).

Así, que, de acuerdo con la hipótesis de Greimas, la estructura fundamental de un poema será un par de clases semánticas que en su oposición mutua estén en correlación con otro par de clases, de modo que produzcan una interdependencia temática. La mayor constricción a la formación de clases temáticas es la de que sean binarias: «un inventario de elementos no puede reducirse a una clase ni denotarse por un solo semema excepto en la medida en que se consttiuya y nombre otro inventario al mismo tiempo» (*ibid.,* p. 167). Y la razón es muy simple: clasificar una serie de elementos juntos es afirmar que algún rasgo que comparten es pertinente para el significado del poema; si dicho rasgo es pertinente efectivamente es a causa de la oposición entre él y otro rasgo que sea, a su vez, el común denominador de otra clase. Van Dijk, aplicando los métodos de Greimas al análisis de un poema, llega a una conclusión semejante: «Podemos postular que la aparición de un sema temático requiere la existencia de un sema temático opuesto que lo acompaña».[8] Las constricciones binarias rigen el proceso de construcción temática.

Además, no bastará cualquier oposición. No quedamos satisfechos necesariamente con una interpretación de un poema sólo porque hayamos conseguido poner en correlación dos oposiciones. Los modelos culturales nos permiten interpertar de cara a fines sentidos intuitivamente que nos dicen bajo qué condiciones podemos considerar que lo que hemos hecho es suficiente. Según Greimas, la interpretación figurada

> consiste en conservar en el proceso de extracción sólo aquellos semas que sean pertinentes para la construcción de modelos. Así, la descripción del lenguaje poético abandonará, por ejemplo, las figuras de *ático* y *sótano* y conservará sólo los semas *alto* y *bajo,* útiles para la construcción de semas axiológicos... como *euforia de las alturas* y «*disforia de las profundidades* (*ibid.,* p. 138).

Como lo «axiológico» se define como una isotopía «mítica

(relativa al mundo interior) manifestada en calificaciones (y, por tanto, aproximadamente, descripción evaluadora), la sugerencia es la de que la interpretación figurada en un proceso de descubrir oposiciones que pueden ponerse en correlación con valores opuestos. No buscamos simplemente oposiciones en un poema, sino que buscamos aquellas oposiciones a las que el poema parece conferir algún valor, de modo que estas últimas pueden hacer de segunda oposición de una homología de cuatro términos. Así, Van Dijk, al analizar un poema de Du Bouchet, descubre dos clases temáticas, *paysage* y *maison,* que están en correlación con valores opuestos, lo que es más satisfactorio que una interpretación que ponga *paysage* y *maison* en relación con *hierba* y *alfombra,* pongamos por caso. Para explicar la producción del significado podemos perfectamente vernos obligados a postular, como dice Greimas, «una jerarquía de isotopías semánticas, unas más 'profundas' que otras»,[9] pero el problema de la profundidad y predominio relativos será, por lo menos en parte, una cuestión específicamente literaria.

Aunque algunos de esos conceptos van a resultar útiles en nuestras exposiciones posteriores sobre la poética, sentimos la tentación de decir que la auténtica contribución de Greimas estriba en los problemas que aborda y en las dificultades con que tropieza. La convincente hipótesis sobre la descripción semántica que intenta verificar es la de que, si las palabras y las oraciones se transcriben en función de los rasgos semánticos, ha de ser posible definir una serie de oposiciones que conduzcan, de forma algorítmica, desde esos rasgos mínimos hasta una serie de interpretaciones para el texto en conjunto. Pero, si, como han afirmado algunos, la capacidad del lector para reconocer las isotopías no puede representarse como un proceso en que se advierte qué clasemas están repetidos, la noción de un algoritmo para la descripción semántica queda en tela de juicio. El análisis lingüístico no proporciona un método gracias al cual pueda deducirse el significado de un texto a partir del significado de sus componentes. Y la razón no es simplemente que las oraciones tengan significados diferentes en distintos contextos: ése es simplemente el problema del que partimos. La dificultad es, más que nada, la de que el contexto que determina el significado de una oración es algo más que las demás oraciones del texto; es un complejo de conocimiento y expectativas de distintos grados de especificidad, una especie de competencia interpretativa que en principio podría describirse, pero que en la práctica resulta extraordinariamente refractaria. Pues consta, por un lado, de distintas hipótesis sobre la coherencia y los modelos generales de la organización semántica y, por otro lado, de las expectativas relativas a tipos particulares de textos y al tipo de interpretación que requieren. Si escribimos un editorial de periódico en una página como un poema, los rasgos semánticos de sus elementos siguen siendo los mismos en un sentido, pero están sujetos a un tratamiento interpretativo diferente y se ven organizados en niveles isotópicos diferentes; y una teoría que intente obtener el significado de un texto a partir del significado de sus constituyentes, por clara y explícita que sea, no podrá explicar las diferencias de esa clase.

Tanto Jakobson como Greimas parten de la hipótesis de que el análisis lingüístico proporciona un método para descubrir las pautas o significados de los textos literarios, y, aunque los problemas con que tropiezan son diferentes, las lecciones que ofrecen sus ejemplos son sustancialmente las mismas: que la aplicación directa de las técnicas de la descripción lingüística puede ser un enfoque útil, si parte de los efectos literarios e intenta explicarlos, pero no sirve por sí misma como método de análisis literario. La razón es simplemente que tanto el autor como el lector aportan al texto algo más que un conocimiento de la lengua y esa experiencia adicional —expectativas sobre las formas de la organización literaria, modelos implícitos de estructuras literarias, práctica en la construcción y verificación de hipótesis sobre obras literarias— es lo que nos guía en la percepción y construcción de pautas pertinentes. La misión de la poética es descubrir la naturaleza y las formas de ese saber suplementario: pero antes de considerar lo que se ha hecho y se podría hacer en ese sector hemos de examinar otra forma como se ha usado la lingüística en la crítica literaria estructuralista.

CAPITULO 5

LAS METAFORAS LINGÜISTICAS EN LA CRITICA

> Temo que no nos libramos
> de Dios porque todavía creemos
> en la gramática
>
> NIETZSCHE

Si no aplicamos las técnicas de descripción lingüística directamente al lenguaje de la literatura, ¿cómo podemos usar la lingüística en la crítica? Barthes ha observado que «el estructuralismo ha surgido de la lingüística y en la literatura encuentra un objeto que ha surgido, a su vez, del lenguaje», pero, ¿cómo afecta ese «surgimiento» a la relación entre el estudio del lenguaje y el estudio de la literatura? La respuesta de Barthes es indiscutiblemente ambigua: por un lado, sugiere que «en todos los niveles, ya sea el del argumento, el del discurso o el de las palabras, la obra literaria ofrece al estructuralismo la imagen de una estructura perfectamente homóloga con la del propio lenguaje»; pero, por otro lado, ve el estructuralismo como un intento «de fundar una ciencia de la literatura o, para ser más exactos, una lingüística del discurso cuyo objeto es el 'lenguaje' de las formas literarias, captado en muchos niveles» (Science versus literature, pp. 897-8).

En otras palabras, existe clara vacilación sobre cuál es la analogía pertinente y fructífera: ¿es la obra literaria individual como una lengua o es la literatura en conjunto como una lengua? En el primer caso, la analogía descansa en el hecho de que una serie de conceptos lingüísticos pueden aplicarse por extensión o en forma metafórica a las obras literarias: podemos hablar de una obra como un sistema, cuyos elementos se definen por sus relaciones, de relaciones sintagmáticas y paradigmáticas, de secuencias cuyas funciones en la obra corresponden a las de los nombres, verbos y adjetivos en la oración. En el segundo caso, la analogía es más convincente y más interesante: como la propia literatura es un sistema de signos y en ese sentido como una lengua, postulamos una poética que estudie la literatura como los estudios lingüísticos estudian la lengua, guiándose por la lingüística siempre que parezca posible.

Parte de la vacilación puede deberse a la ambigüedad del propio modelo lingüístico, tal como se lo presentó en la época anterior a Chomsky. En la medida en que se definía la lingüística estructural como una forma de analizar un corpus de datos, ofrecía pautas con relación a lo que podrían considerar legítimamente un corpus quienes intenten aplicar los métodos lingüísticos en otros dominios. ¿Por qué no obras de un autor, obras sobre un tema particular o incluso una obra particular concebida como un corpus de estrofas, capítulos u oraciones? Podría haberse interpretado fácilmente el modelo en el sentido de que justificaba el estudio de cualquier corpus.

Cualesquiera que sean sus causas, la vacilación produce dos concepciones diferentes del proyecto estructuralista. Si postulamos una homología global entre lingüística y poética, de ello se desprende que nuestra misión no es elucidar el significado de las obras individuales, como tampoco es misión del lingüista estudiar las oraciones individuales y decirnos lo que significan, sino estudiar las obras como manifestaciones de un sistema literario y mostrar cómo permiten las convenciones de dicho sistema que las obras tengan significado. Si, por otro lado, postulamos una analogía entre una lengua y una obra individual o grupo de obras, el análisis de la obra ya no es un medio para un fin sino el propio fin. Nuestra misión es desmembrarla y entenderla, de igual modo que la misión del lingüista es entender la lengua que está estudiando; y, para ese fin, podemos recurrir a cualesquiera conceptos lingüísticos que nos parezcan útiles.

En *Critique et vérité* Barthes denominó esas dos actividades «ciencia de la literatura» y «crítica» y reconoció que la primera era la aplicación más apropiada del modelo lingüístico, pero que la segunda, por su intento de producir o definir el significado de una obra, estaba próxima a la misión tradicional de la crítica (pp. 56-75). Los estructuralistas no han dejado de hacer crítica, si bien su objetivo ha sido menos la interpretación que lo que Barthes llama «transformaciones ordenadas» de la obra, por las cuales llega «a flotar por encima del lenguaje primario de la obra un segundo lenguaje, una cohesión de signos» (p. 64). Antes de la poética propiamente dicha, debemos examinar brevemente este tipo de crítica y especialmente las formas como orientación lingüística y semiótica del estructuralismo inspiran el estudio de los textos individuales.

Desde ese punto de vista podemos distinguir dos categorías generales en que pueden agruparse las obras críticas. El primer tipo, basado en la metáfora que hace de una obra o de un grupo de obras una lengua, trata su objeto como un sistema cuyas reglas y formas deben elucidarse. La crítica de ese tipo tiene notables afinidades con estudios más tradicionales que tratan las obras individuales como «totalidades orgánicas» o las obras de un autor determinado como variantes de un proyecto único, pero quizá pueda distinguírsela por el *esprit de système* que la anima y su deseo de establecer relaciones que no están basadas en la identidad de la substancia, sino en la homología de las diferencias. El segundo enfoque no considera la obra como una lengua, sino como un lugar en que se llevan a cabo análisis teóricos y prácticos de lenguas. Se estudia la obra como vehículo de una teoría implícita del lenguaje o de otros sistemas semánticos y en función de eso se la interpreta.

La obra como sistema

La obra de Barthes *Sur Racine*, que trataba la tragedia raciniana «como un sistema de unidades y funciones» (p. 9), entra dentro de la primera categoría. Aunque, a causa del violento ataque de Picard contra ella en *Nouvelle critique ou nouvelle imposture*,

143

se convirtió en el foco de la controversia sobre la *Nouvelle critique* a mediados de la década de 1960, apenas puede citársela como un análisis estructural ejemplar. El propio Barthes reconoce que representa un momento de transición entre la crítica temática y el esbozo de un sistema. Aun así, precisamente porque en cierto sentido guarda las distancias con respecto a la crítica temática de un tipo más fenomenológico, contribuye a indicar el carácter de la crítica estructuralista.

En su anterior estudio de Michelet, al aislar los temas de la sequedad, el calor, la fecundidad, la vacuidad, la plenitud, la vaguedad, etc., Barthes parecía inclinado a identificar la estructura de un mundo imaginativo con las obsesiones del escritor como sujeto «en primer lugar hemos de mostrar la coherencia de este hombre... descubrir la estructura de una existencia (no digo «de una vida») una temática, por decirlo así o, mejor aún, una red organizada de obsesiones» (*Michelet par lui-même,* p. 5). La perspectiva es la de críticos fenomenológicos como Jean-Pierre Richard, Jean Starobinski y J. Hillis Miller, cuyos estudios temáticos van dirigidos explícitamente hacia «cómo experimenta [el escritor] el mundo y cómo se experimenta a sí mismo en relación con él» e insiste en que debemos «investigar las estructuras objetivadas como expresión de una conciencia estructuradora».[1] Sin embargo, en *Sur Racine* Barthes ya no desea convertir al sujeto individual en la fuente de las estructuras que descubre en las obras. Al interpretar las tragedias individuales como momentos de un sistema, se interesa por las estructuras comunes que pueden derivarse de ellos y que hacen de oposiciones funcionales y de reglas de combinación del sistema. Ahora bien, como adopta un «lenguaje un tanto psicoanalítico» el carácter distintivo de su orientación queda desdibujado y su estudio del «hombre raciniano» podría presentarse sin demasiada dificultad como una descripción del universo temático de Racine. Lo que he intentado exponer, escribe,

es una especie de antropología raciniana, que es a un tiempo estructural y analítica: estructural en esencia, porque la tragedia aparece tratada aquí como un sistema de unidades (las «figuras») y funciones; analítico en su presentación

porque me parecía que sólo un lenguaje como el del psicoanálisis, que es capaz de captar el miedo del mundo, sería
apropiado para un encuentro con el hombre aprisionado
(pp. 9-10).

A pesar de que los conceptos lingüísticos desempeñan un
papel poco importante en el propio análisis, el modelo lingüístico
ofrece una metáfora estructural para la organización de la obra.
La primera parte, dice Barthes, es de naturaleza paradigmática
—analiza los diferentes papeles y funciones de la tragedia reciniana
considerada como un sistema— y la segunda parte es sintagmática —toma los elementos paradigmáticos y muestra cómo se combinan en sucesión en el nivel de las obras individuales— (p. 9).
Sin embargo, más importante es el hecho de que el modelo lingüístico sugiera que lo que Barthes debe buscar es relaciones y
oposiciones y no rasgos o temas sustantivos que se repiten a lo
largo de todas las obras. Así, cuando sostiene que hay tres «espacios» formales en Racine —la Cámara o sede del poder, la Anti-
Cámara donde los personajes esperan y se enfrentan, y el Exterior,
que es la localización de la muerte la fuga y los acontecimientos—,
la tesis no es que cada una de las obras contenga, específicamente,
una cámara y una anticámara y no otros espacios aparte del mundo
exterior, sino, más que nada, que las dos oposiciones, la existente
entre la sede efectiva del poder y el espacio en que las personas
hablan, y la existente entre el lugar en que los personajes están
aislados y el mundo exterior que existe sólo en potencia como un
espacio en el que otras cosas suceden, desempeñan una función
fundamental en la producción de la situación trágica. El espacio en
que se encuentran los personajes es, funcionalmente, una Anti-
Cámara: «atrapada entre el mundo, el lugar de la acción, y la
Cámara, el lugar del silencio, la Anticámara es el lugar del lenguaje» cuya cerca impone el destino trágico (pp. 15-19).
    De forma semejante, cuando Barthes escribe que la historia
de la horda primitiva —en que los hijos rivales se unen y matan
al padre que los ha dominado y les ha impedido tomar esposa—
«es la suma del teatro de Racine», no está afirmando que cada
tragedia contenga, independientemente, una expresión de ese tema,

145

sino que su teatro encuentra su unidad y «llega a ser coherente sólo en el nivel de esa antigua leyenda», que puede estar reprimida y transformada en muchas obras individuales (p. 21). Si la tragedia raciniana es un sistema, en ese caso, para analizarla, es necesario que podamos determinar las oposiciones funcionales y, para ello, hemos de captar el «centro» del sistema, que funciona como principio de inclusión y exclusión. Probablemente Barthes haya postulado que el centro es la propia tragedia y después se haya preguntado cuáles son las oposiciones y relaciones que originan la tragedia. Al descubrir que son tres —la relación de autoridad, la relación de rivalidad y la relación de amor— se encuentra en condiciones de determinar qué papeles producen las diferentes combinaciones de dichas relaciones.

Aunque ni su argumentación ni su análisis son todo lo claros que podríamos desear, la importancia concedida al mito de la horda primitiva depende del hecho de que, según él, manifiesta la relación de autoridad que vuelve problemático el amor (un caso de desobediencia o de incesto) y la relación de rivalidad entre quienes están sometidos a la autoridad. Así, pues, contiene las oposiciones básicas que producen los papeles del teatro raciniano. Los propios personajes «reciben sus diferencias, no de su posición en el mundo, sino de su lugar en la configuración general de fuerzas que los aprisiona» y, según él, dicha configuración se compone de diferentes combinaciones de las tres relaciones fundamentales (p. 21).

Aunque *Sur Racine* adolece de un lenguaje psicoanalítico engañoso, de una oscuridad metodológica innecesaria y del estilo lacónico de quien está deleitándose con la oportunidad de decir cosas escandalosas sobre el mayor clásico francés, la mayoría de los ataques contra el libro se han basado en una incapacidad para apreciar la naturaleza formal de la propuesta de Barthes. Picard, por ejemplo, da por sentado que la relación de autoridad debe de ser de sustancia idéntica en cada una de las obras y le resulta muy fácil mostrar que «bajo el mismo epígrafe descriptivo y explicatorio Barthes agrupa realidades extraordinariamente diversas» (*Nouvelle critique ou nouvella imposture,* p. 40). Naturalmente, ése es el sentido de ese concepto relacional: las diferentes obras expresan de formas distintas lo que, desde el punto de vista de la situación trágica, es una sola función. En cada caso el contraste que produce la situación dramática y define los papeles de los protagonistas es la oposición entre quien ejerce la autoridad y quien está sometido a ella. Dichas funciones —y en esto estriba tanto el interés del análisis de Barthes como el vestigio del modelo lingüístico— no se definen por identidad de substancia, sino por la presencia de una oposición que se considera funcional en el sistema en conjunto.

En sus ensayos sobre Sade, utiliza más la lingüística como fuente de metáforas. Una vez más el objeto del análisis es el corpus de las obras de un autor, pero en este caso el «centro» del sistema no es un producto del desarrollo temático de cada obra, como lo era en el caso de Racine. Las narraciones de Sade tienen lo que Barthes llama una «estructura rapsódica»: el desarrollo en el tiempo es el resultado de la naturaleza lineal del texto más que una necesidad íntima interior, y relatar la historia es «yuxtaponer segmentos repetitivos y móviles» (*Sade, Fourier, Loyola*, pp. 143-4). En consecuencia, el sistema es un inmenso paradigma de secuencias que están bien construidas como miembros del sistema en el sentido de que organizan y codifican lo erótico. Analizar los segmentos es determinar los elementos funcionales mínimos y ver cómo se combinan: *il y a une grammaire érotique de Sade (une pornogrammaire) —avec ses erotèmes et ses règles de combinaison* («existe una gramática erótica de Sade (una pornogramática): con sus erotemas y sus reglas de combinación») (p. 169). La unidad mínima es la *postura*, «la combinación más pequeña posible, ya que une sólo una acción y su punto de aplicación». Además de las posturas sexuales, existen diferentes «agentes» como los lazos de parentesco, la posición social y las variables psicológicas. Las posturas pueden combinarse para formar «operaciones» o cuadros eróticos compuestos, y cuando las operaciones reciben un desarrollo temporal se convierten en «episodios» (pp. 33-4).

Según Barthes, todas esas unidades

están sujetas a reglas de combinación o de composición.

147

Dichas reglas permitirían fácilmente una formalización del lenguaje erótico, análoga a las «tres estructuras» usadas por los lingüistas… En la gramática de Sade hay dos reglas principales: existen, por decirlo así, procedimientos regulares por los que el narrador moviliza las unidades de su «léxico» (posturas, figuras, episodios). La primera es una regla de exhaustividad: en una «operación» deben realizarse el mayor número posible de posturas simultáneamente… La segunda es una regla de reciprocidad… todas las funciones pueden intercambiarse, todo el mundo puede ser, a su vez, actor y víctima, flagelador y flagelado, coprófago y «coprofagizado», etc. Esta regla es fundamental, en primer lugar porque convierte el erotismo de Sade en un lenguaje auténticamente formal, en el que sólo hay clases de acciones y no grupos de individuos, lo que simplifica mucho la gramática… y, en segundo lugar, porque nos impide dividir la sociedad de Sade de acuerdo con papeles sexuales (pp. 34-5).

De hecho, la diferencia entre amos y víctimas radica en la apropiación por parte de los primeros de un segundo código, que es el del habla, especialmente en las largas disertaciones que ocupan cualquier espacio no ocupado por operaciones y episodios. Pero, según Barthes, «el código de la frase y el de la figura (erótica) se enlazan continuamente y forman una sola línea, a lo largo de la cual el libertino avanza con la misma energía» (p. 37). El habla, un modo de orden, transforma las acciones en delitos al nombrarlas, las imágenes en escenas al detallarlas, y las escenas en discurso al escribirlas. La escritura de Sade, usando el código erótico como recurso generativo, toma el propio lenguaje y lo contamina: «la contaminación delictiva afecta a todos los estilos del discurso» al introducir en ellos momentos de paradigmas eróticos; de ese modo asegura la fuerza de su transgresión, pues «la sociedad nunca puede reconocer un modo de escribir que esté vinculado efectivamente al delito y al sexo» (p. 39).

En este caso la lingüística sirve de modelo, desde luego, pero quizá sea menos importante a la hora de determinar un procedimiento analítico que a la de ofrecer un conjunto de términos que, por estar ya unidos por una teoría, pueden crear coherencia cuando se usen como la lengua a la que se vierte en la traducción analítica. La coherencia es, por decirlo así, preconcebida, al conferir la seducción de un sistema a lo que esencialmente es una interpretación que subraya el orden y la exhaustividad combinatoria de la visión de Sade.

Otro ejemplo, quizá superior, de la crítica que obtiene un sistema a partir de un corpus es el estudio que hace Genette de las imágenes del barroco en su ensayo *L'or tombe sous le fer*. Este se distingue de las descripciones usuales de las imágenes por su insistencia en que en la poesía barroca «las cualidades están organizadas en diferencias, las diferencias en contrastes, y el mundo sensible está polarizado de acuerdo con las leyes estrictas de una especie de geometría del material» (*Figures*, p. 30). En tanto que los poemas de Ronsard y de los poetas anteriores avanzan hacia una fusión de las categorías, «la poesía barroca, por el contrario, parece resistirse por vocación a cualquier asimilación de ese tipo»: en un verso como *L'or tombe sous le fer* («El oro cae bajo el hierro»), los metales aparecen usados «por su función más superficial y abstracta: una especie de valencia definida por un sistema de oposiciones discontinuas» (pp. 31-3). En este sistema el oro se opone al hierro, lo que confiere al verso una especie de rigor natural, pero, aparte de eso, las cualidades de los dos metales o las posibles connotaciones de los dos términos no son usadas por el poema: cada término es simplemente una sinécdoque que permite al poema expresar en el código de las imágenes el significado: «El trigo cae bajo la hoz».

El análisis de Genette le permite producir un diagrama del sistema de oposiciones de acuerdo con el cual unos quince términos quedan organizados, con lo que pone en funcionamiento el concepto lingüístico de un sistema de términos cuyo valor es puramente formal y diferencial. Una vez más, las nociones de sistema, de oposición binaria, de rasgo distintivo y de término relacional son las importantes.

En un ensayo titulado *Comment lire?* Todorov habla de una operación llamada «figuración», que consiste en considerar un texto o grupo de textos como un sistema determinado por una figura o estructura particular que funcione en diferentes niveles. Cita como ejemplo el estudio de Boris Eichenbaum sobre la poetisa rusa Anna Ajmatova: «en todos los niveles esta obra poética observa la figura del oxímoron... se refleja no sólo en los detalles estilísticos, sino también en el tema». El narrador que el poeta proyecta es simultáneamente pecador apasionado y monja piadosa; «el relato lírico cuyo centro es ella progresa mediante antítesis, paradojas; elude la formulación psicológica, se vuelve extraño por la incoherencia de los estados mentales. La imagen se vuelve enigmática, perturbadora» (*Poétique de la prose,* p. 249). El descubrimiento de semejantes homologías es, naturalmente, una técnica familiar a la crítica, pero quizá los estructuralistas están más deseosos de convertir el rasgo que buscan a través de los niveles de un texto o conjunto de textos en una estructura formal.

Un buen ejemplo de ese enfoque es el ensayo de Genette sobre Saint Amant y el barroco que considera la figura de la inversión como el recurso fundamental del sistema. La dicción poética que hace de las aves «peces del aire» no es un fenómeno aislado; deriva de la concepción general de un universo reversible en que una cosa es la imagen especular de otra. El océano, por ejemplo, es simétrico al cielo; no sólo refleja el mundo natural, sino que, además, contiene bajo su superficie otro mundo invertido. En *Moïse sauvé* de Saint Amant el paso a través del Mar Rojo ofrece la ocasión para la descripción de

una palabra que es nueva y virginal en lugar de extranjera, respuesta y réplica a nuestro mundo, con mayor colorido... más inquietante por su familiaridad que por su rareza, que se ofrece al pueblo judío a un tiempo como un recordatorio del Edén y como una anticipación de la tierra prometida. (*Figures,* pp. 15-16.)

Para Saint-Amant, «todas las diferencias son semejanzas por sorpresa, el Otro es una versión paradójica del Mismo», y el universo barroco está estructurado tan rígidamente, que lo extraño, lo nuevo, lo maravilloso sólo pueden imaginarse y presentarse como una inversión de las combinaciones de términos ordinarias

Esa tesis sorprendente es el resultado del deseo de llegar a una formulación sistemática.

Otro ejemplo de ese procedimiento, que ilustra lo poco que puede diferir la crítica supuestamente estructuralista de otros modos más familiares, es la obra de Todorov sobre los relatos cortos de Henry James. Según él, hay una propiedad estructural particular que comparten los relatos, una «figura que organiza tanto los temas como la sintaxis, tanto la composición del relato como el punto de vista». El secreto del relato de James, que puede descubrirse en diferentes niveles, es «precisamente la existencia de un secreto esencial, de algo no nombrado, de una fuerza ausente y todopoderosa que pone en marcha el mecanismo presente de la narración» (*Poétique de la prose,* p. 153). Cuando le invitaron a dar una conferencia sobre el estructuralismo y el estudio de la literatura en Oxford, Todorov usó ese etudio como ejemplo,[2] pero podemos decir que la búsqueda de una pauta constante en las obras de un autor no es un enfoque característico del estructuralismo. Cuando deja de usar la lingüística como recurso heurístico, la crítica estructuralista pierde gran parte de su carácter distintivo.

La obra como proyecto semiótico

El segundo enfoque, que entraña una aplicación más extensa de los conceptos lingüísticos, no postula una analogía entre un conjunto de obras y una lengua, sino que considera la propia obra como la investigación de un sistema semiológico e intenta formular de forma más explícita las visiones que proporciona. Barthes ha afirmado, por ejemplo, que uno de los rasgos más importantes del teatro de Brecht es su demostración de que «el arte revolucionario ha de admitir la arbitrariedad de los signos, ha de admitir cierto 'formalismo' en el sentido de que ha de tratar la forma de acuerdo con el método apropiado, que es un método semiológico» (*Essais critiques,* p. 87). El propio Brecht es el semiólogo, el que revela una teoría particular del signo en su práctica del distanciamiento estético y en su uso del vestuario y del decorado: «lo que postula toda la dramaturgia brechtiana es que, al menos hoy, el arte dramático, más que expresar lo real, tiene que significarlo. Por eso, es necesario que haya alguna distancia entre el significante y el significado».

Un ejemplo más plenamente desarrollado es el estudio de Barthes sobre Loyola, a quien considera un «logoteta o fundador de un lenguaje». Siguiendo en parte el modelo de las lenguas naturales, Loyola aísla un espacio semiológico, divide su material en articulaciones discretas y proporciona un orden o sintaxis para las combinaciones de los signos. «La invención de un lenguaje, tal es el objeto de los *Ejercicios espirituales*»; Loyola desea construir un «lenguaje de la interrogación» mediante el cual el practicante puede encontrar algo que decir a Dios, «codificar» su petición de la forma adecuada para que reciba el consejo divino. «La enorme e insegura labor de un logotécnico o constructor de lenguajes» abarca la producción de reglas generales que generen expresiones espirituales bien construidas y conviertan la oración en una actividad ordenada, pero interminable. Para ese fin hay una proliferación de oposiciones y categorías sintagmáticas, *topoi* y esrtucturas narrativas, que «proceden de la necesidad de ocupar todo el territorio de la mente y refinar de ese modo los canales a través de los cuales la petición del practicante es articulada y adoptada por la energía del habla» (*Sade, Fourier, Loyola,* pp. 7-8, y 50-9).

Si la obra de Loyola puede considerarse la invención de un sistema semiótico devoto, *A la recherche du temps perdu* de Proust puede interpretarse como una descripción de la iniciación semiótica del narrador. La obra de Proust, escribe Gilles Deleuze en su brillante *Proust et les signes,* «no se basa en la exposición del recuerdo, sino en el aprendizaje de los signos» (p. 9). El narrador tropieza con signos del mundo social, signos de amor, signos del mundo tangible y signos de arte que asimilan y transforman los otros. Deleuze no se limita a estudiar la forma como el narrador aprende a reconocer e interpretar esos signos y a situarse en los diferentes dominios de la experiencia que aquéllos estructuran: obtiene a partir de la novela una teoría general de los rasgos que distinguen a esos cuatro tipos de signo y que explican las diferentes reacciones y experiencias del narrador. Los criterios funcionales son el tipo de apoyo material, los recursos que permiten la interpretación, la respuesta emocional característica, el tipo de significado que producen, las facultades que intervienen en la interpretación, la estructura temporal del signo y, por último, la relación de signo y esencia (pp. 102-7). La explotación plena de esas distinciones produce un metalenguaje que consigue mejor que ningún otro relacionar las especulaciones teóricas de la novela con los diferentes tipos de acción y experiencia que revela la narración progresiva; y así la interpretación de Deleuze no es simplemente una descripción del pensamiento semiológico implícito de Proust, sino también una soberbia integración de la investigación de los signos por parte del narrador proustiano y su producción de los signos en el discurso de la novela.

Muchas de la visiones de Deleuze quedan confirmadas por el estudio del *langage indirect* en Proust por parte de Genette. La *Recherche* es una descripción del dominio progresivo por parte del narrador de los lenguajes indirectos mediante los cuales las personas expresan y ocultan el yo. El *Je vous gronde* de Madame Verdurin significa «Se lo agradezco» en lugar de «Le regaño a usted»; «las figuras de la retórica mundana, como todas las figuras, son formas declaradas de la mentira, presentadas como tales, y se espera que se las descifre de acuerdo con un código reconocido por ambas partes» (*Figures II*, pp. 251-2). Los gestos constituyen también un lenguaje que hay que aprender y que revela una complejidad semiótica precisa: tan pronto como el significado de un gesto queda codificado, deja de ser significado «verdadero» o natural y el gesto puede indicar, por encima de todo, un deseo de producir la impresión esperada. Marcel, en espera de que le presenten a las *jeunes filles en fleur,* se prepara para exhibir «el tipo de mirada interrogante que no revela sorpresa, sino deseo de parecer sorprendido: así de malos actores o de consumados fisionomistas somos».[3] Lo mismo ocurre con muchos actos significadores. El signo convencional hecho con el índice

acaba indicando casi invariablemente lo opuesto de lo que supuestamente significa; en casos extremos las relación causal queda invertida incluso, para mayor detrimento de la intención significadora... Marcel parece sorprendido, luego no lo está (p. 267).

Descubrimos «un lenguaje que 'revela' lo que no dice... precisamente porque no lo dice».

Así pues, Genette descubre en Proust una doble crítica semiótica: por un lado, nos muestra la imposibilidad del intento de identificar el signo y el referente (los lugares no son nunca como las palabras indujeron al narrador a imaginar); por otro lado, el paso de significante a significado está sujeto a las mediaciones más engañosas. Pero la obra de arte, como acto semiótico, compensa esos dos modos de dislocación al adoptarlos como tema y al convertir esas dos lagunas en el espacio de la exploración literaria.

O, si no, la crítica estructuralista puede tratar la obra, no como un análisis de otros sistemas semióticos, sino como una investigación del propio lenguaje. Al elaborar en la práctica de su escritura una crítica y subversión de los códigos de comunicación ordinarios, la obra ofrece al crítico ocasión para teorizar su práctica y propone, como interpretación de la obra, una descripción de las aventuras del significado en el texto. Esa clase de estudios son bastante comunes, pues se combinan fácilmente con la investigación general de las propiedades del discurso literario, pero de entre las obras que funcionan primordialmente como estudios de textos particulares, podríamos citar *Ambiviolences* de Stephen Heath y *Raymond Roussel* de Michel Foucault.

La primera somete *Finnegans Wake* a lo que parece el único tipo de interpretación que puede abarcar tanto una explicación detallada de las oraciones como una síntesis temática general considera el problema que el texto plantea (es «ilegible») como su solución. La ilegibilidad, la violenta ambivalencia de la obra, no es un obstáculo que pueda superarse mediante la traducción sensata a un lenguaje interpretativo, sino la señal de un proyecto temático que determina la práctica de la escritura. La obra emprende una «teatralización del lenguaje», una colocación de la obra en primer plano en la red de sus relaciones diferenciales potenciales. El significante ya no es una forma transparente a través de la cual accedemos al significado; aparece exhibido como un objeto

154

por derecho propio que lleva las huellas de significados posibles: sus relaciones con otras palabras, sus relaciones con los diferentes tipos de discurso que presionan a su alrededor. La multiplicidad de esas relaciones hace del significado, no algo ya realizado y en espera de que se lo exprese, sino un horizonte, una perspectiva de producción semiótica. En lugar de un uso comunicativo del lenguaje, Joyce presenta «una elaboración del lenguaje en que los límites de la comunicación se deshacen, quedan expuestos y fracturados en el juego del significante, cuyas producciones permiten un vislumbre del 'latido del significado'» (p. 65). Esto, escribe Joyce, *is nat language in any sinse of the world;* es el *otro* del lenguaje, su complemento reprimido, ahora liberado en páginas en que puede reproducirse libremente: *birth of an otion, for inkstands, Stay us wherefore in our search for tighteousness.* El juego de letras produce un juego de significado y somete cualesquiera ideas claras y precisas aparentemente exteriores al lenguaje, como accesorios del mundo, a una indeterminación de dislocación y contradicción. *Finnegans Wake,* escribe Heath, es *la construction d'une écriture qui sillonne le langage (les langues), faisant sans cesse basculer le signifié dans le signifiant, pour à tout moment, trouver le drame du langage, sa production* («la construcción de una escritura que surca el lenguaje (las lenguas), produciendo un balanceo incesante desde el significado hasta el significante, para encontrar a cada momento el drama del lenguaje, su producción») (p. 71). Ese drama representado en el nivel de la oración se convierte, por obra de la acción del lenguaje del crítico, tanto en teoría semiótica de la obra como en su resultado temático: aquellas categorías que podrían contribuir a la ilusión de un mundo en que el significado ya esté dado como algo que hay que recuperar y no como una actividad que hay que ejercer se desarticulan y se ponen en movimiento.

El equivalente más próximo a Joyce en la literatura francesa quizá sea Raymond Roussel, y la interpretación de Foucault aporta temas comparables. Para purificar sus textos, para darles un orden que no era el de una intención comunicativa, Roussel recurrió a procedimientos formales que podían servir de recursos generativos. Haciendo retruécanos sobre una frase para producir

155

otra (un ejemplo inglés sería *The sons raise meat* («Los hijos recogen carne») y *The sun's rays meet* («El encuentro de los rayos del sol»), después escribe un relato para unirlas. *Locus Solus* es el juego definitivo de esa clase: la historia de máquinas inventadas para crear un mundo que es creado, a su vez, por el mecanismo lingüístico. Así, la máquina que, como reacción ante las menores variaciones atmosféricas, recoge dientes y los deposita en un complicado mosaico que representa a un caballero, es producida, a su vez, por el retruécano a partir de *demoiselle à prétendants* («una muchacha con pretendientes») para producir *demoiselle à reitre en dents* («pisón para caballero en dientes»). Semejantes procedimientos convierten el texto en un sistema cerrado que es una auténtica parodia del lenguaje como sistema de diferencias. Por otro lado, el texto manifiesta, en sus retruécanos sin sentido, «una diferencia acumulada en su seno, de forma única, dual, ambigua, minotaurina»; y, por otro lado, revela el juego infinito de las diferencias por el cual una palabra nos remite a otras palabras en lugar de enlazar directamente con un mundo «esa maravillosa cualidad que hace el lenguaje rico en su pobreza» (*Raymond Roussell,* p. 23). La obra de Roussel muestra que la respuesta de la imaginación al lenguaje, cuando se muestra éste libremente como un sistema de diferencias, permite la producción de tantos significados, que llega a destruir la noción de signos positivos y concretos. «Inventor de un lenguaje que habla por sí solo (...) abrió al lenguaje literario un espacio extraño que podríamos llamar lingüístico, si no fuera la imagen invertida, el uso irreal, encantado y mítico del espacio lingüístico» (pp. 209-10). Una vez más, las nociones del sistema lingüístico se despliegan en la interpretación, cuando el crítico descubre que los textos más radicales sólo pueden unificarse como un tipo especial de proyecto lingüístico subversivo.

Naturalmente, en obras más tradicionales pueden encontrarse proyectos lingüísticos menos subversivos. En esos casos la orientación lingüística del estructuralismo induce al crítico a centrar la atención, como estrategia interpretativa, en el papel concedido al lenguaje en una obra particular y a hacer de la teoría del lenguaje que descubre una parte importante de su tema. En *L'orgie lan-*

156

gagière Josette Rey-Debove explora las formas en que el signo se convierte en un objeto erótico en *Les femmes savantes* de Molière. Per Aage Brandt examina el papel y las connotaciones del habla en *Don Juan ou la force de la parole*. Michel Arrivé estudia a Jarry como un escritor fascinado por problemas del signo en *Les langages de Jarry*. Todorov dedica una parte de *Littérature et signification* a la carta como medio significador en *Les Liaisons dangereuses* e incluye en *Poétique de la prose* una serie de artículos, que ilustran tanto las virtudes como los defectos de ese enfoque, sobre el lenguaje en *La Odisea, Las mil y una noches* y *Adolphe* de Constant.

En su estudio de *La Odisea* intenta aducir testimonios lingüísticos para convertir las mentiras de Ulises en el rasgo central del texto. La distinción entre *énonciation* (la acción de hablar) y *énoncé* (la propia expresión) se manifiesta, según sugiere, en una oposición entre *la parole action* (el habla como acción) y *la parole récit* (el habla como narración); después, en un paso bastante cuestionable, identifica esos modos de lenguaje con las expresiones performativas y constativas: el habla como narración deriva del mundo del discurso constativo, mientras que el habla como acción siempre es performativa (*Poétique de la prose*, pp. 71-2). Resulta que no se trata de una nueva formulación metafórica inocua, sino de un intento de hacer entrar en juego las cualidades de las expresiones performativas y constativas para volver anómalas las mentiras o *la parole feinte*:

> por un lado, tiene por fuerza que pertenecer al modo constativo: sólo lo constativo puede ser verdadero o falso; lo performativo escapa a esas categorías. Por otro lado, hablar para mentir no es hablar para hacer constar (*constater*), sino para actuar: cualquier mentira es necesariamente performativa. El habla fingida es a un tiempo narración y acción (p. 72).

Pero también lo son otros actos del habla. Producir una expresión constativa es realizar un acto, y la mentira no es un caso especial. Si al vender un coche a alguien, le digo que tiene una

157

nueva transmisión, estoy realizando un acto de persuasión (hablar para actuar), tanto si la afirmación es verdadera como si es falsa, y el hecho de que esté usándolo para persuadir no le impide de ningún modo ser verdadero o falso. Las expresiones performativas, tal como las definió Austin, son afirmaciones que, a su vez, realizan los actos a que se refieren: así, en «te prometo pagarte diez libras», el acto de prometer es la expresión de la oración.[4] Las mentiras no son performativas en ese sentido; son afirmaciones que resultan ser falsas. Y, aunque pueden perfectamente desempeñar un papel primordial en el texto, el argumento lingüístico es pura ofuscación.

Las otras conclusiones de Todorov se refieren primordialmente al valor asignado al habla en las obras que está estudiando. En *La Odisea*, «la sumisión corresponde al silencio, el habla va unida a la rebelión»; «hablar es asumir una responsabilidad y, por tanto, correr un peligro» (pp. 69-70). Por otro lado, en *Las mil y una noches* «la narración equivale a la vida; la ausencia de narración, a la muerte» y, por esa razón, por extensión, «el hombre es sólo un relato; cuando la narración deja de ser necesaria, puede morir» (pp. 86-7). Esa identificación de un personaje con su habla aparece también en *Adolphe*, que, como muestra Todorov en uno de sus mejores artículos, contiene una sutil teoría del lenguaje. Como en *Las mil y una noches*, «la muerte no es otra cosa que la incapacidad para hablar», pero en este caso el habla es una fuerza trágica también: «Constant se opone a la idea de que las palabras designan cosas de forma adecuada», pues hablar es bien alterar los sentimientos de que hablamos bien producir sentimientos que fingimos en el habla; así, el habla falsa se vuelve verdadera y el habla supuestamente verdadera se vuelve falsa. La estructura paradójica de ese fenómeno, según él, es homóloga a la del deseo, tal como aparece presentado en *Adolphe*: «las palabras suponen la ausencia de las cosas, de igual modo que el deseo supone la ausencia de su objeto... Ambos conducen a un callejón sin salida: el de la comunicación, el de la felicidad. Las palabras son a las cosas lo que el deseo es al objeto de deseo» (p. 116).

El interés por el lenguaje, unido a una inclinación por la abstracción, puede inducir a la formulación de esquemas de este tipo que sirven de interpretaciones temáticas de la obra en cuestión. Sin embargo, el valor de semejantes conclusiones e interpretaciones es totalmente independiente del modelo lingüístico que puede haber servido de fuente de metáforas o de recurso heurístico. Como los ejemplos anteriores deben mostrar ampliamente, la lingüística no proporciona un método para la interpretación de las obras literarias. Puede proporcionar un foco general, bien sugiriendo al crítico que busque las diferencias y las oposiciones que puedan ponerse en correlación y organizarse como un sistema que genere los episodios o formas del texto, bien ofreciendo un conjunto de conceptos en que puedan enunciarse interpretaciones. Ambos casos tienen sus peligros. En el segundo, el prestigio de la lingüística puede inducir al crítico a creer que la simple aplicación de etiquetas lingüísticas a aspectos del texto es necesariamente una actividad útil, pero, naturalmente, cuando se los usa metafóricamente o aisladamente, esos términos no gozan de carácter preferente y no son necesariamente más reveladores que otros conceptos que el crítico podría introducir o crear. En el primer caso, si bien podría argüirse que cualquier factor que ayude al crítico a aumentar la gama de relaciones que pueda percibir es de valor *prima facie,* el descubrimiento de estructuras formales es un proceso infinito y, para ser fructífero, debe basarse en una teoría del funcionamiento del texto literario. Una obra tiene una estructura sólo en función de una teoría que especifica su forma de funcionar, y formular esa teoría es la misión de la poética.

Segunda parte

La poética

CAPITULO 6

LA COMPETENCIA LITERARIA

> *Entender una oración significa*
> *entender una lengua. Entender*
> *una lengua significa dominar*
> *una técnica*
>
> WITTGENSTEIN

Cuando un hablante de una lengua oye una secuencia fonética, puede atribuirle un significado porque aporta al acto de comunicación un asombroso repertorio de conocimiento consciente e inconsciente. El dominio de los sistemas fonológico, sintáctico y semántico de su lengua le permite convertir el sonido en unidades discretas, reconocer palabras y asignar una descripción e interpretación estructural a la oración resultante, aun cuando sea totalmente nueva para él. Sin ese conocimiento implícito, sin esa gramática interiorizada, la secuencia de sonidos no le dice nada. No obstante, sentimos inclinación a decir que la estructura fonológica gramatical y el significado son *propiedades* de la expresión, y no hay inconveniente en hablar de ese modo, siempre que se recuerde que son propiedades de la expresión con respecto a una gramática particular esclusivamente. Otra gramática asignaría propiedades diferentes a la secuencia (según la gramática de una lengua diferente, por ejemplo, carecería de sentido). Hablar de la estructura de una oración es dar a entender necesariamente una gramática interiorizada que le confiere dicha estructura.

También tenemos tendencia a concebir el significado y la es-

163

tructura como propiedades de obras literarias, y desde un punto de vista es correcto: cuando a la secuencia de palabras se le da el tratamiento *de una obra literaria,* tiene esas propiedades. Pero esa salvedad sugiere la importancia de la analogía lingüística. La obra tiene estructura y significado porque se la interpreta de una forma particular, porque esas propiedades potenciales, latentes en el propio objeto, son actualizadas por la teoría del discurso aplicada en el acto de leer. «¿Cómo podemos descubrir la estructura sin la ayuda de un modelo metodológico?», pregunta Barthes (*Critique et vérité,* p. 19). Leer un texto como literatura no es hacer *tabula rasa* de nuestra propia mente y acercarnos a él sin ideas preconcebidas; debemos aportarle una comprensión implícita de la operación del discurso literario que nos dice lo que hemos de buscar.

Quien carezca de ese conocimiento, quien no esté versado en absoluto en literatura ni esté familiarizado con las convenciones por las cuales se lee la ficción se sentirá completamente desconcertado ante un poema. Su conocimiento del lenguaje le permitirá entender frases y oraciones, pero no sabrá —en sentido totalmente literal— qué *hacer* con esa extraña concatenación de frases. Será incapaz de leerla *como* literatura —como decimos enfáticamente a quienes pretenden usar las obras literarias para otros fines—, por carecer de la compleja «competencia literaria» que permite a otros hacerlo. No ha interiorizado la «gramática» de la literatura que le permitiría convertir las secuencias lingüísticas en estructuras y significados lingüísticos.

Si la analogía parece menos que exacta es porque en el caso de la lengua es mucho más evidente que la comprensión depende del dominio de un sistema. Pero el tiempo y la energía dedicados a la formación literaria en las escuelas y en las universidades indica que la comprensión de la literatura depende también de la experiencia y del dominio. Como la literatura es un sistema semiótico de esgundo orden cuya base es una lengua, el conocimiento de la lengua nos hará avanzar algo en el encuentro con los textos literarios, y puede resultar difícil especificar con precisión en qué momento pasa la comprensión a depender de nuestro conocimiento suplementario de la literatura. Pero la dificultad para trazar una línea divisoria no oculta la palpable diferencia entre la com

prensión del lenguaje de un poema, en el sentido de que podríamos
traducirlo aproximadamente a otra lengua, y la comprensión del
poema. Si sabemos francés, podemos traducir *Salut* de Mallarmé
(véase el capítulo 4), pero esa traducción no es una síntesis temática —no lo que normalmente llamaríamos «comprensión del poema»— y, para identificar los diferentes niveles de coherencia y
ponerlos en relación bajo el encabezamiento sinóptico o tema de
la «indagación literaria» hay que tener considerable experiencia de
las convenciones para la lectura de la poesía.

La forma más fácil de comprender la importancia de dichas
convenciones es tomar un artículo periodístico o una oración procedente de una novela y escribirlo en la página como un poema (véase el capítulo 8). Las propiedades asignadas a la oración por una
gramática del inglés no sufren variación, y los diferentes significados que adquiere el texto no pueden atribuirse, por tanto, a
nuestro conocimiento de la lengua, sino que hay que atribuirlas a
las convenciones especiales para la lectura de la poesía que nos inducen a considerar la lengua de forma nueva, a atribuir carácter
pertinente a propiedades de la lengua que antes no se aprovecha-
ban, a someter el texto a una serie diferente de operaciones interpretativas. Pero también podemos mostrar la importancia de dichas
convenciones midiendo la distancia entre el lenguaje de un poema
y su interpretación crítica: distancia entre la que tienden un puente
las convenciones de la lectura que incluyen la institución de la
poesía. Cualquiera que conozca el inglés, entiende el lenguaje
del poema de Blake *Ah! Sun-flower*:

> *Ah, Sun-flower, weary of time,*
> *Who countest the steps of the Sun,*
> *Seeking after that sweet golden clime*
> *Where the traveller's journey is done:*
>
> *Where the Youth pined away with desire,*
> *And the pale Virgin shrouded in snow*
> *Arise from their graves, and aspire*
> *Where my Sun-flower wishes to go.*

165

(Ah, Girasol, cansado del tiempo,
que cuentas los pasos del sol
en busca de esa dulce región áurea
donde acaba la jornada del viajero:

donde el Joven consumido por el deseo
y la pálida Virgen cubierta de nieve
salen de sus tumbas y anhelan
el lugar a que desea ir mi Girasol.)

Pero existe cierta distancia entre una comprensión de la lengua y la declaración temática con que un crítico concluye su comentario sobre el poema: «La acometida dialéctica de Blake contra el ascetismo es más que certera. No se trasciende la Naturaleza negando su exigencia primordial de sexualidad. Al contrario, se cae totalmente en el monótono círculo de sus aspiraciones cíclicas».[1] ¿Cómo se llega a semejante interpretación? ¿Cuáles son las operaciones que conducen desde el texto hasta esa representación de la comprensión? La convención primordial es lo que podríamos llamar la regla de la pertinencia: léase el poema como si expresara una actitud relativa a algún problema referente al hombre y/o a su relación con el universo. Así pues, el girasol recibe el valor de un símbolo y las metáforas de «contar» y «buscar» se consideran no simplemente como indicaciones figuradas de la tendencia de la flor a girar siguiendo el curso del sol sino como agentes metafóricos que convierten el girasol en un ejemplo de las aspiraciones humanas captadas por esas dos estrofas. Las convenciones de la coherencia metafórica —las de que debemos intentar producir coherencia mediante las transformaciones semánticas en los niveles tanto del contenido como del vehículo— les inducen a oponer el tiempo a la eternidad y a convertir *that sweet golden clim* («esa dulce región áurea») tanto en el crepúsculo que señala el fin del ciclo temporal diario como en la eternidad de la muerte cuando *the traveller's journey is done* («acaba la jornada del viajero»). La identificación de crepúsculo y muerte está justificada, además, por la convención que nos permite inscribir el poema en una tradición poética. Sin embargo, más importante es la conven

166

ción de la unidad temática, que nos obliga a atribuir al joven y a la virgen de la segunda estrofa un papel que justifique su elección como ejemplos de aspiración; y, como el rasgo semántico que comparten es una represión de la sexualidad, hemos de encontrar un modo de integrar eso al resto del poema. La curiosa estructura sintáctica, con tres cláusulas cada una de las cuales depende de un *where* («donde»), proporciona una forma de hacerlo:

> El Joven y la Virgen han repudiado su sexualidad para ganar la morada alegórica del cielo concedido convencionalmente. Al llegar allí, se alzan de sus tumbas para verse atrapados en el mismo ciclo cruel de los anhelos; están simplemente en el crepúsculo y aspiran a ir a donde el Girasol busca su reposo, que es precisamente donde ya están.[2]

Semejantes interpretaciones no son el resultado de asociaciones subjetivas. Son públicas y pueden discutirse y justificarse en relación con las convenciones de la lectura de poesía. Dichas convenciones son los constituyentes de la institución de la literatura, y en esa perspectiva podemos ver que puede perfectamente ser engañoso hablar de los poemas como de totalidades armónicas, o de organismos naturales autónomos, completos en sí mismos y portadores de un rico significado inmanente. Al contrario, el enfoque semiológico sugiere que se conciba el poema como una expresión que tiene significado sólo en relación con un sistema de convenciones que el lector ha asimilado. Si otras convenciones fueran aplicables, su gama de significados potenciales sería diferente.

La literatura, como dice Genette, «como cualquier otra actividad intelectual, se basa en convenciones que, con algunas excepciones, no conoce» (*Figures,* p. 258). Podemos concebir dichas convenciones no sólo como el conocimiento implícito del lector, sino también como el conocimiento implícito de los autores. Escribir un poema o una novela es comprometerse inmediatamente con una tradición literaria o, por lo menos, con cierta idea del poema o de la novela. La actividad es posible gracias a la existencia del género, contra el que, indudablemente, puede escribir el autor, cuyas convenciones puede intentar subvertir, aunque no por ello deja de ser el contexto dentro del cual se realiza su actividad, tan indudablemente como que el hecho de no cumplir una promesa es posible gracias a la institución de la promesa. Las elecciones de palabras, de oraciones, de modos diferentes de presentación, se harán a partir de sus efectos; y la idea de efecto presupone modos de lectura que no son casuales ni fortuitos. Aun cuando el autor no piense en los lectores, él mismo es un lector de su propia obra y no quedará satisfecho con ella a menos que pueda leerla de modo que produzca efectos. Nos parecería muy extraño que un poeta dijera: «cuando reflexiono sobre el girasol tengo un sentimiento particular, que llamaré p, y que creo puede asociarse con otro sentimiento que llamaré q», y después escribiera: «si p, en ese caso q» como un poema sobre el girasol. Eso no sería un poema, porque ni siquiera el propio poeta puede leer los significados de esa serie de signos. Puede considerar que se refieren a los sentimientos en cuestión, pero eso es otro asunto muy diferente. Su texto no explora, ni evoca ni utiliza siquiera, los sentimientos, y no puede leerlo como si así fuera. Para experimentar cualquiera de las satisfacciones de haber escrito un poema, ha de crear un orden de palabras que pueda leer de acuerdo con las convenciones de la poesía: no puede limitarse a asignar significado, sino que, además, debe hacer posible, para él y para los demás, la producción de significado.

«Toda obra», escribió Valéry, «es obra de muchas cosas y no sólo de un autor»; y propuso que se sustituyera la historia literaria por la poética, que estudiaría «las condiciones de existencia y de desarrollo de la literatura». De entre todas las artes, es «la única en que la convención desempeña el papel más importante», e incluso los autores que pueden haber pensado que sus obras se debían exclusivamente a la inspiración personal y a la aplicación del genio

habían desarrollado, sin sospecharlo, todo un sistema de hábitos y nociones que eran fruto de su experiencia e indispensables para el proceso de producción. Por poco que sospecharan todas las definiciones, todas las convenciones, la lógica y el sistema de combinaciones que la composición pre supone, por muy convencidos que estuvieran de que no debían nada al instante mismo, su obra ponía en juego necesariamente todos esos procedimientos y esas operaciones inevitables del intelecto.[3]

Las convenciones de la poesía, la lógica de los símbolos, las operaciones de la producción de efectos poéticos, no son simplemente propiedad de los lectores, sino que son la base de las formas literarias. Sin embargo, por una serie de razones diversas, es más fácil estudiarlas como operaciones realizadas por los lectores que como contexto institucional dado por sentado por los autores. Las afirmaciones que los autores hacen sobre el proceso de composición son notoriamente problemáticas, y existen pocas formas de determinar lo que suelen dar por sentado, en tanto que los significados que los lectores atribuyen a las obras literarias y los efectos que experimentan son más accesibles a la observación. Así, pues, las hipótesis sobre las convenciones y operaciones que producen esos efectos pueden verificarse no sólo por su capacidad para explicar los efectos en cuestión, sino también por su capacidad para explicar los efectos experimentados en esos casos, cuando se las aplique a otros poemas. Además, cuando estamos investigando el proceso de lectura, podemos hacer modificaciones en el lenguaje de un texto para ver cómo cambian los efectos literarios, mientras que esa clase de experimentación no es posible si estamos investigando las convenciones dadas por sentadas por los autores, quienes ni están a nuestra disposición para comunicar sus reacciones ante los efectos de modificaciones propuestas en sus textos. Como sugiere el ejemplo de la gramática transformacional, la mejor forma de producir una representación formal del conocimiento implícito tanto de los hablantes como de los oyentes es presentar las oraciones a uno mismo o a los colegas y después formular reglas que expliquen los juicios de los oyentes sobre el significado, la construcción correcta, la que no lo es, la estructura constituyente, y la ambigüedad.

Así pues, hablar, como voy a hacerlo, de competencia literaria como conjunto de convenciones para leer los textos literarios no da a entender en modo alguno que los autores sean idiotas congénitos que se limitan a producir cadenas de oraciones, mientras que toda la obra creativa la hacen los lectores, que disponen de remedios habilidosos para elaborar dichas oraciones. Puede parecer que los estudios estructuralistas fomentan esa concepción por el hecho de que no aíslan ni elogian el «arte consciente» de un autor, pero la razón es simplemente que en ésta, como en la mayoría de las actividades humanas de alguna complejidad, la divisoria entre lo consciente y lo inconsciente es enormemente variable, imposible de identificar y carente del menor interés.

«¿*Cuándo* sabes jugar al ajedrez? ¿Todo el tiempo? ¿O simplemente mientras estás haciendo una jugada? ¿Y *todo* el ajedrez durante una jugada?»[4] Al conducir un coche, ¿es consciente o inconscientemente como nos mantenemos en el lado que debemos de la carretera, cambiamos de velocidad, frenamos, cambiamos las luces? Preguntar de qué es consciente o inconsciente un autor es tan inútil como preguntar qué reglas del inglés aplican conscientemente los hablantes y cuáles cumplen inconscientemente. El dominio puede ser en gran medida inconsciente o puede haber llegado a un grado de elaboración teórica profundamente consciente, pero en ambos casos es dominio. Tampoco impugnamos en modo alguno el talento de un autor al hablar de su dominio como capacidad para construir artefactos que resultan ser extraordinariamente ricos, cuando se los somete a la operación de la lectura.

La misión de una poética estructuralista, tal como Barthes la define, sería volver explícito el sistema subyacente que hace posibles los efectos literarios. No sería una «ciencia del contenido» que, al modo hermenéutico, propusiera interpretaciones para las obras,

> sino una ciencia de las condiciones del contenido, es decir de las formas. Lo que le interesarán serán las variaciones de significado generadas y, por decirlo así, capaces de ser generadas por las obras; no interpretará los símbolos, sino que describirá su polivalencia. En resumen, su objeto no serán los significados plenos de la obra, sino, al contrario, el significado vacío que soporta todos aquéllos. (*Critique et vérité* p. 57.)

En ese sentido el estructuralismo efectúa una importante inversión de perspectiva al conceder prioridad a la misión de formular una teoría completa del discurso literario y al asignar un lugar secundario a la interpretación de los textos individuales. Cualesquiera que sean los beneficios de la interpretación para quienes la ejerzan, dentro del contexto de la poética pasa a ser una actividad auxiliar subordinada —una forma de usar las obras literarias— por oposición al estudio de la propia literatura como una institución. Decir esto no es condenar en modo alguno la interpretación, como la analogía lingüística debe revelar con toda claridad. A la mayoría de las personas les interesa usar el lenguaje para comunicar más que estudiar el complejo sistema lingüístico que subyace a la comunicación, y no tienen por qué sentir amenazados sus intereses por quienes hacen del estudio de la competencia lingüística una disciplina autónoma y coherente. De forma semejante, una poética estructuralista afirmaría que el estudio de la literatura entraña sólo indirectamente el acto crítico de colocar una obra en situación, al interpretarla como un gesto de un tipo particular y atribuirle, así, un significado. La misión es, más que nada, construir una teoría del discurso literario que explicara las posibilidades de interpretación, los «significados vacíos» que sirven de soporte a diversos significados plenos, pero que no permiten que se atribuya pura y simplemente cualquier significado a la obra.

Esto no haría falta decirlo, si la crítica interpretativa no hubiera intentado persuadirnos de que el estudio de la literatura significa la elucidación de las obras individuales. Pero en ese contexto cultural es importante reflexionar sobre lo que se ha perdido o ha quedado desdibujado en la práctica de una crítica interpretativa que trata cada obra como un artefacto autónomo, un todo orgánico todas cuyas partes contribuyen a una declaración temática compleja. La idea de que la misión de la crítica es revelar la unidad temática es un concepto posromántico, cuyas raíces en la teoría de la forma orgánica son, como mínimo, ambiguas. La unidad orgánica de una planta no es fácil de traducir a la unidad temática, y estamos dispuestos a admitir que se permita a la observación botánica comparar una planta con otra, aislando semejanzas y diferencias, o extenderse sobre la organización formal sin invocar inmediatamente un objetivo teológico o una unidad temática. Tampoco las disertaciones sobre la literatura han estado siempre tan entregadas imperiosamente a la interpretación. En épocas anteriores a aquella en que el poema se convirtió preeminentemente en el acto de un individuo y en que se rememoraba la emoción con sosiego, solía ser posible estudiar su interacción con normas de la retórica y del género, la relación de sus rasgos formales con las de la tradición, sin sentirse obligado inmediatamente a presentar una interpretación que demostrara su importancia temática. No era necesario pasar del poema al mundo, sino que se lo podía explorar dentro de la institución de la literatura, poniéndolo en relación con la tradición e identificando las continuidades y discontinuidades formales. Que eso fuera posible puede decirnos algo importante sobre la literatura o, por lo menos, incitarnos a reflexionar sobre la posibilidad de hacer que disminuya el predominio de la interpretación en el discurso crítico.

Esa disminución es importante porque, si el analista aspira a entender cómo funciona la literatura, debe, como dice Northrop Frye, emprender la tarea de «formular las leyes generales de la experiencia literaria y, en resumen, escribir como si estuviera convencido de que existe una estructura de conocimiento, totalmente inteligible y accesible, relativa a la poesía, que no es la propia poesía, ni la experiencia de ella, sino la poética» (*Anatomy of Criticism*, p. 14). Pocos autores han hecho una defensa tan enérgica de la poética como Frye, pero en su perspectiva, como muestra el pasaje que acabamos de citar, la relación entre la poesía, la experiencia de la poesía y la poética sigue estando algo oscura, y esa oscuridad afecta a sus formulaciones posteriores. Sus comentarios sobre los modos, símbolos, mitos y géneros conducen a la produción de taxonomías que captan parte de la riqueza de la literatura, pero el carácter de sus características taxonómicas es curiosamente indeterminado. ¿Cuál es su relación con el discurso literario y con la actividad de la lectura? ¿Son las cuatro estaciones de primavera, verano, otoño e invierno recursos para clasificar las obras o categorías literarias en que se basa la experiencia de la lteratura? Tan pronto como nos preguntamos por qué han de preferirse esas categorías a las de otras taxonomías posibles, resulta evidente que ha de haber algo implícito en el sistema teórico de Frye que requiere se lo explicite.

El modelo lingüístico proporciona una ligera reorientación que vuelve manifiesto lo que se necesita. El estudio del sistema lingüístico pasa a ser teóricamente coherente cuando dejamos de pensar que nuestro objetivo es especificar las propiedades de los objetos en un corpus y centramos nuestra atención, por el contrario, en la misión de formular la competencia interiorizada que permite a los objetos tener las propiedades que tienen para quienes han llegado a dominar el sistema. Para descubrir y caracterizar las estructuras hay que analizar el sistema que asigna descripciones estructurales a los objetos en cuestión, y, de ese modo, una taxonomía literaria se basaría en una teoría de la lectura. Las categorías pertinentes son las que se requieren para explicar la gama de significados aceptables que pueden tener las obras para los lectores de literatura.

Desde luego, la noción de competencia literaria o de un sistema literario es anatema para los críticos que ven en ella un ataque a las características espontáneas, creativas y afectivas de la literatura. Además, podrían argüir, el propio concepto de competencia literaria, que incluye la presunción de que podemos distinguir a los lectores competentes de los incompetentes, es objetable precisamente por las razones que inducen a proponerlo: la postulación de una norma para lectura «correcta». En otras actividades humanas en que existen criterios claros para el éxito y el fracaso, como el ajedrez o el alpinismo, podemos hablar de competencia e incompetencia, pero la riqueza e influencia de la literatura dependen precisamente de que no es una actividad de ese tipo y de que la apreciación es diversa, personal y no sujeta a la legislación normativa de presuntos expertos.

Sin embargo, me parece que esa clase de argumentos no dan en el blanco. A nadie se le ocurriría negar que las obras literarias, como la mayoría de los objetos de la atención humana, pueden gozarse por razones que tienen poco que ver con la comprensión y el dominio: que se puede entender de forma garrafalmente equivocada los textos y, aun así, apreciarlos por diversas razones personales. Pero rechazar la noción de comprensión errónea como

173

una imposición legislativa es dejar sin explicar la experiencia común de que se nos muestre en qué estábamos equivocados, de comprender un error y ver por qué era un error. Aunque la aquiescencia puede equivaler ocasionalmente a doblegarse a regañadientes ante una autoridad superior, nadie sostendría que siempre ha sido así: más frecuente es que sintamos que efectivamente se nos ha mostrado el camino hacia una comprensión más plena de la literatura y de los procedimientos de lectura. Si la distinción entre el entendimiento acertado y el equivocado no fuera pertinente, si ninguna de las partes de una discusión creyera en dicha distinción, tendría poco sentido comentar las obras literarias, discutirlas y mucho menos escribir sobre ellas.

Además, no se puede descartar a la ligera los derechos de las escuelas y universidades a impartir una formación literaria. Creer que toda la institución de la educación literaria no es sino un fraude gigantesco sería excesivo incluso para una persona muy crédula, pues, desgraciadamente, está más que claro que el conocimiento de una lengua y cierta experiencia del mundo no bastan para convertir a alguien en un lector perspicaz y competente. Para llegar a serlo, hay que estar familiarizado con algún dominio de la literatura y en muchos casos disponer de alguna forma de dirección. El tiempo y el esfuerzo dedicados a la formación literaria por generaciones de estudiantes y profesores crea una firme presunción de que hay algo que aprender, y los profesores no vacilan a la hora de juzgar el progreso de sus alumnos en una competencia literaria general. La mayoría afirmaría, con razón indudablemente, que sus exámenes están destinados no sólo a determinar si sus estudiantes han leído diversas obras, sino también a comprobar su grado de competencia.

«Cualquiera que haya estudiado seriamente la literatura», sostiene Northrop Frye, «sabe que el proceso mental que entraña es tan coherente y progresivo como el estudio de la ciencia. Se produce una formación de la mente semejante exactamente, y se desarrolla una sensación semejante de unidad del objeto» (*ibid.* pp. 10-11). Si eso parece exagerado, se debe indudablemente a que lo que es explícito en la enseñanza de una ciencia suele quedar implícito en la enseñanza de la literatura. Pero está claro que e

174

estudio de un poema o de una novela facilita el estudio del siguiente: adquirimos no sólo puntos de comparación, sino también una apreciación de cómo hay que leer. Desarrollamos una serie de cuestiones que la experiencia muestra que son apropiadas y productivas y criterios para determinar si son productivas en un caso determinado; adquirimos capacidad para juzgar las posibilidades de la literatura y cómo deben distinguirse dichas posibilidades. Podemos hablar, si queremos, de extrapolación de una obra a otra, con tal de que no ocultemos con ello el hecho de que el proceso de extrapolación es precisamente lo que requiere explicación. Explicar la extrapolación, explicar cuáles son las cuestiones y distinciones formales cuya pertinenica aprende el estudiante, sería formular una teoría de la competencia literaria. Para dar el menor sentido al proceso de educación literaria y a la propia crítica debemos dar por sentado, como sostiene Frye, la posibilidad de «una teoría de la literatura coherente y comprensiva, lógica y científicamente organizada, parte de la cual aprende inconscientemente el estudiante a medida que avanza, pero cuyos principios fundamentales todavía no conocemos» (p. 11).

Es fácil ver por qué, desde esa perspectiva, la lingüística ofrece una analogía metodológica atractiva: una gramática, como dice Chomsky, «puede considerarse como una teoría de la lengua», y la teoría de la literatura de que habla Frye puede considerarse como la «gramática» o competencia literaria que los lectores han asimilado, pero de la cual pueden no ser conscientes. Volver explícito lo implícito es la misión tanto de la lingüística como de la poética, y la gramática generativa ha insistido todavía más en dos requisitos fundamentales para las teorías de ese tipo: que formulen las reglas como operaciones formales (ya que lo que están investigando no es una inteligencia que dé por sentada la comprensión usual de la aplicación de las reglas, sino aquélla que ha de hacer éstas lo más implícitas posible) y que sean verificables (han de reproducir, por decirlo así, hechos documentados de la competencia semiótica).

¿Puede darse ese paso en la crítica literaria? El mayor obstáculo parece ser el de determinar qué es lo que contará como testimonio de la competencia literaria. En lingüística no es difícil identificar hechos que una gramática adecuada debe explicar: aunque

175

podemos tener necesidad de hablar de «grados de gramaticalidad», podemos presentar listas de oraciones que están indiscutiblemente bien construidas y oraciones que indiscutiblemente no lo están. Además, tenemos suficiente capacidad para juzgar intuitivamente las relaciones de paráfrasis como para poder decir aproximadamente lo que significa una oración para los hablantes de una lengua. Sin embargo, en el estudio de la literatura la situación es considerablemente más compleja. Las nociones de obras literarias «bien construidas» o «inteligibles» son notoriamente problemáticas, y puede resultar difícil garantizar un acuerdo respecto de lo que debería contar como «comprensión» apropiada de un texto. El hecho de que los críticos discrepen tan ampliamente en sus interpretaciones podría parecer que debilita cualquier noción de una competencia literaria general.

Pero, para superar ese obstáculo aparente, basta con que nos preguntemos qué es lo que queremos que explique una teoría de la literatura. No podemos exigirle que explique el significado «correcto» de una obra, ya que es evidente que no creemos que para cada obra exista una sola interpretación correcta. No podemos exigirle que trace una divisoria clara entre la obra bien construida y la que no lo está, si estamos convencidos de que no existe semejante divisoria. En realidad, lo que sí requiere explicación es el sorprendente hecho de que una obra pueda tener diversos significados y no precisamente cualquier significado, o el de que algunas obras den una impresión de rareza, incoherencia, incomprensibilidad. El modelo no entraña que haya de haber unanimidad en función de un criterio particular. Sugiere solamente que hemos de designar una serie de hechos, del tipo que sean, que parezcan requerir explicación y después construir un modelo de la competencia literaria que los explique.

Los hechos pueden ser de muchos tipos: que determinada oración en prosa tenga significados diferentes, si se la escribe como un poema; que los lectores sean capaces de reconocer la trama de una novela, que algunas interpretaciones simbólicas de un poema sean más plausibles que otras, que *The Waste Land* o *Ulysses* parecieran extraños en un tiempo y ahora parezcan inteligibles. La poética, como dice Barthes, no se refiere tanto a la propia obra

como a su inteligibilidad (*Critique et vérité*. p. 62) y, en consecuencia, los casos problemáticos —la obra que a unos les parece
inteligible y a otros incoherente, o la obra que se interpreta de
forma diferente en dos períodos distintos— proporcionan los testimonios más decisivos sobre el sistema de las convenciones operativas. Cualquier obra puede volverse inteligible, si inventamos
convenciones apropiadas: el poema más oscuro puede interpretarse
en caso de que exista una convención que nos permita sustituir
cada elemento léxico por una palabra que empiece con la misma
letra del alfabeto y escogida de acuerdo con las peticiones ordinarias de coherencia. Existen muchas otras convenciones extrañas
que podrían ser operativas si la institución de la literatura fuera
diferente, y, por eso, la dificultad para explicar ciertas obras proporciona testimoinos sobre la naturaleza limitada de las convenciones efectivamente vigentes en una cultura. Además, si una obra
difícil pasa a ser inteligible posteriormente es porque se han
desarrollado nuevas formas de leer que satisfacen la exigencia fundamental del sistema: la exigencia de sentido. La comparación de
interpretaciones antiguas y nuevas iluminará el cambio en la institución de la literatura.

Como en la lingüística, no existe un procedimiento automático de obtener información sobre la competencia, pero no esca-
sean los hechos que hay que explicar.[5] Examinar el comportamiento de los lectores serviría de poco, ya que lo que nos interesa
no es la propia actuación sino el conocimiento tácito o competencia que subyace a ella. La actuación puede no ser un reflejo
directo de la competencia, pues el comportamiento puede verse
influido por multitud de factores irrelevantes: puedo no haber
prestado atención en un momento determinado, puedo haberme
dejado despistar por asociaciones puramente personales, puedo
haber olvidado algo importante correspondiente a una parte anterior del texto, puedo haber cometido lo que reconocería como
error, si me lo indicaran. Lo que nos interesa es el conocimiento
tácito que el reconocimiento de un error mostraría más que el
propio error, y, así, aunque hiciéramos dichos exámenes, no por
ello dejaríamos de tener que juzgar si las reacciones particulares
eran de hecho reflejo de la competencia. La cuestión no es lo

177

que los lectores reales hacen, sino lo que un lector ideal debe saber
implícitamente para leer e interpretar obras de modo que considere-
remos aceptable, de acuerdo con la institución de la literatura.

Naturalmente, el lector ideal es una construcción teórica, y
quizá la mejor forma de concebirlo sea como una representación de la noción fundamental de aceptabilidad. La poética, escribe Barthes, «describiría la lógica de acuerdo con la cual se engen-
dran los significados de una forma que pueda ser *aceptada* por la
lógica simbólica del hombre, de igual modo que las oraciones del
francés son *aceptadas* por las intuiciones lingüísticas de los franceses» (*Critique et vérité*, p. 63). Aunque no existe un procedimiento automático para determinar qué es aceptable, eso no importa, pues nuestras propuestas quedarán suficientemente verifi-
cadas por la aceptación o rechazo de nuestros lectores. Si los lectores no aceptan los hechos que nos proponemos explicar en el
sentido de que guarden alguna relación con su conocimiento y experiencia de la literatura, nuestra teoría tendrá poco interés; y, en
consecuencia, el analista ha de convencer a sus lectores de que los
significados o efectos que está intentando explicar son efectivamente apropiados. Podríamos decir que el significado de un poema
dentro de la institución de la literatura no es la reacción inmediata y espontánea de los lectores individuales, sino los significados
que estén dispuestos a aceptar a un tiempo como plausibles y
justificables, cuando se expliquen. «Pregúntate: ¿cómo *inducimos*
a alguien a comprender un poema o un tema? La respuesta a esta
pregunta nos dice cómo hay que explicar el significado en este
caso».[6] Los senderos por los que el lector se ve conducido hasta
la comprensión son precisamente los de la lógica de la literatura;
los efectos tienen que relacionarse con el poema de tal modo que
el lector vea que la conexión es correcta en función de su propio
conocimiento de la literatura.

Así, pues, nunca subrayaremos con suficiente insistencia que
cualquier crítico, cualquiera que sea su capacidad de persuasión,
encuentra los problemas de la competencia literaria tan pronto
como empieza a hablar o a escribir sobre las obras literarias,
que da por sentadas nociones de aceptabilidad y formas comunes
de leer. El crítico no escribiría si no pensara que tiene algo nuevo

178

que decir sobre un texto y, sin embargo, da por supuesto que su interpretación no es un fenómeno idiosincrásico y fortuito. Salvo en el caso de que piense que está relatando a otros las aventuras de su propia subjetividad, sostiene que su interpretación está relacionada con el texto de un modo que supone aceptarán los lectores, una vez que se les indiquen esas relaciones: o bien aceptarán su interpretación como una versión explícita de lo que sienten intuitivamente o bien reconocerán a partir de su propio conocimiento de la literatura la corrección de las operaciones que conducen al crítico desde el texto hasta la interpretación. De hecho, la posibilidad de la controversia crítica depende de nociones compartidas sobre lo aceptable y lo inaceptable, un terreno común que no es otra cosa que los procedimientos de lectura. El crítico debe tomar decisiones invariablemente sobre lo que de hecho puede darse por sentado, lo que debe defenderse explícitamente y lo que constituye una defensa aceptable. Debe mostrar a sus lectores que los efectos que observa entran dentro del ámbito de una lógica implícita que se supone aceptan; de modo que en su propia práctica aborda los problemas que una poética esperaría volver explícitos.

Seven Types of Ambiguity, de William Empson, es una obra de una tradición no estructuralista que muestra considerable conocimiento de los problemas de la competencia literaria e ilustra hasta qué punto nos aproximamos a una formulación estructuralista, si empezamos a reflexionar sobre ellos. Aun cuando Empson se contentara con presentar su obra como una exhibición de ingenio a la hora de descubrir ambigüedades, su empresa seguiría regida por concepciones de plausibilidad. Pero, naturalmente, quiere hacer una defensa más explícita de su análisis y descubre que hacerlo entraña una posición muy parecida a la recomendada más arriba:

He empleado continuamente un método de análisis que franquea el abismo que separa dos formas de pensar; que produce con cierto ingenio un posible conjunto de significados alternativos y después afirma que es captado en el preconsciente del lector por un esfuerzo innato del intelecto. Esto ha de parecer muy dudoso; pero es que los hechos relativos a la aprehensión de la poesía son en cualquier caso muy extraordinarios. El mejor modo de juzgar semejante hipótesis es hacerlo en función de su modo de funcionar en detalle (p. 239).

La poesía tiene efectos complejos que son extraordinariamente difíciles de explicar, y el analista descubre que su mejor estrategia es dar por sentado que los efectos que se propone explicar se han transmitido al lector y después postular ciertas operaciones generales que podrían explicar dichos efectos y efectos análogos en otros poemas. A quienes protestan contra semejantes hipótesis podríamos responder, con Empson, que el criterio es el de ver si conseguimos explicar efectos que el lector acepta, cuando se le indican. La hipótesis no es peligrosa en absoluto, pues el analista «ha de convencer al lector de que conoce aquello de lo que está hablando» —hacerle ver la oportunidad de los efectos en cuestión— y «ha de inducir al lector a ver que la causa que nombra produce, de hecho, el efecto experimentado; de lo contrario, no parecerá que tengan nada en común el uno con el otro» (p. 249). Si se consigue que el lector acepte tanto los efectos en cuestión como la explicación, habrá ayudado a validar lo que, en esencia, es una teoría de la lectura.

«He pretendido mostrar cómo funciona un intelecto capacitado adecuadamente cuando lee los versos, cómo han funcionado esos intelectos capacitados adecuadamente que no han entendido en absoluto su propio funcionamiento» (p. 248). Esas afirmaciones sobre la competencia literaria no se deben verificar mediante exámenes de las reacciones de los lectores ante los poemas, sino por la aquiescencia del lector para con los efectos que el analista intenta explicar y la eficacia de sus hipótesis explicativas en otros casos.

El autoconocimiento y la franqueza de Empson, así como su brillantez, es lo que hace que su obra sea inestimable para los estudiosos de poética; siente poco respeto por la piedad poética de que los significados están siempre presentes implícita y objetivamente en el lenguaje del poema y, de ese modo, puede ocu-

parse de las operaciones que producen significados. Al comentar
la traducción de un fragmento chino,

> *Swiftly the years, beyond recall.*
> *Solemn the stillness of this spring morning.*
> *(Velozmente los años, enterrados en el olvido.*
> *Solemne la calma de esta mañana primaveral.)*

observa que

> esos versos son lo que normalmetne llamaríamos poesía sólo
> en virtud de su densidad; se hacen dos afirmaciones, como
> si estuvieran en conexión, y el lector se ve obligado a con-
> siderar sus relaciones por sí mismo. Se deja que sea él quien
> invente la razón por la que habían de seleccionarse esos he-
> chos para un poema; inventará diversas razones y las orde-
> nará en su mente. Creo que ése es el hecho fundamental rela-
> tivo al uso poético del lenguaje (p. 25).

En realidad, se trata de un hecho esencial, y debemos apresu-
rarnos a indicar lo que da a entender: la lectura de poesía es un
proceso regido por reglas de producción de significados; el poema
ofrece una estructura que hay que llenar y, en consecuencia, intentamos inventar algo, guiados por una serie de reglas formales
derivadas de nuestra experiencia de la lectura de poesía, que a
un tiempo hacen posible la invención y le imponen límites. En este
caso el rasgo más evidente de la competencia literaria es el propósito de totalidad del proceso interpretativo: los poemas deben tener
coherencia, y, por esa razón, hay que descubrir un nivel semántico
en que dos versos puedan ponerse en correlación. Un punto de
contacto evidente es el contraste entre *swiftly* («velozmente») y
stillness («calma») y existe una condición primordial a la «invención»: cualquier interpretación debe conseguir caudal temático a
partir de esa oposición. Además, *years* («años») en la primera
oración y *this morning* («esta mañana») en la segunda, situados
en la dimensión del tiempo, proporcionan otra oposición y punto
de contacto. El lector podría confiar en encontrar una interpreta-

ción que ponga en relación esos dos pares de contrastes. Si así ocurre efectivamente, se debe indudablemente a que la experiencia de la lectura de poesía conduce al reconocimiento implícito de la importancia de las oposiciones binarias como recursos temáticos: al interpretar un poema, buscamos términos que puedan colocarse en un eje semántico o temático y que se opongan entre sí.

La estructura resultante o «significado vacío» sugiere que el lector intente relacionar la oposición entre *swiftly* y *stillness* con dos formas de concebir el tiempo y saque algún tipo de conclusión temática a partir de la tensión entre las dos oraciones. Parece perfectamente posible producir de ese modo una interpretación que sea «aceptable» en términos de lógica poética. Por un lado, tomando una visión panorámica amplia, podemos considerar que la duración de la vida humana es una unidad de tiempo y los años pasan velozmente; por otro lado, tomando como unidad el momento de la conciencia, podemos pensar en la dificultad de experimentar el tiempo, salvo de modo discontinuo, en la calma de una manecilla de reloj cuando las miramos. *Swiftly the years* («Velozmente los años») supone un punto de vista desde el que podemos considerar el paso del tiempo, y la velocidad del paso queda compensada por lo que Empson llama «la respuesta de la estabilidad del autoconocimiento» implícita en esa concepción de la vida (p. 24). *This morning* («esta mañana») supone otras mañanas —una discontinuidad de la experiencia reflejada en la capacidad de separar y nombrar— y, por consiguiente, una estabilidad que da tanto más valor a «calma». Así, ese proceso de estructuración binaria puede conducirnos a encontrar tensión dentro de cada uno de los versos y también entre los dos. Y, como los contrastes temáticos deben relacionarse con valores opuestos, nos vemos inducidos a reflexionar sobre las ventajas y desventajas de esas dos formas de concebir el tiempo. Naturalmente, se pueden sacar conclusiones diversas. La tesis no es que lectores competentes vayan a coincidir en una interpertación, sino simplemente que ciertas expectativas sobre la poesía y la forma de leer poesía guían el proceso interpertativo e imponen limitaciones severas al conjunto de interpertaciones aceptables o plausibles.

El ejemplo de Empson indica que tan pronto como reflexionamos seriamente sobre la naturaleza del argumento crítico y sobre la relación de la interpretación con el texto nos acercamos a los problemas que aborda la poética, en el sentido de que hemos de justificar nuestra interpretación situándola dentro de las convenciones de plausibilidad definidas por un conocimiento generalizado de la literatura. Desde el punto de vista de la poética, lo que requiere explicación no es tanto el texto mismo cuanto la posibilidad de leer e interpretar el texto, la posibilidad de efectos literarios y comunicación literaria. Explicar las nociones de aceptabilidad y plausibilidad en que se basa la crítica es, como subraya J.-C. Gardin, la misión primordial del estudio sistemático de la literatura.

> Ese es, en cualquier caso, el único tipo de objetivo que una «ciencia» puede establecer para sí misma, aun cuando se trate de una ciencia de la literatura: las regularidades reveladas por fenómenos naturales corresponden, en el dominio literario, a ciertas convergencias de percepción para los miembros de una cultura determinada. (*Semantic analysis procedures in the sciences of man*, p. 33).

Pero hay que insistir en que, aun cuando el analista mostrara poco interés en las nociones de aceptabilidad y se propusiese simplemente explicar de forma sistemática su propia interpretación de la literatura, los resultados serían de considerable importancia para la literatura. Si comenzara por anotar sus propias interpretaciones y reacciones ante las obras literarias y consiguiese formular un conjunto de reglas explícitas que explicaran el hecho de que presente esas interpertaciones y no otras, dispondríamos de la base para una explicación de la competencia literaria. Se podrían hacer ajustes para incluir otras interpretaciones que parecieran aceptables y para excluir cualesquiera otras interpretaciones que pareciesen totalmente personales e idiosincrásicas, pero existen toda clase de razones para esperar que otros lectores puedan reconocer porciones substanciales de su propio conocimiento tácito en su descripción. Al fin y al cabo, ser lector experto de literatura es haber adquirido una capacidad para juzgar lo que puede hacerse con las

183

obras literarias y, por tanto, haber asimilado un sistema que es en gran medida interpersonal. Existen pocas razones para preocuparse en principio por la validez de los hechos que nos proponemos explicar; el único riesgo que corremos es el de la pérdida de tiempo. Lo importante es empezar aislando un conjunto de hechos y después construir un modelo para explicarlos, y, aunque los estructuralistas muchas veces no han hecho eso en su propia práctica, por lo menos va implícito en el modelo lingüístico: «La lingüística puede aportar a la literatura el modelo generativo que es el principio de todas las ciencias, ya que se trata de usar determinadas reglas para explicar resultados particulares» (Barthes, *Critique et vérité*, p. 58).

Como la poética es esencialmente una teoría de la lectura, críticos de cualquier credo que han intentado exponer explícitamente lo que están haciendo han hecho alguna contribución a ella y, de hecho, en muchos casos tienen más cosas que ofrecer que los propios estructuralistas. Lo que el estructuralismo proporciona efectivamente es una inversión de la perspectiva crítica y un marco teórico dentro del cual puede organizarse y aprovecharse la obra de otros críticos. Al dar prioridad a la tarea de formular una teoría de la competencia literaria y al relegar la interpretación crítica a un papel secundario, nos induce a reformular como convenciones de la literatura y operaciones de la lectura lo que otros podrían considerar como hechos relativos a los textos literarios. En lugar de decir, por ejemplo, que los textos literarios son ficticios, podríamos citar eso como una convención de la interpretación literaria y decir que leer un texto como literatura es leerlo como ficción. A primera vista, semejante inversión puede parecer trivial, pero la de reformular las proposiciones sobre el discurso poético o novelesco como procedimientos de lectura es una reorientación decisiva por una serie de razones, en la que radican los poderes revitalizadores de una poética estructuralista.

En primer lugar, el de subrayar la dependencia de la literatura con respecto a modos particulares de lectura es un punto de partida más firme y más honrado que el habitual en la crítica. A diferencia de otros teóricos, no necesitamos esforzarnos por encontrar una propiedad objetiva del lenguaje que distinga lo literario de lo no literario, sino que simplemente podemos partir del hecho de que podemos leer textos como literatura y después preguntarnos qué operaciones entraña eso. Naturalmente, las operaciones serán diferentes según los géneros, y con respecto a esto podemos decir, en virtud del mismo modelo, que los géneros no son variedades especiales del lenguaje, sino conjuntos de expectativas que permiten a las oraciones de una lengua convertirse en signos de tipos diferentes en un sistema literario de segundo orden. La misma oración puede tener un significado diferente según el género en que aparezca. Tampoco nos perturba, como ha de ocurrirle a un teórico que trabaje sobre las propiedades distintivas del lenguaje literario, el hecho de que los límites entre lo literario y lo no literario o entre un género y otro cambien de una época a otra. Al contrario, el cambio en las formas de lectura ofrece algunos de los mejores testimonios sobre las convenciones operativas en períodos diferentes.

Segundo, al intentar volver explícito lo que hacemos cuando leemos o interpretamos un poema, adquirimos considerable autoconocimiento y conocimiento de la naturaleza de la literatura como institución. Mientras demos por sentado que lo que hacemos es natural, es difícil adquirir comprensión alguna de ella y, por tanto, también definir las diferencias entre nosotros y nuestros predecesores o sucesores. La lectura no es una actividad inocente. Está cargada de artificio, y negarse a estudiar nuestros propios modos de leer es pasar por alto una fuente principal de información sobre la actividad literaria. Al ver la literatura como algo animado por conjuntos especiales de convenciones podemos alcanzar más fácilmente una apreciación de su peculiaridad, su diferencia, por decirlo así, con respecto a otros modos de discurso sobre el mundo. Estas diferencias estriban en el funcionamiento del signo literario: en la forma de producirse el significado.

Tercero, la voluntad de considerar la literatura como una institución compuesta de una serie de operaciones interpretativas nos vuelve más receptivos hacia los textos más provocativos e innovadores, que son precisamente los más difíciles de tratar de acuerdo

185

con los modos de comprensión heredados. La conciencia de las hipótesis de las que partimos, la capacidad para volver explícito lo que estamos intentando, hacen que sea más fácil ver dónde y cómo se resiste el texto a nuestros intentos de atribuirle sentido y cómo, por su negativa a acomodarse a nuestras expectativas, conduce a ese cuestionamiento del yo y de los modos sociales ordinarios de comprensión que ha sido siempre el resultado de la literatura más grande. Mis lectores, dice el narrador al final de *A la recherche du temps perdu,* se convertirán en *les propres lecteurs d'eux-mêmes*: en mi libro se leerán a sí mismos y sus propios límites. ¿Qué modo mejor de facilitar una lectura de uno mismo que el de intentar volver explícita nuestra apreciación de lo comprensible y de lo incomprensible, de lo importante y de lo insignificante, de lo ordenado y lo caótico? Al ofrecer secuencias y combinaciones que escapan a nuestra comprensión habitual, al someter el lenguaje a una dislocación que fragmenta los signos ordinarios de nuestro mundo, la literatura pone en tela de juicio los límites que ponemos al yo como recurso u orden y nos permite, dolorosa o gozosamente, acceder a una expansión del yo. Pero eso requiere para conseguirlo plenamente, cierto conocimiento de los modelos interpretativos que dan forma a nuestra cultura. El estructuralismo, por su interés en las aventuras del signo, ha estado extraordinariamente abierto a la obra revolucionaria, y ha encontrado en las resistencias de ésta a las operaciones de la lectura la confirmación de que los efectos literarios dependen de esas convenciones y de que la evolución literaria avanza mediante el desplazamiento de las convenciones antiguas de la lectura y el desarrollo de otras nuevas.

Y así, finalmente, la inversión por parte del estructuralismo de la perspectiva puede conducir a un modo de interpretación basado en la propia poética, en que se lee la obra en contraste con las convenciones del discurso y en que la obra coincide con nuestros procedimientos para dar sentido a las cosas o los destruye. Aunque, naturalmente, no sustituye las interpretaciones temáticas ordinarias, evita la exclusión prematura —la precipitación impropia desde la palabra hasta el mundo— y se mantiene dentro del sistema literario durante el mayor tiempo posible. Al insistir en que la literatura es algo diferente de una afirmación sobre el mundo, establece, por último, una analogía entre la producción o lectura de signos en la literatura y en otros sectores de la experiencia y estudia las formas como explora y dramatiza la primera las imitaciones de la segunda. En ese tipo de interpretación, el significado de la palabra es lo que revela al lector, mediante las acrobacias en que le hace participar, en relación con los problemas de su condición, como *homo significans,* creador y lector de signos. Así pues, la noción de competencia literaria acaba haciendo de base de una interpretación reflexiva.

Las páginas que siguen tienen la doble función de indicar y valorar la obra que los propios estructuralistas han hecho a propósito de diferentes aspectos del sistema literario y de proponer sectores en que la investigación podría ser fructífera. El programa teórico ha atraído más atención y esfuerzo que lo que podríamos llamar los axiomas de medio alcance, y, así, lo mejor será considerar lo que se ofrece como un marco en que podrían encajar las investigaciones de muchos críticos —no sólo estructuralistas—, y no como una presuntuosa descripción de la propia «competencia literaria».

CAPITULO 7

CONVENCION Y NATURALIZACION

> *(Stoop) if you are abcedminded, to*
> *this claybook, what curios of signs*
> *(please stoop), o in this allaphbed!*
> *Can you rede (since We and Thou*
> *had it out already) its world?*
>
> JOYCE

Ecriture, lecture

«Hoy la cuestión esencial ya no es la del *escritor* y la *obra*» escribe Philippe Sollers, «sino la de la *escritura* y la *lectura*» (*Logiques,* pp. 237-8). Los conceptos de *écriture* y *lecture* se han colocado en primer plano para dejar de prestar atención al autor como fuente y a la obra como objeto y enfocarlos en cambio, en dos redes de convenciones en correlación: la escritura como institución y la lectura como actividad. La insistencia en la relación del autor con su obra puede inducirnos a concebir la literatura como una versión del acto de habla comunicativo, dotado con más permanencia de lo habitual, y a pasar por alto las particularidades de la escritura. Pero como señaló Thibaudet hace mucho tiempo, el punto de partida para un estudio de la literatura debe ser el reconocimiento de que no es simplemente lenguaje, sino especialmente en nuestros días, un conjunto de textos escritos e impresos en libros.[1]

La crítica y la historia literaria cometen con frecuencia el error de colocar en la misma serie o mezclar como si fueran del mismo orden lo hablado, lo cantado y lo leído. La literatura se produce como una función del Libro, y, sin embargo, pocas cosas hay a las que el hombre amante de la lectura preste menos atención que el Libro.

La presentación física de un texto le atribuye una estabilidad que lo separa del circuito ordinario de la comunicación en que se produce el habla, y esa separación tiene consecuencias importantes para el estudio de la literatura. Si con frecuencia no se atribuye toda su importancia a dichas consecuencias, se debe, como ha sostenido Jacques Derrida, a que la asimilación de la escritura al habla, la palabra escrita no puede concebirse de ese modo. Platón occidental. Concebir la palabra escrita simplemente como un registro de la palabra hablaba no es sino una versión de una «metafísica de la presencia» que sitúa la verdad en lo que está inmediatamente presente a la conciencia con la menor mediación posible. Así, el *cogito* cartesiano, en que el yo está inmediatamente presente para sí mismo, se considera la prueba básica de la existencia, y las cosas percibidas directamente reciben prioridad apodíctica. Las nociones de verdad y de realidad se basan en el anhelo de un mundo que no hubiera conocido la caída y en el que no habría necesidad de los sistemas mediadores del lenguaje y de la percepción, sino que cada cosa sería lo que es, sin un abismo que separe la forma del significado.[2] De acuerdo con ese modelo, la interpretación consiste en volver presente lo que está ausente, en restaurar una presencia original que es la fuente y la verdad de la forma en cuestión. De modo, que la tendencia es a tratar un texto como si fuera hablado y a intentar avanzar por entre las palabras para recuperar el significado que estaba presente en la mente del hablante en el momento de la pronunciación, para determinar lo que estaba pensando el hablante.

Por apropiado que pueda parecer ese modelo con respecto al habla, la palabra escrita no puede concebirse de ese modo. Platón condenó la escritura, porque la palabra escrita quedaba desvinculada y liberada de la presencia comunicativa, que era la única que podía ser la fuente del significado y de la verdad.[3] Pero esa distancia, esa independencia de la palabra escrita, es uno de los rasgos constitutivos de la literatura.

> Escribir es producir una marca que constituye, a su vez, una especie de mecanismo productivo, al que mi ausencia, en principio, no impedirá funcionar y provocar lectura, entregarse a la lectura y a la reescritura... Para que la escritura sea escritura ha de seguir «actuando» y siendo legible, aun cuando el que llamamos autor de la escritura esté provisionalmente ausente o no haya dejado de mantener lo que ha escrito, lo que ha firmado... La situación del escritor o suscriptor es, con respecto a la escritura, fundamentalmente la misma que la del lector. Ese desplazamiento esencial, que es propio de la escritura como estructura de repetición, estructura desconectada de cualquier clase de responsabilidad o de la conciencia como autoridad última, huérfana y separada desde el nacimiento del apoyo del padre, es, de hecho lo que Platón condenó en el *Fedro*. (Derrida, *Marges de la philosophie*, p. 376.)

Podríamos decir que el significado de una oración no es una forma ni una esencia, presente en el momento de su producción y situada detrás de ella como una verdad que hay que recuperar sino la serie de desarrollos a que da origen, tal como la determinan las relaciones pasadas y futuras entre las palabras y las convenciones de los sistemas semióticos. Algunos textos son más «huérfanos» que otros, porque las convenciones de la lectura no son suficientemente firmes para proporcionar un padrastro. Leer un discurso político, por ejemplo, es someterse a una teleología considerar el texto como regido por un fin comunicativo que reconstruimos con la ayuda de las convenciones del discurso y de las instituciones pertinentes. Pero la literatura, al poner en primer plano el propio texto, da rienda suelta a la «deriva esencial» y a la productividad autónoma del lenguaje. La escritura entraña una *différance*, que Derrida escribe con *a* para realzar la diferencia perceptible sólo dentro del lenguaje escrito y para subrayar

a relación entre diferir (en el sentido de «postergar») y diferen-
iar. La palabra escrita es un objeto por derecho propio: diferente
le los significados a los que difiere en un juego de diferencias
ibid., pp. 3-29). Si en el lenguaje sólo hay diferencias y no térmi-
los positivos, en la literatura es donde menos causas existen para
letener el juego de las diferencias recurriendo a una intención co-
nunicativa determinada que haga de verdad u origen del signo.
Al contrario, decimos que un poema puede significar muchas cosas.

Derrida quiere hacer avanzar su argumentación un paso más
, después de haber sostenido que no se puede dar a la escritura
n tratamiento basado en el modelo del habla, mostrar que los
asgos que ha aislado previamente en la escritura están también
resentes en el habla, que, en consecuencia, debe concebirse de
cuerdo con el nuevo modelo de la escritura (*ibid.*, pp. 377-81.)
'ero ese paso posterior es un punto puramente lógico que quien
e ocupe de los hechos sociales puede permitirse pasar por alto:
pesar de que Derrida muestra que debemos concebir el habla
omo una especie de escritura, podemos detener el funcionamien-
o de sus conceptos diciendo, simplemente, que dentro de la cultu-
a occidental hay diferencias cruciales entre las convenciones de
a comunicación oral y las de la literatura que merecen estudio,
ualquiera que sea su base ideológica. Substituir una metafísica de
a presencia por una metafísica de la ausencia, invertir la rela-
ión entre habla y escritura de modo que la escritura englobe el
abla, es perder la distinción que transmite un hecho de nuestra
ultura. La comunicación se produce efectivamente. Muchos casos
ngüísticos están situados firmemente en el circuito de la comu-
icación. Esta página, por ejemplo, exige que se la lea, no como
n juego infinito de diferencias que posponga el significado, sino
omo un acto comunicativo que explique al lector mi opinión
obre la propia comunicación de Derrida. Recurre a convenciones
e lectura que son diferentes de las de la poesía lírica.

Para estudiar la escritura, y especialmente los modos de escri-
ura literarios, hay que centrarse en las convenciones que guían el
uego de las diferencias y el proceso de construcción de significa-
os. Barthes subraya que todos los modos de escritura tienen una
nonumentalidad que es ajena al lenguaje hablado: «la escritura

191

es un lenguaje solidificado que lleva una existencia independie
te» y cuya misión no es tanto la de contener una idea o dar acce
a ella cuanto la de «imponernos, mediante la sólida unidad y
sombras de sus signos, la imagen de una forma lingüística co
truida antes de que fuera inventada. Lo que opone una escritu
al habla es que la primera siempre *parece* simbólica» (*Le Deg
zéro de l'écriture,* p. 18). La escritura tiene parte del carácter
una inscripción, una marca ofrecida al mundo y que promete, p
su solidez y aparente autonomía, significado que se ve diferi
momentáneamente. Precisamente por esa razón requiere interp
tación, y nuestros modos de interpretación son esencialmente f
mas de construir circuitos comunicativos en que podemos enc
jarla.

Así, la distinción entre habla y escritura se convierte en
fuente de la paradoja fundamental de la literatura: nos sentim
atraídos por la literatura porque evidentemente es algo diferer
de la comunicación ordinaria; sus características formales y fic
cias revelan una rareza, una fuerza, una organización, una perm
nencia que son ajenas al habla ordinaria. No obstante, el impul
a asimilar esa fuerza y esa permanencia o a dejar que la orga
zación formal surta efecto en nosotros exige convertir la literatu
en una comunicación, reducir su rareza, y recurrir a convencion
suplementarias que le permitan, por decirlo así, hablarnos. La di
rencia que parecía la fuente del valor se convierte en una dista
cia que hay que salvar mediante la actividad de la lectura y de
interpretación. Si no queremos permanecer boquiabiertos an
inscripciones monumentales, hemos de recuperar o naturalizar
extraño, lo formal, lo ficticio.

Y el primer paso en el proceso de naturalizar la literatura
devolverle el carácter de función comunicativa es convertir la pr
pia *écriture* en un concepto genérico y de época. Así es como u
Barthes el término en una de sus primeras obras, *Le Degré zé
de l'écriture,* en la que reconocía la correlación entre la aparen
monumentalidad y autonomía de la escritura y las convencion
institucionales que la sitúan. A diferencia de su lengua, que
autor hereda, y de su estilo, que Barthes define como una re
personal y subconsciente de obsesiones verbales, una *écriture*

modo de escribir es algo que un autor adopta: una función que infunde a su lengua, un conjunto de convenciones institucionales dentro del cual puede producirse la actividad de la escritura. Así, por ejemplo, Barthes afirma que desde el siglo XVII hasta comienzos del siglo XIX la literatura francesa empleó una única *écriture classique,* caracterizada primordialmente por su confianza en una estética representativa de la representación (p. 42). Leer es esencialmente adoptar o construir una referencia y, cuando Madame de Lafayette escribe a propósito del Conde de Tende que, al enterarse de que su mujer había quedado en cinta de otro hombre, *il pensait d'abord tout ce qu'il était naturel de penser en cette occasion* («pensó en primer lugar todo lo que era natural pensar en esas circunstancias»), revela la inmensa confianza en sus lectores que ese modo de escribir entraña.[4] El lenguaje necesita sólo hacer ademanes hacia el mundo. Siglo y medio después Balzac ofrece más información sobre aquello hacia lo que está haciendo ademanes, pero muestra el mismo tipo de confianza en la función de representación de su escritura: Eugène de Fastignac era *un de ces jeunes gens façonnés au travail par le malheur* («uno de esos jóvenes moldeados en el trabajo por la desgracia»); el Baron Hulot era *un de ces hommes dont les yeux s'animent à la vue d'une jolie femme* («uno de esos hombres cuyos ojos se animan a la vista de una mujer bonita»). Entender el lenguaje de un texto es reconocer el mundo a que se refiere.

Además, dada esa función, las características formales se convierten en ornamentos que, si no oscurecen la referencia, no afectan al significado. La retórica clásica define una serie de operaciones que nos permiten pasar de la superficie textual, con sus metáforas y sinécdoques, a los significados que son esencialmente referencias. El verso de La Fontaine *Sur les ailes du temps la tristesse s'envole* («Sobre las alas del tiempo vuela la tristeza») significa, nos dice un retórico, que la tristeza no dura.[5] Sabemos que eso es lo que significa porque sabemos que en el mundo el tiempo no tiene alas ni la tristeza vuela; y, al realizar la traducción que la teoría retórica requiere, aislamos el ornamento que sirve de decoración. De hecho, podríamos decir que los debates sobre la retórica y la educación de expresiones particulares en géneros

193

específicos son posibles sólo porque existen diferentes formas de decir la misma cosa: la figura es un ornamento que no perturba la función de representación del lenguaje.[6]

Ese modo de escritura depende en gran medida de la capacidad de los lectores para analizarlo y reconocer el mundo común que sirve de punto de referencia; y, en consecuencia, los cambios en la situación social, que manifiestan claramente que el mundo no es uno, debilitan la *écriture*. Ya no podemos decir «pensó lo que era natural en semejante ocasión» sin escribir una oración oscura y problemática; y resulta evidente que, a la falta de ese fundamento referencial carente de ambigüedad, un cambio de expresión es un cambio de pensamiento. Pasa a ser necesaria una serie de diversas estrategias interpretativas y, en consecuencia, Barthes identifica una gama de *écritures modernes*. En cada caso «lo que es necesario captar no es el idiolecto del autor sino el de la institución (la literatura)» (*Style and Its Image*, p. 8).

Desde luego, podemos multiplicar el número de *écritures* hasta que produzcamos tantas distinciones como parezcan necesarias para explicar las diferentes formas como hay que los textos, los diferentes contratos que la institución de la literatura pone a nuestra disposición. Dichas distinciones han de tener en cuenta tanto los cambios históricos de un período a otro como las diferencias entre géneros en un período determinado. Fontanier, por ejemplo, sostiene que los tropos son generalmente más idóneos en poesía que en prosa, porque, igual que la poesía, son «hijos de la ficción» y porque la poesía aspira más a agradar que a instruir sobre el *mundo real* (*Les figures du discours*, p. 180). En otras palabras, la institución de la literatura permite una relación diferente entre texto y mundo en el caso de la poesía y, así, vuelve apropiados ciertos tipos de naturalización u operaciones de lectura que no se admiten en la prosa. Los tropos pueden ser absurdos literalmente, pero con ello denotan una intensidad de pasión o vivacidad de imaginación que es la prerrogativa del narrador poético. La «extravagancia» poética se vuelve natural y legible mediante la convención del género y, por esa razón, los tropos son más apropiados en la oda, la épica y la tragedia (*ibid.*, p. 181).

Podríamos decir que un género es una función convencional del lenguaje, una relación particular con el mundo que sirve de norma o expectativa para guiar al lector en su encuentro con el texto.

> Verdaderamente, es esa palabra (novela, poema) colocada en la cubierta del libro la que (por convención) produce, programa u «origina» genéticamente nuestra lectura. En este caso tenemos (con el género «novela», «poema») una *palabra maestra* que desde el principio reduce la complejidad, reduce el encuentro textual, al convertirlo en una función del tipo de lectura ya implícita en la ley de dicha palabra. (Pleynet, *La poésie doit avoir pour but...*, p. 95-6.)

Leer un texto como tragedia es darle un marco que permite que aparezca el orden y la complejidad. De hecho, una descripción de los géneros debería ser un intento de definir las clases que han sido funcionales en los procesos de lectura y escritura, los conjuntos de expectativas que han permitido a los lectores naturalizar los textos y conferirles una relación con el mundo o, si preferimos considerarlo de otro modo, las funciones posibles de la lengua que estaban a disposición de los escritores en cualquier época. Como observa Claudio Guillén, «los órdenes teóricos de la poética deben considerarse, en cualquier momento de su historia, como códigos esencialmente intelectuales que el escritor afronta mediante su escritura» (*Literature as System,* p. 390).

En otras palabras, un género no es simplemente una clase taxonómica. Si agrupamos obras basándonos en las semejanzas observadas, disponemos de hecho de taxonomías puramente empíricas del tipo de las que han contribuido a desprestigiar la noción de género. Una taxonomía, para tener valor teórico, ha de estar motivada; pero parece haber considerable confusión con respecto al tipo de motivación requerida. Por ejemplo, al criticar la descripción de los géneros de Northrop Frye, Todorov sostiene que sin una teoría coherente «seguimos presos de prejuicios transmitidos de siglo en siglo y de acuerdo con los cuales (éste es un ejemplo imaginario) existe un género como la comedia, cuando en realidad eso podría ser una pura ilusión» (*Introduction à la littérature fantastique,* p. 26). Pero una teoría que demuestra que no existe una

195

cosa como la comedia no es en absoluto la que se necesita. Desde luego, no está claro qué significaría semejante afirmación ni cómo verificarse, pero en cualquier caso podemos afirmar que cualquier teoría que condujera a esa conclusión probaría con ello su propia inadecuación, de igual modo que cualquier teoría que «probara» que *El rey Lear* no es una tragedia estaría equivocada. Para que una teoría de los géneros sea algo más que una taxonomía, ha de intentar explicar cuáles son los rasgos constitutivos de las categorías funcionales que han regido la lectura y la escritura de la literatura. La comedia existe gracias a que leer algo como una comedia entraña expectativas diferentes de las que entraña la lectura de algo como una tragedia o como una épica.

En realidad, para ser justos con Todorov, hemos de decir que en su estudio de *la littérature fantastique* fundamenta efectivamente su género en las operaciones de la lectura. Podemos aislar un conjunto de obras en que el lector se ve forzado a vacilar entre una explicación naturalista y otra sobrenatural de los fenómenos curiosos. «Lo fantástico ocupa ese espacio de incertidumbre; tan pronto como elegimos una de las dos respuestas, abandonamos lo fantástico y entramos en un género vecino, lo extraño o lo sobrenatural» (p. 29). La existencia de dicho género quedaría confirmada, por ejemplo, por el reconocimiento general de que existen relatos, como *The Turn of the Screw,* que nos exigen permanecer en ese estado de incertidumbre en lugar de asimilarlos como ejemplos de lo extraño, pero explicable o de lo sobrenatural de modo explícito. Cuando reconocemos esa producción de la incertidumbre como una función posible del lenguaje y dejamos de dar por sentado que el «significado real» ha de ser bien una explicación natural bien una explicación sobrenatural, hemos contribuido a la constitución de un género nuevo. Y lo hemos hecho mediante la aceptación de la posibilidad de un tipo de significado o relación del texto con el mundo que previamente podríamos haber sentido inclinación a desechar en favor de otras opciones.

Como debe quedar claro gracias a ese ejemplo, lo que calificamos de convenciones de un género o una *écriture* son esencialmente posibilidades de significado, formas de naturalizar el texto y conferirle un lugar en el mundo que nuestra cultura define. Asimiar o interpretar algo es introducirlo dentro de los modos de orden que la cultura pone a nuestra disposición, y eso suele hacerse hablando de ello en un modo de discurso que una cultura considere natural. Ese proceso recibe diferentes nombres en la escritura estructuralista: recuperación, naturalización, motivación, *vraisemblatisation*. «Recuperación» subraya la noción de recobro, de puesta en uso. Puede definirse como el deseo de eliminar la paja, de hacer que todo sea grano, de no dejar que escape nada al proceso de asimilación; de modo que es un componente fundamental de los estudios que afirman la unidad orgánica del texto y la contribución de todas sus partes a sus significados o efectos. «Naturalización» subraya el hecho de que lo extraño o lo que se aparta de la norma queda introducido dentro de un orden discursivo y de ese modo se le hace parecer natural. «Motivación», que fue el término usado por los formalistas rusos, es el proceso de justificar elementos dentro de la propia obra mostrando que no son arbitrarios ni incoherentes, sino totalmente comprensibles desde el punto de vista de las funciones que podemos nombrar. *Vraisemblablisation* («verosimilización») subraya la importancia de los modelos culturales de lo *vraisemblable* («verosímil») como fuentes de significado de coherencia.

Cualquiera que sea el nombre que demos al proceso, es una de las actividades básicas de la mente. Al parecer, podemos hacer que todo signifique. Si se programara un ordenador para producir secuencias fortuitas de oraciones inglesas, podríamos dar sentido a los textos que produjera imaginando una serie de funciones y contextos diferentes. Si todo lo demás fracasase, podríamos leer una secuencia de palabras sin orden aparente en el sentido de que significara el absurdo o el caos y después, atribuyéndole una relación alegórica con el mundo, considerarla como una aseveración sobre la incoherencia y el absurdo de nuestras lenguas. Como muestra el ejemplo de Beckett, siempre podemos hacer que lo carente de significado signifique mediante la producción de un contexto adecuado. Y habitualmente nuestros contextos no tienen por qué ser tan extremos. Gran parte de la obra de Robbe-Grillet puede recuperarse, si la leemos como las meditaciones o el habla de un narrador patológico, y ese marco ofrece a los críticos un asidero para que puedan discutir las connotaciones de la patología particular en cuestión. Ciertas dislocaciones en los textos poéticos pueden leerse como signos de un estado profético o extático o como indicaciones de un *dérèglement de tous les sens* propio de Rimbaud. Colocar el texto en semejantes marcos es volverlo legible e inteligible. Cuando Eliot dice que la poesía moderna ha de ser difícil a causa de las discontinuidades de la cultura moderna, cuando William Carlos Williams sostiene que su pie variable es necesario en un mundo posteinsteiniano en que se ponen en cuestión toda clase de órdenes, cuando Humpty-Dumpty dice a Alicia que *slithy* significa *lithe* («flexible») y *slimy* («legamoso»), todos ellos están ejerciendo la recuperación o la naturalización.

Los dos capítulos siguientes van a investigar las convenciones particulares que subyacen en la lírica y la novela, pero antes de pasar a ocuparnos de esos modos especiales debemos examinar todos los diferentes niveles en que se lleva a cabo la naturalización y los modelos culturales y literarios que vuelven legibles los textos. El común denominador de esos distintos niveles es la noción de correspondencia: naturalizar un texto es ponerlo en relación con un tipo de discurso o modelo que ya sea, en algún sentido, natural y legible. Algunos de dichos modelos no tienen rasgo alguno específicamente literario, sino que son simplemente el recipiente de lo *vraisemblable,* mientras que otros son convenciones especiales usadas en la naturalización de las obras literarias. Sin embargo, podemos subrayar su semejanza funcional agrupándolos todos, como han hecho en ocasiones los estructuralistas, bajo el encabezamiento de lo *vraisamblable.*

En la introducción al número especial de *Communications* dedicado a ese tema, Todorov ofreció tres definiciones: primera, «*vraisemblable* es la relación de un texto particular con otro texto general y difuso que podríamos llamar 'opinión'». Segunda, *vraisemblable* es aquello que una tradición hace idóneo o esperado en un género particular: «hay tantas versiones de *vraisemblable* como géneros». Y, por último,

> podemos hablar de lo *vraisemblable* de una obra en la medida en que intenta hacernos creer que se ajusta a la realidad

y no a sus leyes propias. En otras palabras, lo *vraisemblable* es la máscara que oculta las propias leyes del texto y que debemos considerar una relación con la realidad (pp. 2-3).

Aceptar estos tres significados no es intentar alcanzar la pro-ndidad a costa de ambigüedad; existen razones válidas para agru-arlos bajo un solo encabezamiento, pues en cada caso *vraisem-lance* («verosimilitud»), es «un principio de integración entre un iscurso y otro o varios otros».[7] Es importante afirmar que la re-ción de una obra con otros textos de un género o con determina-as espectativas sobre los mundos ficticios es un fenómeno del ismo tipo —o un problema del mismo orden— que su relación on el mundo interpersonal del discurso ordinario. Desde el punto e vista de la teoría literaria, la segunda es también un texto. «De » único que se trata es del mundo»; éste es un conjunto de pro-osiciones».[8] Y, aunque Wittgenstein no se refería a un conjunto e proposiciones consideradas verdaderas por todo el mundo, su osición contribuye a indicar por qué podríamos desear hablar de na realidad dada socialmente como de un texto.

Así, lo *vraisemblable* es la base del importante concepto es-ucturalista de *intertextualité*: la relación de un texto particular n otros textos. Julia Kristeva escribe que «todos los textos •man forma a la manera de un mosaico de citas, todos los tex-s son una absorción y transformación de otros textos. La noción : intertextualidad pasa a ocupar el lugar de la noción de inter-•bjetividad» (*Semiotikè*, p. 146). Una obra sólo puede leerse en •nexión con otros textos o en contraste con ellos, lo que propor-ona una rejilla a través de la cual se la lee y estructura estable-endo expectativas que nos permiten seleccionar los rasgos sobre-ientes y conferirles una estructura. Y, por esa razón, la intersub-tividad —el conocimiento compartido que se aplica en la lec-ra— es una función de esos otros textos.

Ce moi qui s'approche du texte est déjà lui-même une pluralité d'autres textes, de codes infinis, où plus exacte-ment: perdus (dons l'origine se perd)... La subjectivité est une image pleine, dont on suppose que j'encombre le texte,

mais dont la plénitude, truquée, n'est que le sillage de tou
les codes qui me font, en sorte que ma subjectivité a finale
ment la généralité même des stéréotypes.

(El *yo* que se acerca al texto es ya en sí una pluralida
de otros textos, de códigos infinitos o, más exactamente
perdidos (cuyo origen se pierde)... La subjetividad es un
imagen llena, con la que supuestamente lleno el texto, per
cuya plenitud, trucada, no es sino la estela de todos los cód
gos que me componen, de modo que mi subjetividad tiene, a
final, la generalidad misma de los estereotipos.) (Barthe
S/Z, pp. 16-17.)

Aunque es difícil descubrir las fuentes de todas las nocione
o expectativas que componen el «yo» o el lector, la subjetivida
no es tanto un núcleo personal cuanto una intersubjetividad,
huella o la estela dejada por la experiencia de los textos de tod:
clases. Caracterizar los diferentes niveles de lo *vraisemblable* e
definir los distintos modos de examinar una obra o ponerla e
contacto con otros textos v, por tanto, aislar las manifestacion
diferentes de esa intersubjetividad textual que asimila y naturali:
la obra.

Podríamos distinguir cinco niveles de *vraisemblance,* cinco m
dos de poner en contacto un texto con otro texto para que ayuc
a volverlo inteligible y definirse en relación con dicho texto. E
primer lugar está el texto dado socialmente, lo que se conside:
el «mundo real». Segundo, aunque en algunos casos difícil c
distinguir del primero, es un texto cultural general: conocimien
compartido que los participantes reconocerían como parte de
cultura y, por tanto, sujeto a corrección o modificación, pero qu
aun así, hace de especie de «naturaleza». Tercero, están l
textos o convenciones de un género, una *vraisemblance* específic
mente literaria y artificial. Cuarto, lo que podríamos llamar
actitud natural hacia lo artificial, en que el texto cita y expoi
explícitamente *vraisemblance* del tercer tipo para reforzar su pi
pia autoridad. Y, por último, está la *vraisemblance* compleja de l
intertextualidades específicas, en que una obra toma otra como ba

200

punto de partida y debe asimilarse en relación con ella. En
da nivel existen modos de motivar o justificar el artificio de las
rmas atribuyéndole un significado.

«real»

El primer tipo de *vraisemblance* es el uso del «texto de la
titud natural de una sociedad (el texto de *l'habitude*), totalmente
miliar y, por esa propia familiaridad difusa, desconocido como
xto».[9] La mejor forma de definirlo es como un discurso que no
quiere justificación porque parece derivar directamente de la
tructura del mundo. Decimos de las personas que tienen mentes
cuerpos, que piensan, imaginan, recuerdan, sienten dolor, aman
odian, etc., y no tenemos que justificar semejante discurso adu-
ndo argumentos filosóficos. Es sencillamente el texto de la ac-
ud natural, por lo menos en la cultura occidental y, por tanto,
aisemblable. Cuando un texto usa dicho discurso, es inteligible
forma inherente y, cuando se desvía de dicho discurso, la ten-
ncia del lector es a volver a traducir sus «metáforas» a ese len-
aje natural. Los paradigmas más elementales de la acción se si-
an en ese nivel: si alguien se echa a reír, tarde o temprano dejará
reír; si inicia un viaje, o bien llegará a su destino o bien aban-
nará el viaje. Si un texto no menciona explícitamente esas termi-
iones, le damos beligerancia y las damos por sentadas como
te de su inteligibilidad. Si las viola explícitamente, nos vemos
igados a situar la acción en otro mundo, fantástico (que, natu-
mente, es una forma de proporcionar un contexto que vuelve
eligible el texto al volverlo *vraisemblable*).

El reconocimiento del primer nivel de *vraisemblance* no tiene
qué depender de la afirmación de que la realidad es una con-
ción producida por el lenguaje. De hecho, el peligro de esa pos-
a es el de que se puede interpretar de modo demasiado general.
, Julia Kristeva sostiene que cualquier cosa que se exprese en
oración gramatical pasa a ser *vraisemblable,* dado que el len-
je constituye el mundo (*Semiotikè,* pp. 215 y 208-45). Más
opiado sería decir, con Barthes, que cualesquiera que sean los

201

significados que una oración libere, siempre parece como si debiei
de estar diciéndonos algo simple, coherente y verdadero, y que es
presunción inicial constituye la base de la lectura como proceso (
naturalización (*S/Z*, p. 16). «John recortó su idea y se la ató a
tibia» cobra cierta *vraisemblance* a partir de su expresión con
oración gramatical, y nos vemos inducidos a intentar inventar u
contexto o a ponerlo en relación con un texto que lo vuelva int
ligible, pero no es *vraisemblable* del modo como lo sería «Joh
está triste», ya que no forma parte del texto de la actitud natura
cuyos especímenes están justificados por la simple observació:
«pero los *X* son así».

La vraisemblance **cultural**

En segundo lugar, existe una gama de estereotipos cultural
o conocimiento aceptado que una obra puede usar pero que
gozan de la misma posición privilegiada que los elementos (
primer tipo, en el sentido de que la propia cultura los recono
como generalizaciones. Cuando Balzac escribe que el Conde
Lanty era *petit, laid et grêlé, sombre comme un Espagnol, enr
yeux comme un banquier* («pequeño, feo y picado de viruel
sombrío como un español, aburrido como un banquero»), e
usando dos tipos diferentes de *vraisemblance*. Los adjetivos s
inteligibles como cualidades que es de todo punto natural y r
sible que alguien posea (en tanto que «era pequeño, verde y
mográfico» violaría la *vraisemblance* de primer orden y nos e
giría construir un mundo muy curioso, realmente). Sin embar
las dos comparaciones connotan referencias culturales y estere
pos culturales que se aceptan como *vraisemblable* dentro de
cultura («sombrío como un italiano» y «aburrido como un pint
sería *invraisemblable* desde ese punto de vista) pero que toda
pueden impugnarse: un banquero no tiene por qué ser aburri
y junto con el estereotipo aceptamos esa posibilidad. La mayo
de los elementos del segundo nivel funcionan de ese modo:
conocemos como generalizaciones o categorías culturales que p
den simplificar exageradamente pero que por lo menos hacen (

el mundo sea inteligible en principio y, en consecuencia, hacen de lengua a la que se vierte en el proceso de naturalización.

Proust habla del propietario de un café que «siempre comparaba todo lo que oía o leía con determinado texto con el que ya estaba familiarizado y cuya admiración se despertaba, si no encontraba diferencias».[10] Gran parte de la *vraisemblance* de una obra procede del hecho de que cite esa «voz colectiva y anónima, cuyo origen es un conocimiento humano general» (Barthes, *S/Z*, p. 25). Y en ese nivel es en el que se sitúa el concepto tradicional de *vraisemblance*. Barthes observa, por ejemplo, que la *Retórica* de Aristóteles es esencialmente una codificación de un lenguaje social general, con todas las máximas y *topoi* que contribuyen a una lógica aproximada de las acciones humanas y permiten al orador, por ejemplo, razonar a partir de la acción hasta el motivo o a partir de la apariencia hasta la realidad. «Puede parecer muy categórico (e indudablemente falso) decir que los jóvenes se irritan con mayor rapidez que los viejos», pero hacerlo significa volver *vraisemblable* nuestro argumento: «las pasiones son recursos lingüísticos dados de antemano con los que el orador debe estar sencillamente familiarizado... la pasión no es otra cosa que lo que la gente dice sobre ella: pura intertextualidad» (*L'ancienne rhétorique*, p. 212). Al estudiar ese nivel de *vraisemblance* en Balzac, Barthes observa que es como si el autor tuviera a su disposición siete u ocho manuales que contuviesen el conocimiento que constituye la cultura burguesa popular: un manual de medicina práctica (con nociones de las diferentes enfermedades y condiciones), un tratado psicológico rudimentario (proposiciones aceptadas de forma general sobre el amor, el odio, el miedo, etc.), un compendio de ética cristiana y estoica, una lógica, una antología de proverbios y máximas sobre la vida, la muerte, el sufrimiento, las mujeres, etc., e historias de la literatura y del arte que proporcionan tanto un conjunto de referencias culturales como un repertorio de tipos (personajes) que pueden servir de ejemplos. «Aunque pueden ser de procedencia enteramente libresca, esos códigos, mediante una inversión propia de la ideología burguesa, que convierte la cultura en naturaleza, sirven de fundamento de lo real, de la 'Vida'» (*S/Z*, p. 211).

El hecho de citar ese discurso social general es una forma de fundamentar una obra en la realidad, de establecer una relación entre las palabras y el mundo que hace de garantía de inteligibilidad; pero más importantes son las operaciones que permite. Cuando un personaje de una novela realiza una acción, el lector puede atribuirle un significado basándose en ese caudal de conocimiento humano que establece conexiones entre la acción y el motivo, el comportamiento y la personalidad. Cuando Balzac nos dice que Sarrasine «se levantó con el sol, fue a su estudio y no apareció hasta la noche», naturalizamos esa acción interpretándola como una manifestación directa de carácter y la interpretamos como «excesos» (en función de la jornada de trabajo normal) y como un compromiso artístico (en función de los estereotipos culturales psicológicos). Cuando, al salir del teatro, se ve «agobiado por una tristeza inexplicable», podemos explicarlo como la señal cultural de su extrema entrega. Esas operaciones colocan la notación del texto en un contexto de coherencia y, mediante esa tautología fundamental de la ficción que nos permite inferir el carácter a partir de la acción y después sentirnos satisfechos por el modo de concordar la acción con el carácter, lo vuelven *vraisemblable*.

Las concepciones del mundo que son eficaces en ese nivel controlan también lo que se ha llamado el «umbral de la pertinencia fundamental, la que separa lo narrable de lo no narrable; las secuencias situadas por debajo de él se dan por sentadas» (Heath, *Structuration of the Novel-Text*, p. 75). Existe un nivel de generalidad en que hablamos ordinariamente de nuestro compromiso con el mundo: «caminamos hasta la tienda» en lugar de «alzar pie izquierdo cinco centímetros del suelo, al tiempo que oscilamos hacia adelante y, desplazando nuestro centro de gravedad para que el pie toque el suelo, colocando primero el tacón, damos un paso con la punta del pie derecho, etc.». Esta última descripción que queda por debajo del nivel de pertinencia funcional, es un ejemplo de lo que los formalistas rusos llamaron «extrañamiento». El proceso de la lectura naturaliza y reduce ese carácter extraño reconociendo y nombrando: ese pasaje describe el «caminar». Desde luego, el hecho de que esas operaciones sean necesarias para la lectura produce un excedente de significado potencial que ha justificarse e interpretarse en otro nivel, pero el umbral de pertinencia funcional hace de fundamento «natural» o punto de partida firme a partir del cual podemos alcanzar otros significados. Una larga descripción de un montaje barroco de planos y junturas se vuelve inteligible al sacar la conclusión de que se trata de la descripción de una mecedora y después preguntarnos por qué había de describirse la mecedora de ese modo inhabitualmente detallado. Un fundamento natural permite la identificación de lo extraño.

En ese nivel la *vraisemblance* entraña lo que un autor reciente, refiriéndose al realismo, llama la «distancia media»: una óptica que ni nos coloca demasiado cerca del objeto ni nos alza demasiado por encima de él, sino que lo contempla precisamente del modo como lo hacemos ordinariamente en la vida cotidiana. Lo que determina la distancia media, escribe, es una de las funciones más familiares de todas las literaturas: «la creación ficticia de *personas,* de personajes y vidas individuales moldeados con lo que en cualquier época todo el mundo considera que constituye cierta integridad y coherencia».[11] Se pueda o no —como cree dicho autor— considerar eso como el fin de la literatura, indudablemente es el substrato de la literatura: la mayoría de los efectos literarios, particularmente en la prosa narrativa, dependen de que los lectores traten de relacionar lo que el texto les dice con un nivel de preocupaciones humanas ordinarias, con las acciones y reacciones de los personajes construidos de acuerdo con modelos de integridad y coherencia.

En el que quizá sea el mejor artículo sobre la *vraisemblance* de ese tipo, Gérard Genette observa que en las discusiones del siglo XVII la *vraisemblance* es lo que hoy llamaríamos una ideología: «un corpus de máximas y prejuicios que constituye tanto una visión del mundo como un sistema de valores». Una acción está justificada por su relación con una máxima general, y «esa relación de inferencia funciona también como un principio de *explicación*: lo general determina y, por tanto, explica lo particular; entender la conducta de un personaje, por ejemplo, es referirla a una máxima aceptada, y esa referencia se considera como un paso del efecto a la causa». En *El Cid* Rodrigo desafía al conde porque «nada puede impedir a un hijo noble vengar el honor de su padre», y su acción se vuelve inteligible cuando se relaciona con esa máxima. Sin embargo, en *La Princesse de Clèves* la confesión de la heroína a su marido es *invraisemblable* («inverosímil») e ininteligible para el siglo XVII, porque es «una acción sin una máxima» (*Figures II*, pp. 73-5).

El corpus de máximas puede bien darse por sentado implícitamente en un texto (como lo «natural» dentro de la cultura) bien citarse y ofrecerse explícitamente. En el segundo caso se trata de lo que Genette llama *un vraisemblable artificiel*: el texto mismo realiza las operaciones de naturalización, pero al mismo tiempo insiste en que las leyes o explicaciones que ofrece son las leyes del mundo. Una oración que en principio sea *invraisemblable,* como «La marquesa mandó llamar su carruaje y después se fue a la cama» (*invraisemblable* porque se aparta de una lógica aceptada de las acciones humanas), puede naturalizarse mediante adiciones que la intriducirían en el recinto de los modelos culturales aceptados: «pues era extraordinariamente caprichosa» (en que la calificación vuelve inteligible la desviación) o «pues, como todas las mujeres que nunca han encontrado oposición a sus deseos, era extraordinariamente caprichosa» (lo que produce la máxima pertinente) (*ibid.*, pp. 98-9). La novela balzaciana, con su proliferación de cláusulas pedagógicas y categorías generalizadas, es el mejor ejemplo de ese tipo de texto, que describe los personajes y las acciones al tiempo que crea el caudal de conocimiento social que justifica sus descripciones y las vuelve inteligibles. Pero, desde luego, si esa *vraisemblance* artificial parece pronunciadamente diferente de la que los modelos culturales y sociales vuelven natural, la relegaremos al tercer nivel y la calificaremos de *vraisemblance* puramente literaria de un mundo imaginativo particular.

Los modelos de un género

El tercer nivel o conjunto de modelos entraña efectivamente una inteligibilidad específicamente literaria: un conjunto de normas con las que pueden ponerse en relación los textos y en virtud de las cuales se vuelven significativos y coherentes. Un tipo de norma es la invocada al hablar del mundo imaginativo de un autor: permitimos a las obras que hagan contribuciones a un mundo semiautónomo, cuyas leyes no son exactamente las del nuestro pero que, aún así, tiene leyes y regularidades que hacen que las acciones y los acontecimientos que se producen dentro de él sean inteligibles y *vraisemblable*. Nuestro sentido intuitivo de esa *vraisemblance* es extraordinariamente potente: sabemos, por ejemplo, que sería totalmente inapropiado que uno de los protagonistas de Corneille dijera: «Estoy harto de todos estos problemas y voy a hacer de platero en una ciudad de provincias». Las acciones son plausibles o no en relación con las normas de un grupo de obras, y reacciones que serían totalmente inteligibles en una novela proustiana serían extraordinariamente extrañas e inexplicables en Balzac. Fuera de contexto, Papá Goriot es un personaje desmesuradamente exagerado que no tiene sentido; pero, en función de las leyes del universo balzaciano, es inteligible de forma inmediata. De hecho, podríamos decir que en ese nivel de *vraisemblance* hemos de identificar series de convenciones constitutivas que permiten la escritura de diferentes clases de novelas o poemas. Las novelas de Henry James, por ejemplo, se basan en la convención de que los seres humanos son sensibles a ramificaciones increíblemente sutiles de las situaciones interpersonales y de que, cualesquiera que sean sus dificultades, suelen apreciar esa sutileza y procuran no violarla mediante la grosería del lenguaje directo. Las novelas de Balzac no podrían haberse escrito como lo fueron, de no haber sido por dos convenciones: primera, la convención de la determinación, la de que el mundo es fundamentalmente inteligible y de que todo lo que ocurre puede explicarse recurriendo a ciertos tipos de modelos; y segunda, la de que en un estado sincrónico de la sociedad la fuerza determinante es la energía, de la que cada individuo posee una cantidad particular (que puede atesorar o gastar), además de la que puede sacar de los demás.[12] Podríamos decir que las novelas de Flaubert son posibles gracias a la convención de que nada puede resistir la ironía excepto la inocencia completa, que es el residuo dejado por la ironía. Y así, si, al leer *Madame Bovary* sentimos que Emma está verdaderamente condenada al

207

fracaso, no es porque se haya presentado un análisis convincente, sino porque hemos llegado a acostumbrarnos a la prosa de Flaubert. Sabemos que la intensidad de la aspiración recibirá su merecido, pero que las formas particulares de aspiración pasarán a la fuerza por el crisol de la ironía, a la que no pueden sobrevivir excepto como pura forma.[13]

Desde luego, podríamos considerar dichas convenciones como teorías o visiones del mundo, como si la misión de las novelas fuera expresarlas, pero ese enfoque no sería en absoluto una apreciación correcta de las propias novelas o de la experiencia de leerlas, pues corresponde a la naturaleza de dichas convenciones que queden inexpresadas, ya que en general son indefendibles o por lo menos no plausibles en tanto que teorías explícitas. Y no leemos las novelas para descubrir semejantes teorías; más que nada, hacen de medios para otros fines que son las propias novelas. Hablar de mitos que son necesarios para que la novela llegue a ser o de recursos formales que generan la novela puede ser más útil que hablar de teorías que es función de la novela expresar. Los primeros se naturalizan en el nivel del sistema literario, mientras que las segundas se naturalizan en función de un proyecto biográfico o comunicativo.

Este último es, desde luego, un modo de naturalización extraordinariamente familiar, y podríamos darle una matización literaria que justificaría su inclusión en el nivel de la *vraisemblance* al decir que nuestro modelo de la literatura como forma expresiva pero no didáctica nos permite explicar los textos literarios en función de teorías implícitas o redes de obsesiones a las que no estaríamos dispuestos a conceder la misma importancia en los textos discursivos no literarios. Si explicamos la muerte de Charles en *Madame Bovary* diciendo que las obras de juventud de Flaubert revelan una obsesión por la idea de que podríamos causar nuestra propia muerte mediante una negación puramente intelectual de la vida, estamos dando a entender que la literatura está conectada de forma más estrecha con el yo inconsciente que otras formas de escritura. Si explicamos las mujeres castradoras de Balzac, que han de convertir a los hombres en niños sumisos antes de poder amarlos, examinando las propias relaciones de Balzac con sus amantes, estamos afirmando de nuevo que en este caso hay un canal más directo entre el texto y las estructuras afectivas personales que el que se da en el caso de otras formas. Es decir, que estamos postulando, como convención constitutiva de la institución de la literatura, que el texto guarda determinada relación con su autor y que, por esa razón, puede naturalizarse o volverse inteligible poniendo en relación sus elementos con una *vraisemblance* psicológica particular.

Intimamente afín a este tipo de naturalización, si bien depende menos de la idea de un autor empírico, es el que depende de la creación de *personae* narrativos. Como objeto lingüístico el texto es extraño y ambiguo. Reducimos su carácter extraño leyéndolo como la expresión de un narrador particular, de modo que los modelos de actitudes humanas plausibles y de personalidades coherentes pueden volverse operativos. Además, extrapolando a partir de la figura postulada podemos contarnos a nosotros mismos relatos empíricos que hacen que los elementos del texto sean inteligibles y justificados: el narrador está en una situación particular y está reaccionando ante ella, de modo que lo que dice puede leerse dentro de una economía general de las acciones humanas y juzgarse mediante la lógica de dichas acciones. Está razonando, elogiando, protestando, describiendo, analizando o meditando, y el poema encontrará su coherencia en el nivel de la acción.

De forma más general, podríamos decir que nuestra noción de la gama de los actos de habla posibles que un texto literario podría realizar es la propia base de la naturalización literaria, porque nos proporciona un conjunto de objetivos que podrían determinar la coherencia de un texto particular. Una vez que postulamos un objetivo (elogio de una amante, meditación sobre la muerte, etc.), disponemos de un punto de enfoque que rige la interpretación de la metáfora, la organización de las oposiciones y la identificación de los rasgos formales pertinentes. Y está claro que en este caso estamos ocupándonos de convenciones literarias, pues nuestras ideas sobre la literatura no permiten que un acto de habla cualquiera haga de determinante de un poema. Es perfectamente posible escribir un poema para invitar a un amigo a cenar, pero, si admitimos el poema dentro de la institución de la literatura, con

ello nos comprometemos a leerlo como una declaración que tien
coherencia en otro nivel. Así, *Inviting a Friend to Supper,* de Be
Jonson, se convierte en la evocación de un estilo de vida par
ticular y se interpreta en el sentido de que mediante el tono
postura del verso pone en práctica los valores que apoyan y re
comienden ese modo de vida. La invitación se convierte en u
recurso formal y no en el centro temático, y lo que podría habers
explicado como elementos de una invitación recibe otra función

Pero las formas de producir coherencia pueden parecer alg
alejadas de las nociones ordinarias de *vraisemblance,* y como va
a constituir la parte principal de los dos capítulos siguientes, po
el momento podemos limitarnos a observar que son recursos me
diante los cuales se naturalizan los textos y pasar a ocuparnos de
último conjunto de convenciones que funcionan en ese nivel d
vraisemblance: las del género.

El propio Aristóteles reconoció que cada género designa com
aceptables ciertos tipos de acción al tiempo que excluye otros: l
tragedia y la comedia pueden presentar a los hombres mejor y peo
de lo que son sin violar la *vraisemblance,* porque cada géner
constituye una *vraisemblance* especial propia. La función de la
convenciones del género consiste esencialmente en establecer u
contrato entre el escritor y el lector para hacer que determinada
expectativas funcionen y permitir así tanto la admisión de lo
modos aceptados de inteligibilidad como la desviación con res
pecto a ellos; «se trata esencialmente de volver el texto lo má
perceptible posible; podemos ver cuál es el papel que esa concep
ción atribuye a las nociones de género y de modelo: el de los ar
quetipos, de modelos en parte abstractos que sirven de guía par
el lector» (Genot, *L'écriture libératrice,* p. 49). Una afirmació
se interpretará de forma diferente según se encuentre en una od
o en una comedia. El lector prestará diferente atención a los per
sonajes según esté leyendo una tragedia o una comedia que esper
acabe en múltiples bodas.

El relato policíaco es un ejemplo particularmente bueno de l
fuerza de las convenciones del género: la hipótesis de que los per
sonajes son psicológicamente inteligibles, de que el crimen tien
una solución que tarde o temprano se revelará, de que se presen

tarán las pruebas pertinentes pero la solución será de alguna complejidad, son todas esenciales para el disfrute de esa clase de libros. De hecho, esas convenciones son especialmente interesantes a causa del gran espacio que conceden a lo no pertinente. Sólo en el nivel de la solución se requiere coherencia: todo lo que se desvíe o sea sospechoso debe explicarse mediante la resolución que produce la clave para la pauta «real», pero todos los demás detalles pueden dejarse de lado en ese punto por insignificantes. Las convenciones hacen posible la aventura de descubrir y producir una forma, de descubrir la pauta entre una masa de detalles, y lo hacen estipulando hacia qué tipo de pauta avanzamos al leer.

Desde luego, se violan con frecuencia las espectativas que encierran las convenciones del género. Su función, como la de todas las reglas constitutivas, es hacer posible el significado proporcionando términos para clasificar las cosas que encontremos. Lo que resulta inteligible gracias a las convenciones del género es con frecuencia menos interesante que lo que se resiste o escapa al entendimiento genérico, por lo que no debe sorprender que aparezca, por encima y contra la *vraisemblance* del género, otro nivel de *vraisemblance* cuyo recurso fundamental es exponer el artificio de las convenciones y expectativas genéricas.

Lo natural de modo convencional

El cuarto nivel entraña una afirmación implícita o explícita de que no estamos siguiendo la convención literaria ni produciendo textos que encuentren su inteligibilidad en el nivel de la *vraisemblance* genérica. Pero, naturalmente, como se acostumbra a decir en relación con esto, las formas que semejantes tesis adoptan son también convenciones literarias. Las introducciones a las novelas del siglo XVIII que explican cómo llegó el diario o manuscrito al poder del narrador, el uso de los narradores externos que atestiguan la verdad del relato contado por otro son, desde luego, convenciones por derecho propio que juegan con la oposición de verdad y ficción. Alternativamente, el narrador puede limitarse a su conocimiento de las convenciones de la *vraisemblance* literaria e

insistir en que la improbabilidad de lo que está relatando garantiza
su autenticidad. Balzac emplea considerable energía discursiva para
esa causa:

> Con frecuencia ocurre que ciertas acciones de la vida
> humana parecen literalmente *invraisemblables,* a pesar de ser
> verdaderas. Pero ¿acaso no es así porque casi nunca nos
> paramos a iluminar psicológicamente nuestras acciones es-
> pontáneas y a explicar las razones de origen misterioso que
> las hicieron necesarias? (*Eugénie Grandet,* capítulo 3).

Lo improbable queda calificado y con ello quedan desmonta-
das las objeciones, cuando el narrador recurre a las nociones comunes de explicación y misterio: sugiere que, si el lector es un
hombre razonable como el narrador, no se verá perturbado por
lo improbable y permitirá que la franqueza del autor y su explicación le convenzan de su autenticidad.

Jacques le fataliste ofrece otra versión de ese audaz paso me-
talingüístico que convierte la desviación con respecto a la norma
literaria en un criterio de *vraisemblance.* Jacques y su amo se encuentran con un grupo de hombres armados de horcas y porras

> Supondréis que eran la gente de la posada, sus criados
> y los bandidos de quienes he hablado... Supondréis que es
> pequeño ejército va a acometer a Jacques y a su amo, que ha-
> brá una refriega sangrienta... y entra enteramente dentro de
> mi poder hacer que todo eso ocurra; pero ¡adiós a la verdad
> del relato!... Es evidente que no estoy escribiendo una no-
> vela, ya que desprecio lo que un novelista nunca dejaría de
> usar. Quien considere lo que escribo como verdad quizá esté
> menos equivocado que quien lo considere falso. (Edición
> Garnier, pp. 504-5).

El narrador anuncia su libertad con respecto a las expectativas
del género y ofrece la incoherencia de su *récit* (la aparición de es
grupo de hombres no desempeña ninguna función en la trama
como prueba de su veracidad.

Pero, como sugiere ya este ejemplo, semejante procedimiento está a un paso de distancia de la mímesis. La referencia a la capacidad del escritor para poner por escrito lo que le gusta (*il ne tiendrait qu'à moi que tout cela n'arrivât*) podría ampliarse fácilmente hasta la afirmación de que el orden auténtico no es el de las convenciones de un género, sino el del propio acto narrativo, cuya libertad está regida sólo por los límites del lenguaje. Reiteradamente, el narrador propone líneas de desarrollo contradictorias, subrayando su capacidad para escoger una u otra: «¿Qué me impide hacer que el amo se case y que le pongan cuernos, enviar a Jacques a las colonias?» «¿Qué me impide producir una riña violenta entre esos tres personajes?» «Depende de mí exclusivamente que os haga esperar un año, dos años, tres años, para la historia de los amores de Jacques, separándolo de su amo y haciendo que sucedan a ambos los accidentes que me plazca.»[14] El abandono de la necesidad novelística a cambio de la libertad del acto de escribir puede entrañar el recurso a los niveles primero y segundo de *vraisemblance* que especifican las posibilidades de la acción. Pero esos niveles van recogidos en una *vraisemblance* superior o nivel de inteligibilidad, que es el de la propia escritura. El texto encuentra su coherencia al ser interpretado como un ejercicio de lenguaje y de producción de significado por parte del narrador. Naturalizarlo en ese nivel es leerlo como una aseveración sobre la escritura de novelas, una crítica de la ficción mimética, una ilustración de la producción de un mundo por el lenguaje.

Naturalmente, la negación de las convenciones del género no nos lleva tan lejos necesariamente. Constituye un recurso común en los relatos policíacos que los personajes comenten las convenciones del relato policíaco y que comparen el orden de esa forma con el desorden que perciben en el caso en que participan. Pero generalmente esas conversaciones no inducen al lector a pensar que se hayan pasado por alto las convenciones del género; más que nada, funcionan como ironía dramática. Una sirvienta histérica despierta a la señora Bantry para decirle que hay un cadáver en la biblioteca y ésta despierta a su incrédulo marido: «¡Qué tontería... No puede ser... Te has dejado impresionar por esa novela policíaca que estabas leyendo... En los libros siempre se encuentran cadáveres en las bibilotecas. Nunca he conocido un caso así en la vida real.»[15] La actitud del coronel no es absurda empíricamente, pero no la consideramos un comentario sobre el artificio de la novela. Al contrario, reímos de su confianza en sí mismo, su recurso equivocado a la *vraisemblance,* y esperamos con interés el momento de la revelación, pues, como lectores de los relatos policíacos, sabemos que habrá efectivamente un cadáver en la biblioteca.

Ese juego limitado con las convenciones genéricas es una versión de lo que Empson, en un análisis brillante, llama «pseudoparodia para desarmar a la crítica»: el texto muestra su conciencia del propio artificio y convención, no para pasar a un modo nuevo carente de artificio, sino para convencer al lector de que sabe existen otras formas de considerar la cuestión y, en consecuencia, se puede confiar en él, en el sentido de que no deformará las cosas al seguir otra dirección.[16] Así, los numerosos poemas que contienen referencias despectivas a lo artificial de la poesía —desde los isabelinos hasta Marianne Moore— no intentan superar las convenciones de la poesía ni atribuir al lenguaje una función diferente, sino simplemente prevenir una posible objeción por parte del lector (a su vez, el lector no tiene por qué pensar lo que el narrador ha admitido explícitamente y de ese modo puede enfocar su atención en otra cosa) y hacer acopio de autoridad adicional (el narrador es completamente consciente de las posibles actitudes hacia la poesía y, por eso, se puede suponer que tenga razones válidas para escribir en verso). En *On Lucy Countesse of Bedford,* de Ben Jonson, las hipérboles del elogio poético aparecen citadas explícitamente («arrebatado oportunamente por una pasión contenida», comienzo, «al modo de los poetas», a imaginar la más divina criatura posible), y ese elogio no queda invalidado por el aparente rechazo de la elaboración poética:

> *Such when I meant to faine, and wished to see,*
> *My Muse bad,* Bedford *write, and that was she.*

> *(Así, cautivo ya de la fantasía y sus imágenes,*
> *Mi perversa musa escribió* Bedford, *y era ella.)*

Pero esos versos finales sí que afectan al proceso de naturalización: pasamos de un nivel de *vraisemblance* (la lírica del elogio) a otro (el acto de elogio, en relación con sus modos convencionales) y leemos el poema como un elogio más fervoroso precisamente porque puede dar por sentadas las convenciones con conciencia de su fragilidad. De forma semejante, *Poetry* de Marianne Moore, con su famoso *there are things that are important beyond all this fiddle* («hay cosas que son más importantes que este violín»), no entraña un rechazo ni una revelación de las convenciones del género, especialmente porque el «violín» queda admirablemente de manifiesto en su elaborada forma silábica; pero sí que traslada el proceso de naturalización a otro nivel al forzarnos a considerar, para volver inteligible el poema, la relación entre el significado de afirmaciones como *I, too, dislike it* («también a mí me desagrada») en el discurso ordinario y su transmutación por el contexto poético.

La mejor forma de explicar ese nivel de *vraisemblance* y naturalización puede ser la de decir que la apelación a las convenciones del género o la oposición a ellas produce un cambio en el modo de lectura. Nos vemos forzados a lanzar más lejos nuestra red para incluir algo más que el tercer nivel de *vraisemblance* e inteligibilidad y debemos permitir que la oposición dialéctica que el texto presenta produzca como resultado una síntesis en un nivel superior en que los motivos de la inteligibilidad son diferentes. Leemos el poema o la novela como un aserto sobre los poemas o las novelas (dado que, mediante su oposición, ha obscurecido ese tema). Interpretarlo es ver cómo usa diferentes tipos de contenido o recursos para hacer un aserto sobre la ordenación imaginativa del mundo que se produce en la literatura. Esperamos que el texto tenga coherencia desde ese punto de vista, y, naturalmente, una vez más tenemos modelos de lo *vraisemblable* en ese nivel que ayudan al proceso interpretativo: un repertorio de funciones tradicionales de la literatura y de actitudes hacia ella (el texto se vuelve inteligible en ese nivel cuando encontramos dichas actitudes en él) y una apreciación del modo de leer los elementos o imágenes particulares como ejemplos del proceso literario. Al leer muchos textos modernos, ese nivel de *vraisemblance* y naturalización pasa a ser el más importante, y en cierto sentido presenta la ventaja de ser menos reductivo que los otros, pues no necesita resolver una dificultad, sino que puede reconocer que lo que requiere interpretación es la existencia de una dificultad antes que la propia dificultad.

> Todas las obras son claras a condición de que localicemos el ángulo desde el que lo borroso se vuelve tan natural que pasa desapercibido: en otras palabras, con tal de que determinemos y repitamos la operación conceptual, con frecuencia de un tipo muy especializado y limitado, en que el propio estilo se origina. Así, la oración de Gertrude Stein: *A dog that you hace never had has sighed* («Un perro que nunca has tenido ha suspirado») es transparente en el nivel de la pura formación de oraciones. (Jameson, *Metacommentary*, p. 9.)

En lugar de interpretarla podríamos describirla como un ejemplo de la capacidad de las palabras para crear pensamiento o de la peculiar fuerza dislocadora de ese agente lingüístico que carece de existencia en la naturaleza: la negación.

Las observaciones de Fredric Jameson que acabamos de citar describen muy bien el proceso. Es un proceso de naturalización en el sentido de que lo que parecía difícil o extraño resulta natural (algo borroso tan natural, que pasa desapercibido) mediante la localización de un nivel apropiado de *vraisemblance*. Y ese nivel es un repertorio de proyectos. Hasta las lecturas más radicales de las obras literarias proponen un proyecto desde cuya posición ventajosa lo borroso pasa a ser claro y natural: el proyecto de ilustrar o establecer la práctica de la escritura.[17] En el gran juego hegeliano de la interpretación, en el que cada lector se esfuerza por alcanzar el círculo situado más al exterior que abarca todos los demás pero no queda abarcado a su vez, ese nivel de *vraisemblance* goza, por lo menos en nuestro momento de la historia, de una posición privilegiada a causa de su capacidad para asimilar y transformar otros niveles. Pero no por ello deja de ser un modo de naturalización convencional, y los intentos de organizarlo para que se sitúe más allá de la ideología y la convención nos hacen traspasar, como razonaremos en el capítulo 10, los límites del sentido totalmente.

La parodia y la ironía

El quinto nivel de naturalización puede considerarse una variante local y especializada del cuarto. Cuando un texto cita o parodia las convenciones de un género, lo interpretamos pasando a otro nivel de interpretación en que ambos términos de la oposición pueden juntarse gracias al propio tema de la literatura. Pero el texto que parodia una obra particular requiere un modo de lectura algo diferente. Si bien hay que tener presentes al mismo tiempo dos órdenes —el orden del original y el punto de vista que socava el original—, eso no conduce generalmente a la síntesis ni a la naturalización en otro nivel sino a una exploración de la difer·ncia y la semejanza. De hecho, la función desempeñada por el cuarto nivel de *vraisemblance* lo desempeña en este caso el propio concepto de parodia, que hace de recurso poderoso de naturalización. Al llamar parodia a algo estamos especificando cómo debe hacerse, liberándonos de las exigencias de la seriedad poética, y volviendo inteligibles los curiosos rasgos de la parodia. La aliteración asombrosa, el incisivo ritmo anapéstico y la ausencia de contenido en la autoparodia de Swinburne, *Nephelidia,* quedan recuperados inmediatamente y reciben significado, cuando lo leemos como una parodia: los leemos como imitaciones y exageraciones de rasgos del original.

Para evitar lo burlesco, la parodia ha de captar parte del espíritu del original así como imitar sus recursos formales y producir mediante una ligera variación —habitualmente de elementos léxicos— una distancia entre la *vraisemblance* del original y la suya propia. «Comprendo cómo funciona este poema; observad qué fácil es mostrar el carácter ampuloso de este poema; sus efectos son imitables y, por tanto, artificiales; su logro es frágil y depende de que se tomen en serio las convenciones de la lectura.» Ese es esencialmente el espíritu de la parodia. Indudablemente, parte de dicho efecto se debe a que la parodia es una imitación y a que, al volver explícito su modelo, niega implícitamente que deba leerse como un aserto serio de sentimientos sobre problemas o situaciones reales, con lo que nos libera de un tipo de *vraisemblance* usado para reforzar las lecturas metafóricas de los poemas.

Chard Whitlow, de Henry Reed, una de las mejores parodias de Eliot, usa versos que en Eliot recibirían naturalización metafórica apropiada pero que aquél coloca en un contexto que nos induce a leerlos de forma diferente:

> *As we get older we do not get any younger.*
> *Seasons return, and today I am fifty-five,*
> *And this time last year I was fifty-four,*
> *And this time next year I shall be sixty-two.*
> *And I cannot say I should like (to speak for myself)*
> *To see my time over again - if you can call it time:*
> *Fidgeting uneasily under the draughty stair,*
> *Or counting sleepless nights in the crowded tube.*

> *(A medida que envejecemos no nos volvemos más jóvenes.*
> *Vuelven las estaciones, y hoy tengo cincuenta y cinco años,*
> *Y tal día como hoy del año pasado tenía cincuenta y cuatro,*
> *Y tal día como hoy del año que viene tendré sesenta y dos.*
> *Y (hablando por mí) no puedo decir que me gustaría*
> *Ver volver mi tiempo, si se lo puede llamar tiempo:*
> *Agitarse inquieto bajo la estrella en el aire,*
> *O contar noches de insomnio en el metro abarrotado.)*

La serie de las edades impone una lectura literal del primer verso, con lo que impide que la tautología encuentre su función en otro nivel, como parece ocurrir en *Four Quartets (As we grow older/ The world becomes stranger* [«A medida que envejecemos, el mundo se vuelve más extraño»]). Y, así, a *time* («el tiempo») en *if you can call it time,* sólo se le permite oscilar al borde de la exploración metafísica antes de volver a caer tambaleándose en la trivialidad cómica. En otros contextos los dos últimos versos podrían funcionar como imágenes no empíricas poderosas, pero aquí nos vemos detenidos ante el absurdo de las imágenes empíricas... de esa forma de pasar nuestro tiempo realmente. Y el brillante verso *The wind within a wind unable to speak for wind* («El viento dentro de un viento incapaz de hablar por el viento»), que parodia el comienzo de la sección quinta de *Ash Wednesday (Still is the unspoken word, the Word unheard,/The Word without a word, the Word within/The world and for the world* [«Fija está la Palabra no pronunciada, la Palabra no oída, / La Palabra sin palabras, la palabra dentro/ del mundo y para el mundo»]) refuerza, mediante la substitución de *wind,* la sugerencia de pomposidad que hace de función integradora de la parodia. Mientras que las pomposidades superficiales de *Four Quartets (And what you own is what you do not own/ And where you are is where you are not* [«Y lo que posees es lo que no posees / Y donde estás es donde no estás»]) se sitúan y moderan mediante cambios inmediatos a otro modo que puede leerse como comentario indirecto *(The wounded surgeon plies the steel/That questions the distempered part* [«El cirujano herido aplica el acero / que interroga la parte enferma»]), la *vraisemblance* de la parodia insiste en una lectura literal que revela la distancia entre la interpretación natural y lo que la poesía de Eliot requiere cuando se la toma en serio.

La parodia entraña la oposición entre dos modos de *vraisemblance,* pero, a diferencia del cuarto caso, sus oposiciones no conducen a la síntesis en un nivel superior. Más que nada, queda afirmado temporalmente el predominio de la *vraisemblance* del propio autor de la parodia. En este sentido, la parodia se parece a la ironía (si bien en otros sentidos son muy diferentes: pues la ironía depende de efectos semánticos más que formales). Kierkegaard sostiene que el irónico auténtico no desea ser entendido y, aunque los irónicos auténticos pueden ser raros, por lo menos podemos decir que la ironía siempre ofrece la posibilidad del malentendido. Ninguna oración es irónica *per se.* El sarcasmo puede contener incoherencias internas que vuelvan de todo punto evidente su intención e impidan que se lo lea excepto de un modo, pero para que una oración sea propiamente irónica ha de ser posible algún grupo de lectores que la interpreten de modo totalmente literal. De lo contrario, no hay contraste entre el significado aparente y el supuesto ni espacio para el juego irónico. La ironía situacional o dramática presupone con toda evidencia dos órdenes en contraste: el orden postulado por el orgulloso protagonista se revela como mera semejanza, cuando cae en el orden contrario de la justicia poética. La afirmación proléptica de un orden queda socavada por consecuencias que consideramos «apropiadas» en el sentido de que derivan de un orden diferente, si bien no necesariamente preferible.

Así, pues, la ironía situacional es un modo de recuperación existencial que usamos para hacer inteligible el mundo, cuando la inteligibilidad que alguien ha postulado anteriormente resulta ser falsa. «Eso es exactamente lo que tenía que ocurrir», decimos cuando empieza a llover en el preciso instante en que iniciamos una comida en el campo, comprendiendo que sería tristemente cómico esperar que el universo se ajustara a nuestros planes pero prefiriendo sugerir, aunque sea en broma, que no nos es del todo indiferente, sino que actúa de acuerdo con un orden contrario que podríamos captar: frustrará nuestros planes sistemáticamente. De modo, que la ironía dramática en la literatura entraña el contraste entre la visión del mundo que tiene el protagonista y el orden contrario que el lector, armado de presciencia, puede captar.

La ironía verbal comparte esa estructura opositiva pero es bastante más compleja e interesante, pues habitualmente no suele ir indicada por los acontecimientos que nos colocan ante la ironía situacional (ni por el «poco sabía él que...» y «si por lo menos hubiera yo comprendido que...» que anuncian la ironía dramática). La percepción de la ironía verbal depende de un conjunto de expectativas que permiten al lector percibir la incongruencia de un nivel manifiesto de *vraisemblance* en el que el significado literal de una oración podría interpretarse y construir una lectura irónica alternativa que concuerde con la *vraisemblance* que está construyendo para el texto. A veces no es difícil identificar el juego entre dos niveles de expectativas. Balzac escribe que Sarrasine, al llegar a su primera cita con Zambinella, *avait espéré une chambre mal éclairée, sa maîtresse auprès d'un brasier, un jaloux à deux pas, la mort et l'amour, des confidences échangées à voix basse,*

oeur à coeur, des baisers périlleux («había esperado encontrar
una habitación mal alumbrada, su amante junto a un brasero, un
rival celoso a dos pasos, el amor y la muerte, confidencias inter-
cambiadas en voz baja, de corazón a corazón, besos peligrosos»).
La superabundancia de detalles, la heterogeneidad del catálogo de
la enumeración —la mezcla de lo específico y de lo general— anuncian que el autor hace esas observaciones con cierto distanciamiento narrativo, que las cita como fragmentos de otro «texto»
al que está dando un tratamiento irónico. El «código de la pasión»,
conjunto de estereotipos culturales, «fundamenta lo que, según
se nos dice, siente Sarrasine» (Barthes, *S/Z*, p. 145). Para Sarrasine ése es el nivel eficaz de *vraisemblance,* el tipo de coherencia y de inteligibilidad a que aspira; pero el texto sugiere una
lectura irónica de ese nivel al proponer, implícitamente, otra *vraisemblance* de la que supuestamente contiene más elementos de
verdad: las expectativas de Sarrasine son descabelladas y noveles-
cas; las habitaciones bien alumbradas y la ausencia de rivales ce-
losos no son improbables.

Cuando no podemos localizar las fuentes precisas de la *vraisemblance* tratada irónicamente, el proceso de la ironía es más
complejo. En la conversación ordinaria las expectativas operativas
proceden de un conocimiento compartido de contextos externos:
conociendo tanto a George como a Harry, podemos sacar la conclusión de que lo que George acaba de decir sobre Harry, no
concuerda con el texto de las actitudes justificables sobre Harry, de
que podemos suponer que George está familiarizado con dicho
texto, y, por tanto, que lo que ha dicho debe interpretarse irónicamente. La declaración se naturaliza al interpretarse irónicamente, y eso puede ocurrir aun sin pensar que George puede estar
«citando» con inflexión irónica una declaración descabellada de
cualquier otra persona. En el caso de la literatura las expectativas
cooperantes dependen en grado todavía más complejo de la experiencia social y cultural.

Cuando Flaubert escribe que durante su enfermedad Emma
Bovary tuvo una visión de arrobamiento y pureza celestiales a los
que decidió aspirar, su lenguaje no ofrece indicaciones decisivas de
ironía:

Elle voulut devenir une sainte. Elle acheta des chapele
elle porta des amulettes; elle souhaitait avoir dans sa char
bre, au chevet de sa couche, un reliquaire enchâssé d'ém
raudes, pour le baiser tous les soirs.

(Quería llegar a ser una santa. Compró rosarios, se pu
amuletos; deseaba tener en su habitación, a la cabecera
su cama, un relicario con esmeraldas engastadas, para besa
lo todas las noches.) (II, xiv.)

¿Cómo reconocemos la ironía en este caso? ¿Qué es lo q
provoca y apoya la suposición de que esas palabras deben leer
con cierta indiferencia y con una exploración de las posibles a
titudes hacia ellas?

En primer lugar, recurrimos a modelos generales de comport
miento humano que suponemos compartir con el narrador: no
decide pura y simplemente alcanzar la santidad, del mismo mod
que se decide llegar a ser enfermera o monja; y, aun cuando la sa
tidad fuera un objeto adecuado para una decisión, la forma
llegar a ella no sería comprar los objetos propios de una sant
Además, es de suponer que nuestro modelo de santidad choque c
las formas concretas que adopta el deseo de Emma: las esmerald
en un relicario no garantizan el progreso del alma ni debe compra
se aquél para poder besarlo. Pero, para que tenga algún senti
nuestro recurso a esos modelos, hemos de estar dispuestos a ace
tar que en el texto hay esbozada una actitud plausible: la de q
para algunas personas, entre ellas Emma, el texto, cuando se l
literalmente, es perfectamente aceptable.

Así, la ironía parece depender, por lo menos en primera in
tancia, de la referencialidad del texto: nuestro primer paso en
recuperación es dar por sentado que se refiere a un mundo c
el que estamos familiarizados y que, en consecuencia, estamos
condiciones de juzgarlo; pues, si fuera fantasía o cuento de hada
o si se refiriese a una tribu de Borneo, no dispondríamos de c
terios mediante los cuales reconocer lo inapropiado y autoindi
gente. Indudablemente, ésa es la razón por la que se ha consid
rado la novela como la forma más propicia para la ironía.

222

remitirnos constantemente a un mundo cuya realidad afirma, confiere pertinencia a nuestros modelos de comportamiento humano y nos permite detectar el carácter absurdo de significados aparentes.

Pero incluso en esa etapa inicial existe una dialéctica entre el texto y el mundo, pues nuestro sentido de la ironía se ve fortalecido, quizá provocado incluso, por el hecho de que a partir de los testimonios dados esperamos que Emma sea una mujer ridícula e indulgente consigo misma: un nivel de coherencia establecido por el texto sirve de *point de repère* con el que intentemos relacionar cualquier observación sobre sus ideas y acciones.

Dado nuestro conocimiento del mundo y nuestro conocimiento del mundo de la novela, estamos en condiciones de detectar ironía siempre que el texto ofrezca juicios con los que no coincidamos o siempre que, con aparente imparcialidad, no emita un juicio en casos en que consideremos sería adecuado hacerlo. Pero, naturalmente, hemos de habernos formado una impresión sobre la *vraisemblance* narrativa —un nivel de coherencia en el que habitualmente funciona la prosa de Flaubert— de modo que podamos determinar si el texto es realmente irónico o si, por el contrario, está describiendo sin ironía proyectos sobre los cuales, con nuestro saber superior, podemos emitir un juicio irónico.

Así, pues, el tipo de *vraisemblance* o inteligibilidad que, en una lectura irónica, oponemos al de las actitudes de Emma se compone de una diversidad de factores que tendemos a agrupar de forma bastante precipitada bajo el ambiguo epígrafe de «contexto»: nuestros modelos de *vraisemblance* en el nivel del comportamiento humano, que proporcionan criterios de juicio; nuestras expectativas sobre el mundo de la novela, que sugieren cómo deben interpretarse los detalles relativos a las acciones y los personajes y, en consecuencia, contribuyen a ofrecernos algo que juzgar; las afirmaciones aparentes que hacen las oraciones cuya incongruencia recuperamos al leerlas irónicamente; y, por último, nuestra apreciación de los procedimientos habituales del texto— una *vraisemblance* irónica— que justifica nuestra actividad y nos da seguridades en el sentido de que estamos participando en un juego a que nos invita el texto.

223

Hasta ese proceso complejo entraña, esencialmente, la subs
titución de un significado aparente por un significado «verdadero»
que justificamos basándonos en que con ello el texto se vuelve má
coherente. De hecho, esa necesidad de un segundo nivel de *vrai
semblance,* una lectura «verdadera», le parece a Barthes el rasgo
más desafortunado de la ironía, pues detiene el juego del signi
ficado. Según él, es extraordinariamente difícil socavar o critica
el estereotipo sin recurrir a otro estereotipo, que es el de la pro
pia ironía. *Comment épingler la bêtise sans se déclarer intelligent.
Comment un code peut-il avoir barre sur un autre sans ferme
abusivement le pluriel des codes?* («¿Cómo podemos acusar d
la estupidez sin declararnos inteligentes? ¿Cómo puede un có
digo aventajar a otro sin cerrar abusivamente el plural de los có
digos?») (*S/Z,* p. 212). ¿Cómo puede el ironizador criticar u
punto de vista o una actitud por ser demasiado limitados si
afirmar la integridad y verdad de su propia concepción?

Verdaderamente, se trata de una cuestión crucial, pues de l
descripción ofrecida hasta aquí podría parecer que la naturaliza
ción irónica tiene pretensiones más grandiosas que las cosas qu
rebaja. En el momento en que proponemos que un texto signifiqu
algo diferente de lo que parece decir, introducimos, como recurso
hermenéuticos que deben conducirnos hasta la verdad del text
modelos que están basados en nuestras expectativas sobre el tex
y sobre el mundo. El cínico podría decir que la ironía es la form
última de recuperación y naturalización, con lo que nos asegur
mos de que el texto dice lo que queremos oír. Reducimos lo e
traño o incongruente, e incluso actitudes con las que no estamo
de acuerdo, dándole el calificativo de irónico y haciendo que co
firme, en lugar de defraudar, nuestras expectativas.

Pero también podríamos invertir esa definición y, enfocand
su faceta menos cínica, decir que al calificar de irónico un tex
indicamos nuestro deseo de evitar la exclusión prematura, de pe
mitir al texto surtir efecto lo más plenamente que pueda, de co
cederle beligerancia permitiéndole contener cualesquiera dudas q
se nos ocurran al leerlo. Es decir, que, una vez establecidas l
expectativas de la ironía, podemos emprender lecturas irónicas q
no conduzcan a una certeza o «actitud verdadera» que pueda op

nerse a la declaración aparente del texto, sino sólo a una *vraisemblance* formal o nivel de coherencia formal que es el de la propia incertidumbre irónica. Lo que se contrapone a la apariencia no es la realidad, sino la pura negatividad de la ironía ininterrumpida.

En Stephen Crane, por ejemplo, encontramos muchos ejemplos de incongruencias superficiales: violaciones del registro, que tendemos a suponer irónicas; pero es extraordinariamente difícil localizar afirmación encubierta alguna tras ellas. Cuando se nos dice en *The Open Boat* que «muchos hombres deben de tener una bañera mayor que el barco que aquí surcó el mar» podemos identificar la ironía de la inversión: el barco es del tamaño de una bañera y, como una bañera, está lleno de agua, pero las bañeras están destinadas a mantener el agua dentro y los barcos a mantener el agua fuera. Pero eso de que «muchos hombres deben de» dice algo extraño que resulta difícil situar: una frase que parece connotar sólo indiferencia por parte del narrador, renuencia a hacerse responsable de la prosa. «Aquellas olas eran bruscas y altas de modo ilícito y bárbaro y cada cresta de espuma era un problema para la navegación del barquichuelo.» También en este caso existe un problema fundamental de tono, una sugerencia de ironía; pero las olas *son* bárbaramente altas: ¿estamos dispuestos realmente a sostener que el narrador está haciendo un guiño irónico a los hombres del barco, haciéndoles pensar que las olas son ilícitamente bruscas y rebajando el carácter egocéntrico de esa visión? ¿Revela realmente la lítotes ligeramente pomposa «un problema para la navegación del barquichuelo» su dificultad para gobernarlo e impedir que se hunda? Podríamos multiplicar los ejemplos casi indefinidamente, y la única solución satisfactoria es naturalizar esas extrañas observaciones en el nivel de una ironía dudosa.

Barthes dice que Flaubert:

> en maniant une ironie frappée d'incertitude, opère un malaise salutaire de l'écriture: il n'arrête pas le jeu des codes (ou l'arrête mal), en sorte que (c'est là sans doute la preuve de l'écriture) on ne sait jamais s'il est responsable de ce qu'il écrit (s'il y a un sujet derrière son langage); car l'être

225

de l'écriture (le sens du travail qui la constitue) est d'empêcher de jamais répondre à cette question: Qui parle?

(al manejar una ironía marcada por la incertidumbre, produce un malestar saludable de la escritura: no detiene el juego de los códigos (o lo detiene mal), de modo que (ésa es seguramente la *prueba* de la escritura) *nunca se sabe si es responsable de lo que escribe* (si hay un sujeto *tras* su lenguaje); pues el ser de la escritura (el sentido del trabajo que la constituye) es impedir que se pueda responder nunca a esta pregunta: *¿Quién habla?*) (S/Z, p. 146.)

Eso es precisamente lo que parece que encontramos en Crane: incapaces de detener el juego del significado y de componer el texto, ni siquiera sus fragmentos, en el sentido de que alguien con actitudes identificables lo pronuncie desde una posición identificable, nos vemos forzados a reconocer que el acto de escribir de salirse del circuito comunicativo del habla, ha tenido éxito, y que el nivel de *vraisemblance* en que el relato se vuelve coherente es el de la propia ironía como proyecto. Podríamos decir que la dislocación narrativa revela el lenguaje como una especie de destino indiferente, que puede poner a prueba todo con un distanciamiento y una indiferencia que son de una crueldad injustificada. El paso del lector por las olas de esa ironía es una travesía de descubrimiento, indudablemente, en el sentido de que se le hace poner a prueba todas las formas de rebajar la experiencia de los hombres en el barco y pasar por las diferentes pomposidades mediante las que el lenguaje desdibuja la experiencia o la vuelve frágil y vulnerable a la mofa. Ofrecer una lectura en ese nivel e naturalizar elementos del texto confiriéndoles una función en es pauta, pero dicha pauta no es tanto un precipitado positivo de ironía cuanto la acción de la propia ironía como medio de vacilación.

Naturalizar en esos distintos niveles es volver el texto inteligible poniéndolo en relación con los diferentes modelos de coh rencia. Aunque en la jerga estructuralista se tiende a considerar la naturalización como algo negativo, es una función inevitable de la lectura; y por lo menos puede valer la pena observar que, cuando los formalistas rusos —cuya obra sobre este tema no han rechazado los estructuralistas— hablaban de naturalización bajo el encabezamiento de «motivación», la consideraban algo muy positivo realmente. Un elemento estaba motivado, si tenía una función en el texto, literario, y en principio todos los elementos de una obra de arte lograda debían estar motivados. La función más humilde era la «motivación realista»: si en la descripción de una habitación aparecen elementos que no nos dicen nada sobre un personaje y no desempeñan papel alguno en la trama, esa propia ausencia de significado les permite anclar el relato en lo real mediante el significado: esto es la realidad. Como observa Barthes, esa función se basa en la hipótesis, profundamente arraigada en la cultura occidental, de que pura y simplemente el mundo está ahí y, en consecuencia, la mejor forma de denotarlo es hacerlo mediante objetos cuya única función es estar ahí (*L'effet de réel,* p. 87). Los formalistas rusos identificaron también la «motivación de la composición», en que un elemento queda justificado por su contribución a la estructura de la trama o al retrato de un personaje, y la «motivación artística», en que un elemento o recurso contribuye a efectos artísticos especiales, de los cuales aquel del que hablaron con mayor frecuencia fue el «extrañamiento» o renovación de la percepción.[19] Pero, como debe de haber quedado ya claro, esas variedades de motivación representan formas diferentes de naturalizar el texto, de relacionarlo con modelos de inteligibilidad: la motivación realista abarca mis niveles primero y segundo de *vraisemblance;* la motivación de la composición, el segundo y el tercero; y la motivación artística, el segundo, el tercero, el cuarto y el quinto. La crítica valora la motivación en la medida en que considera su misión la construcción de un simulacro coherente e inteligible del texto.

La insatisfacción estructuralista con respecto a la naturalización no entraña la capacidad de superarla: no podemos eludir la naturalización, si pretendemos hablar de las obras literarias; lo único que podemos hacer es posponerla y asegurarnos de que se produce en un nivel superior y más formal. Sin embargo, existe el deseo de eludir la exclusión prematura, de permitir que el propio texto se diferencie del lenguaje ordinario, de garantizar el máximo alcance al juego de los rasgos formales y de las incertidumbres semánticas. En lugar de intentar resolver las dificultades para producir temas o declaraciones por parte de un personaje sobre un problema particular, podemos intentar preservar dichas dificultades organizando el texto como una ilustración de determinados problemas. En el nivel más alto son problemas del propio lenguaje.

El examen del proceso de lectura como naturalización produce, naturalmente, una disposición hacia ese tipo de crítica, porque, si hemos tomado conciencia de las diferentes operaciones naturalizadoras que entrañan la lectura y la crítica, prestaremos renovada atención al modo como resiste el texto las operaciones que pretendemos realizar sobre él y al modo como supera el significado que podemos descubrir en cualquier nivel de *vraisemblance*. En consecuencia, los rasgos más interesantes de un texto —los rasgos sobre los cuales puede preferir extenderse la *crítica* estructuralista— se convierten en aquellos mediante los cuales afirma su carácter distintivo, su diferencia con respecto a lo que ya tratan los modelos culturales de la literatura como institución. Pero éste es un tema que hemos de dejar para el último capítulo. Todavía hay mucho que decir sobre la propia poética antes de pasar a una crítica que se derive de la poética. Si los estructuralistas se han apresurado demasiado a superar los sistemas de convención, no estamos obligados a seguir su ejemplo, especialmente porque las violaciones de las normas que les interesan sólo son posibles gracias a normas que se han puesto a investigar detalladamente con demasiada impaciencia. Ahora hemos de intentar exponer la labor que se ha hecho con respecto a los sistemas de la lírica y de la novela e indicar los casos en que hay que trabajar más.

CAPITULO 8

LA POETICA DE LA LIRICA

> *Heavenly hurt it gives us —*
> *We can find no scar,*
> *But internal difference,*
> *Where the Meanings are*
>
> EMILY DICKINSON

Si tomamos un ejemplo de vulgar prosa periodística y lo escribimos en una página como un poema lírico, rodeado de intimidantes márgenes de silencio, las palabras siguen siendo las mismas pero sus efectos para los lectores quedan alterados substancialmente.[1]

> *Hier sur la Nationale sept*
> *Une automobile*
> *Roulant à cent à l'heure s'est jetée*
> *Sur un platane*
> *Ses quatre occupants ont été*
> *Tués.*

(Ayer en la nacional siete un automóvil que corría a cien kilómetros por hora se estrelló contra un plátano. Sus cuatro ocupantes resultaron muertos.)

La escritura de ese texto como un poema hace entrar en juego un nuevo conjunto de expectativas, un conjunto de convenciones que determinan cómo debe leerse la secuencia y qué clase de interpretaciones pueden derivarse de ello. El *fait divers* se convierte en una tragedia menor pero ejemplar. «Ayer», por ejemplo, adquiere una fuerza completamente diferente: al referirse ahora al conjunto de «ayeres» posibles, sugiere un acontecimiento común, casi casual. Es probable que demos una importancia nueva a la premeditación de *s'est jetée* (literalmente, «se arrojó») y a la pasividad de «sus ocupantes», definidos en relación con su automóvil. La falta de detalles o de explicación connota cierto absurdo, y el estilo neutro, de repertorio, se interpretará indudablemente como comedimiento y resignación. Podríamos observar incluso un ingrediente de intriga después de *s'est jetée* y descubrir trivialidad en el posible retruécano a partir de *platane* (*plat* = «llano») y en el carácter final de la palabra aislada *tués*.

Esto es claramente diferente del modo de interpretar la prosa periodística, y esas diferencias sólo pueden explicarse por las expectativas con que nos acercamos a la poesía lírica, las convenciones que rigen sus posibles modos de significación: el poema es atemporal (a eso se debe la fuerza nueva de «ayer»); está completo en sí mismo (a eso debe la importancia de la ausencia de explicación); debe tener coherencia en un nivel simbólico (a eso se debe la nueva interpretación de *s'est jetée* y de *ses occupants*); expresa una actitud (eso explica el interés en el tono como postura deliberada); sus disposiciones tipográficas pueden recibir interpretaciones espaciales o temporales («intriga» o «aislamiento»). Cuando leemos el texto como un poema, nuevos efectos pasan a ser posibles, aunque las convenciones del género producen una nueva gama de signos.

Esas operaciones interpretativas no son estructuralistas en sentido alguno; son en gran medida las que los lectores y los críticos aplican con mayor sutileza a poemas de mayor complejidad. Pero la tosquedad del ejemplo tiene la virtud de subrayar hasta qué punto se basa la lectura e interpretación de poemas en una teoría implícita de la lírica. «No se olvide», escribe Wittgenstein, «que un poema, aunque esté compuesto en el lenguaje de la información, no se usa en el juego lingüístico en cuestión».[2] Pero no basen absoluto con recordar eso; hay que preguntarse cuál es la naturaleza del juego lingüístico en cuestión.

La poesía se encuentra en el centro de la experiencia literaria porque es la forma que afirma con mayor claridad el carácter específico de la literatura, su diferencia con respecto al discurso ordinario de un individuo empírico sobre el mundo. Los rasgos específicos de la poesía tienen la función de diferenciarla del habla y alterar el circuito de la comunicación dentro del que se inscribe. Como nos dicen las teorías tradicionales, la poesía es fabricación; escribir un poema es un acto muy diferente del de hablar con un amigo, y el orden formal de la poesía —las convenciones del final de los versos, de los ritmos y de las pautas fonéticas— contribuyen a hacer que el poema sea un objeto impersonal, cuyos «yo» y «tú» son construcciones poéticas. Pero el hecho de que un texto sea un poema no es el resultado necesario de sus propiedades lingüísticas, y los intentos de basar una teoría de la poesía en una descripción de las propiedades especiales del lenguaje de los poemas parecen condenados al fracaso.

Cleanth Brooks, por ejemplo, propuso una teoría del discurso poético en su famosa frase, «el lenguaje de la poesía es el lenguaje de la paradoja» (*The Well-Wrought Urn*, p. 3). Por su propia naturaleza el discurso poético es ambiguo e irónico, revela tensión, especialmente en sus modos de calificación; y la lectura atenta, junto con el conocimiento de las connotaciones, nos permitirá descubrir la tensión y la paradoja de todos los poemas logrados. Así, en el verso de Gray, *The short and simple annals of the poor* («Los cortos y simples anales del pobre»), podemos notar una tensión entre las connotaciones habituales de «anales» y los rasgos semánticos del contexto «cortos», «simples» y «los pobres» (p. 102). Aunque Brooks y otros han encontrado tensión y paradoja en poesía de todas las clases, la teoría fracasa como descripción de la naturaleza de la poesía porque podemos encontrar tensión semejante en cualquier clase de lenguaje. La obra de Quine *From a Logical Point of View* raras veces se confunde con un poema, pero su primera oración reza así: «Una cosa curiosa del problema ontológico es su simplicidad». Existe tensión entre las asociaciones de «ontológico» y la afirmación de simplicidad, especialmente porque el ensayo nos muestra que dista de ser simple. Además, existe una ironía sutil en el uso de la palabra «cosa», generalmente asociada con los objetos físicos, pero usada en este caso para lo que es ontológicamente problemático: un hecho o propiedad relacional. De hecho, la tensión en este ejemplo parece mayor que en el verso de Gray; y el crítico que quiera aceptar a Gray como poeta y excluir a Quine de esa cofradía se verá obligado, creo yo, a decir que la tensión es pertinente en el primer caso de un modo que no lo es en el segundo, que debemos prestar atención al primero pero no tenemos por qué prestar atención al segundo.

Desde luego, si se usara la oración de Quine en un juego lingüístico diferente, absorbido por convenciones diferentes, la ironía pasaría a ser dominante temáticamente:

> Desde un punto de vista lógico
> *Una cosa*
> > *curiosa*
> *del problema*
> > *ontológico*
> *es*
> > *su*
> *simplicidad*

La disposición tipográfica produce un tipo diferente de atención y libera parte de la energía verbal potencial de «cosa», «es» y «simplicidad». Estamos ocupándonos menos de una propiedad del lenguaje (la ironía o la paradoja intrínsecas) que de una estrategia de la lectura, cuyas operaciones más importantes se aplican a objetos verbales dispuestos como los poemas aun cuando sus pautas métricas y fonéticas no sean evidentes.

Desde luego, eso no equivale a negar la importancia de las pautas formales. Como ha subrayado Jakobson, en el discurso poético la equivalencia se convierte en el recurso constitutivo de secuencia, y la coherencia fonética o rítmica es uno de los recursos más importantes que distancian la poesía de las funciones comunicativas del habla ordinaria. El poema es una estructura de si nificantes que absorbe y reconstituye el significado. La primacía de la disposición formal en pautas permite a la poesía asimilar los significados que tienen las palabras en otros casos de la lengua y someterlas a una nueva organización. Pero la significación de las pautas formales es, a su vez, en sí misma una expectativa convencional, el resultado tanto como la causa de un tipo de atención específica con respecto a la poesía. Como sostiene Robert Graves,[3]

No «oímos», cuando leemos prosa normal; sólo en poesía prestamos atención al metro y a las variaciones rítmicas a partir de él. Los autores de *vers libre* confían en que sus tipógrafos llamen nuestra atención sobre lo que se llama «cadencia» o «relación rítmica» (que no es fácil de seguir) que podría habernos pasado desapercibida si se hubiera escrito en prosa; como verá el lector, *esta* oración hace burla con el pulgar en la nariz.

Al leer poesía, estamos dispuestos no sólo a reconocer pautas formales sino también a hacer de ellas algo más que un ornamento unido a las expresiones comunicativas; y así, como dice Genette, la esencia de la poesía radica no en el propio artificio verbal, aunque éste sirve de catalizador, sino, de forma más simple y profunda, en el tipo de lectura (*attitude de lecture*) que el poema impone a sus lectores:

una actitud motivadora que, más allá o más acá de los rasgos prosódicos o semánticos, concede a la totalidad o a parte del discurso esa presencia intransitiva y existencia absoluta que Eluard llama «prominencia poética» (*l'évidence poétique*). En este caso el lenguaje poético parece revelar su auténtica «estructura», que no es la de una *forma* particular definida por sus atributos específicos sino la de un *estado,* un grado de presencia e intensidad a la que, por decirlo así, se puede llevar cualquier secuencia, con tal de que se haya creado a su alrededor ese *margen de silencio* que la aísla en medio del habla ordinaria (pero no como una desviación). (*Figures II,* p. 150.)

Esto quiere decir que ni las pautas formales ni la desviación lingüística del verso bastan para producir la estructura o estado auténticos de la poesía. El tercer factor, decisivo, que puede operar eficazmente, aun en ausencia de los otros, es el de la expectativa convencional, el del tipo de atención que recibe la poesía en virtud de su posición dentro de la institución de la literatura. Analizar la poesía desde el punto de vista de la poética es especificar lo que interviene en esas expectativas convencionales que hacen que el lenguaje poético esté sujeto a una teleología o finalidad diferente de la del habla ordinaria y cómo contribuyen esas expectativas o convenciones a los efectos de recursos formales y de los contextos externos que la poesía asimila.

Distancia y deixis

En primer lugar, existe el hecho de la distancia y de la impersonalidad. Leer un poema de un poeta que no sea un conocido nuestro es muy diferente de la lectura de una de sus cartas. Esta última se inscribe directamente en un circuito comunicativo y depende de contextos externos cuya pertinencia no podemos negar aunque los ignoremos. El «yo» de la carta es un individuo empírico, como lo es el «tú» a quien se dirige; se escribió en un momento determinado y en una situación a la que se refiere; e interpretar la carta es aducir dichos contextos para leerla como un hecho temporal e individual. El poema no está relacionado con el tiempo del mismo modo, ni tiene la misma naturaleza interpersonal. Aunque en el acto de interpretarlo podemos recurrir a contextos externos, contándonos a nosotros mismos relatos empíricos (una mañana el poeta estaba en la cama con su amante y, cuando el sol le despertó y le indicó que era hora de levantarse y de dedicarse a sus asuntos, dijo: *Busie old foole, unruly Sunne.* [«Viejo atareado y necio, inquieto Sol...»]), pero sabemos que esos relatos son construcciones ficticias que empleamos como recursos interpretativos. La situación a la que recurrimos no es la del acto lingüístico efectivo sino la de un acto lingüístico que consideramos está imitando el poema: directa o desviadamente. Recurrimos a modelos de la personalidad y del comportamiento humanos para construir referentes para los pronombres, pero sabemos que nuestro interés por el poema depende del hecho de que es algo diferente del registro de un acto de habla empírico. Y si decimos que la lírica no se oye propiamente, sino que se oye por casualidad, no nos hacemos la ilusión de estar escuchando por el ojo de la cerradura; simplemente estamos usando esa ficción como recurso interpretativo. En realidad, el hecho de que desarrollemos esas estrategias para superar la impersonalidad del discurso poético es la confirmación más pronunciada de dicha impersonalidad.

La mejor forma de observar ese aspecto de la función poética es hacerlo mediante las formas en que nuestras expectativas con respecto a la lírica alteran los efectos de los deícticos. Los deícticos son rasgos «orientadores» de la lengua que se relacionan con la situación en que se produce la expresión, y para nuestros fines los más interesantes son los pronombres de primera y segunda persona (cuyo significado en el discurso ordinario es «el hablante» «la persona a la que éste se dirige»), los artículos y demostrativos anafóricos que se refieren a un contexto externo y no a otros elementos del discurso, los adverbios de lugar y de tiempo cuya referencia depende de la situación en que se produce la expresión («aquí», «allí», «ahora», «ayer») y los tiempos verbales, especialmente el presente no intemporal. La importancia de dichos deícticos como recursos técnicos en poesía no puede sobreestimarse, y en nuestro deseo de hablar de un personaje poético reconocemos desde el principio que dichos deícticos no van determinados por una situación real en la que se produzca la expresión, sino que funcionan a cierta distancia de ella. Cuando los cuatro primeros *Poetical Sketches* de Blake (*To Spring, To Summer, To Autumn To Winter*) se dirigen a cada estación por turno y le piden que acelere o difiera su visita, no aceptamos eso simplemente como contexto del discurso (Blake está dirigiéndose a las estaciones), sino que reconocemos que semejante procedimiento es un recurso cuyas consecuencias deben incorporarse dentro de nuestra interpretación del poema. ¿Cómo podemos construir un «yo» poético que se dirija a las estaciones y qué podemos hacer con el «tú» al que se dirige? Como escribe Geofrey Hartman,

235

Si bien llamar a las estaciones es un acto gratuito o ritual, ayuda a colocar en primer plano el *pathos* lírico, el *ore rotundo* de su estilo. En este caso la voz se llama a sí misma, evoca imágenes de su poder anterior. Blake se entrega a una continua reminiscencia de dicho poder al ofrecernos un *pastiche* espléndido de ecos y temas procedentes de la Biblia, los clásicos, e incluso la tradición de la oda elevada del siglo XVIII. Todo es dicción poética, pero dicción poética en busca de su verdad, que es la identidad, ahora perdida, del espíritu poético y profético. (*Beyond Formalism,* p. 194.)

Los deícticos no nos remiten a un contexto externo, sino que nos fuerzan a construir una situación ficticia en que se produce la expresión, a dar vida a una voz y a una fuerza a las que aquélla se dirige, y eso nos exige considerar la relación de la que podrían extraerse las características de la voz y de la fuerza y concederle un lugar central dentro del poema. Las convenciones que nos permiten abandonar una situación real del discurso para substituirla por un modo invocativo-profético vuelven a colocar este último marco en el poema como un ejemplo de la energía de anticipación que caracteriza al espíritu poético: un espíritu que puede prever aquello que requiere. Nuestra capacidad para percibir el espíritu se debe en parte a las convenciones que sacan el poema de un circuito ordinario de la comunicación.

Encontramos fenómenos de ese tipo en una gama de casos en que los efectos temáticos específicos pueden ser muy diferentes. Si no fuera por las expectativas convencionales, nos perturbaría descubrir que el «yo» de *The Cloud* («La nube»), de Shelley, es una nube en realidad; si las convenciones fueran menos potentes, nos contentaríamos simplemente con haber identificado la situación en que se produce la expresión. Pero, como el «yo» es una construcción poética, debemos reintroducir en el poema nuestra identificación preliminar, y hemos he intentar determinar qué significa hacer hablar una nube, qué clase de «yo» encubre el poema y conceder a la respuesta un lugar central en nuestra interpretación. *Anecdote of a Jar,* de Wallace Stevens, nos ofrece un solo deíctico con el que trabajar: el «yo» del primer verso.

236

I placed a jar in Tennessee,
And round it was, upon a hill.

(Coloqué una jarra en Tennessee,
una jarra redonda, sobre una colina.)

Cualquier hablante que el lector añada o imagine será una construcción poética. Su identidad depende de la importancia del significado concedido a la acción de colocar la jarra en Tennessee, en el sentido de que ha de tratarse de alguien capaz de ser el agente de la acción. Y el hecho de que el deíctico aparezca en el poema indica que la acción tiene su importancia y debe integrarse a cualquier interpretación.

Toda una tradición poética usa deícticos espaciales, temporales y personales para forzar al lector a construir un personaje meditativo. El poema aparece presentado como el discurso de un hablante que, en el momento de hablar, se encuentra ante una escena particular, pero, aun cuando esa afirmación aparente sea biográficamente auténtica, queda absorbida y transformada por la convención poética, con lo que permite cierto tipo de desarrollo temático. El drama será el de la propia mente, cuando se enfrenta a estímulos externos, y el lector ha de tener en cuenta el abismo entre objeto y sentimiento, aunque sólo sea para que la fusión que el poema puede establecer se considere un éxito. *The Eolian Harp* de Coleridge afirma su contexto con pronombres de primera y segunda persona, verbos en presente, e indicaciones de tiempo y lugar:

My pensive Sara! thy soft cheek reclined
Thus on mine arm, most soothing sweet it is
to sit beside our Cot (...)
And watch the clouds (...)
    How exquisite the scents
Snatched from yon bean-field! (...)

[¡Melancólica Sara!, con tu suave mejilla así apoyada
en mi brazo, ¡qué agradable y sedante es

237

> *sentarse junto a nuestra cabaña* (...)
> *y contemplar las nubes* (...)
>   *¡Qué exquisitos los perfumes*
> *arrebatados a tu huerto!* (...)]

El ambiente es un punto de partida para la labor de la imaginación, pero el lector ha de convertir la situación en un caso de seguridad, serenidad, satisfacción; pues, después de que el inseguro panteísmo cede ante los escrúpulos religiosos, el poema regresa a sus deícticos (*this cot, and thee, heart-honoured Maid!* [«¡esta cabaña y tú, gloriosa Virgen!»]) fijándose en su situación de discurso. Aunque no haya un regreso explícito semejante en *Tintern Abbey,* de Wordsworth, la función de los deícticos es la misma en gran medida, y el lector no ha de considerar la situación que los primeros versos le refuerzan a construir como un marco externo, sino como la asimilación proléptica de la estructura temática principal: la asimilación por parte de la imaginación de los pormenores del mundo y su reacción ante ellos. De forma semejante, en *Among School Children,* de Yeats, el primer verso, *I walk through the long schoolroom questioning* («Atravieso la larga clase preguntando»), y el posterior, *I look upon one child of t'other there* («Miro a este niño o a aquel otro»), no sólo nos ofrecen la situación del discurso, sino que, además, nos fuerzan a construir un narrador poético que pueda satisfacer las exigencias temáticas del resto del poema.

En resumen, incluso en poemas que aparecen presentados ostensiblemente como declaraciones personales hechas en ocasiones particulares, las convenciones de la lectura nos permiten evitar considerar ese marco como una cuestión puramente biográfica y construir un contexto referencial de acuerdo con las exigencias de coherencia que impone el resto del poema. La situación ficticia del discurso debe construirse de modo que tenga una función temática. Esos cambios en la lectura de los deícticos que las convenciones poéticas producen no son menos evidentes en poemas en que el «yo» del hablante queda implícito. *Leda and the Swan* de Yeats contiene un número inhabitual de artículos definidos anafóricos en sus primeros versos:

A sudden blow: the great wings beating still
Above the staggering girl, the thigs caressed
By the dark webs, her nape caught in his bill,
He holds her helpless breast upon his breast.
How can those terrified vague fingers push
The feathered glory from her loosening thighs?

(Una ráfaga repentina: las grandes alas batiendo todavía
sobre la temblorosa muchacha, los muslos acariciados
por las obscuras membranas, su nuca atrapada en el pico
[*de él,*
que sujeta contra su pecho el indefenso pecho de ella.
¿Cómo pueden esos aterrorizados e imprecisos dedos apartar
el plumífero esplendor de sus muslos que ya ceden?)

La función ordinaria de dichos artículos no resulta destruida: hemos de construir una referencia para ellos (las alas del cisne, la muchacha en la escena, sus muslos, las obscuras membranas de las patas del cisne, etc.).[5] Pero no podemos decir simplemente que el poeta esté mirando la escena o una representación de ella y que, en consecuencia, la esté dando por sentada, porque ese uso de los deícticos es el resultado de una opción (sabe que los lectores no estarán viendo la escena); así, que hemos de considerar las consecuencias de adoptar semejante postura, de convertir el acontecimiento en una escena relativamente estática usada como punto de partida para las preguntas sobre el saber y el poder, sobre la relación de la encarnación y el determinismo histórico. O también, cuando un poema como *On my first Daughter,* de Ben Jonson, comienza con un adverbio de lugar.

Here lies to each her parents ruth,
Mary, the daughter of their youth

(«Aquí yace, para aflicción de sus padres,
Mary, la hija de su juventud.»)

el deíctico no nos ofrece primordialmente una localización espacial, sino que, tan pronto como hemos identificado su referencia a la tumba, nos revela el tipo de acto ficticio ante el que nos encontramos y, en consecuencia, cómo hemos de interpretar el poema. Funciona como el tradicional *siste viator* del epitafio y, como las convenciones de la poesía nos han acostumbrado a separar la situación ficticia del acto empírico de enunciación, podemos leer el poema como epitafio y entender el paso del *my* del título al *their* del segundo verso. Aunque las «inscripciones» de ese tipo constituyen un subgénero de la poesía estrechamente relacionado con el epigrama, el distanciamiento enunciativo que las convenciones de la deixis poética hacen posible nos permite concebir la poesía lírica en general como un enfoque de la inscripción, si bien se trata de una inscripción que cuenta una historia figurada de su propia génesis.

Desde luego, la poesía contemporánea aprovecha la impersonalidad para fines más destructivos. El juego con los pronombres personales y con las obscuras referencias deícticas que impiden al lector construir un acto enunciativo coherente es una de las formas principales de poner en cuestión el mundo ordenado que el circuito ordinario da por sentado. Un solo ejemplo de John Ashbery ilustrará muy bien las dificultades que surgen, cuando las incertidumbres referenciales ponen obstáculos a la construcción de un contexto enunciativo funcional.[6]

> They dream only of America
> To be lost among the thirteen million pillars of grass:
> «This honey is delicious
> Though it burns the throat.»
>
> And hiding from darkness in barns
> They can be grownups now
> And the murderer's ash tray is more easily—
> The lake a lilac cube.
>
> («Sólo sueñan con América
> y perderse entre los trece millones de pedestales de hierba:
> 'Esta miel es deliciosa
> aunque queme la garganta.'

Y escondiéndose de la obscuridad en los pajares
ya pueden ser adultos
y el cenicero del asesino es más fácilmente:
el lago un cubo lila.»)

Encontramos dificultad para componer una escena o situación porque demasiadas cosas se dan por sentadas: *They* («ellos»), *the thirteen million pillars* («los trece millones de pedestales»), *This honey* («esta miel»), el mismo u otro *They, The murderer's ash tray* («el cenicero del asesino») y *The lake* («el lago»). Se nos incita a convertirlos en datos objetivos de una única situación y a hacer que parezcan condenados al fracaso. Pero en este caso podemos observar los efectos de nuestras expectativas, porque podemos producir lecturas lanzando algunas hipótesis. Si el *They* del verso primero es el mismo *They* del verso sexto, y si este último rige *hiding* («escondiéndose») en el verso quinto, en ese caso podemos decir que soñar con América es una forma adulta de esconderse de la obscuridad, un deseo de perderse en las hojas de hierba de Whitman que ahora han pasado a estar institucionalizadas: pedestales numerosos pero que se pueden contar. Y si suponemos que el asesino no cuadra en esa situación particular, sino que procede de otro contexto, podemos relacionar esa forma de esconderse con el rito tranquilizador de ocultamiento y descubrimiento evocado por el fragmento paroxístico de un relato policíaco (la ceniza del asesino como clave). Si consideramos que *This* en el verso tercero no se refiere a un contexto externo, sino al sueño del primer verso, podemos decir que soñar con América es una experiencia agridulce; o si consideramos los versos tercero y cuarto como una cita yuxtapuesta procedente de otro contexto podemos convertirlo en un ejemplo de la experiencia de los adultos, que han aprendido a valorar lo dulce a pesar de su regusto posterior. Contrapuesto a esa agitación humana va el lago (¿qué lago?), coincidente fonéticamente con su descripción (*the* lake a *li*lac *cube*), cristalino y oponiendo resistencia a los intentos de relacionarlo con otros elementos de una situación.

Las conexiones son múltiples y tenues, especialmente porque

241

la plétora de deícticos nos impide construir una situación discursiva y determinar sus constituyentes primordiales. Esos objetos provocan una exploración de nuestras formas de ordenar más útil de lo habitual, exploración que no comenzaría, naturalmente, si no fuera por las convenciones iniciales que nos permiten construir personajes ficticios para satisfacer las exigencias de coherencia y pertinencia internas. «Al leer hemos de tomar conciencia de lo que escribimos inconscientemente en nuestra lectura», dice Philippe Sollers (*Logiques,* p. 220). Nuestra «escritura inconsciente» es un intento de ordenar y naturalizar el texto, que en poemas como el de Ashbery es desafiado y cuestionado.

Nuestro recurso más importante para ordenar es, desde luego, la noción de la persona o el sujeto hablante, y el proceso de lectura se ve especialmente perturbado cuando no podemos construir un sujeto que haga de fuente de la expresión poética. Así, pues, hay una plausibilidad inicial en la afirmación de Julia Kristeva de que el lenguaje poético entraña un paso constante del sujeto al no sujeto, y de que «en ese *otro* espacio en que la lógica del habla es inestable, el sujeto se disuelve y en lugar del signo se instituye la colisión de significantes que se anulan recíprocamente» (*Semiotikè,* p. 273). Pero, como han mostrado los ejemplos antes citados, el sujeto individual empírico es lo único que se disuelve, o mejor, se desplaza, trasladado a un modo diferente e impersonal. El personaje poético es una construcción, una función del lenguaje del poema, pero, aun así, desempeña el papel unificador del sujeto individual, y hasta poemas que dificultan la construcción de un personaje poético se basan para sus efectos en que el lector haya de construir una situación enunciativa. Como sostiene Henri Meschonnic en un artículo acertado sobre Kristeva, es más fructífero subrayar la impersonalidad de la escritura y el significado producido por el intento de construir un personaje ficticio que hablar de la desaparición del sujeto (*Pour la poétique,* II, p. 54). Ni siquiera en poemas como el de Ashbery está bloqueado definitivamente el proceso naturalizador: podemos cambiar las referencias de los deícticos a otro modo y decir que los versos son fragmentos del lenguaje que podrían usarse referencialmente, pero que en este caso están simplemente inscritos (la mano que escribe, después de haberlo escrito, sigue adelante) y que la situación enunciativa es la de la lengua elaborándose en fragmentos que se juntan y ordenan mediante pautas formales. Si seguimos este camino, todavía podemos postular, como función unificadora, un personaje poético cuyo habla anuncia, como escribe Ashbery en otro lugar,[7]

> that the carnivorous
> Way of these lines is to devour their own nature, leaving
> Nothing but a bitter impression of absence, which as we
> know involves presence but still.
> Nevertheless these are fundamental absences, struggling to
> get up and be off themselves.

> (que el carnívoro
> Método de estos versos es devorar su propia naturaleza, no de-
> [jando
> Sino una amarga impresión de ausencia, que como
> sabemos entraña presencia aunque sosegada.
> Aun así, son ausencias fundamentales, que se esfuerzan por
> alzarse y marcharse.)

Las totalidades orgánicas

La segunda convención fundamental de la lírica es lo que podríamos llamar expectativa de totalidad o coherencia. Naturalmente, está relacionada con la convención de la impersonalidad. Los actos de habla ordinarios no tienen por qué ser totalidades autónomas porque son partes de situaciones complejas en las que colaboran y de las que obtienen significado. Pero si la propia situación enunciativa de un poema es una construcción que debe reintroducirse en el poema como uno de sus componentes, podemos ver por qué han seguido los críticos generalmente a Coleridge al insistir en que el poema auténtico es «aquel cuyas partes se sostienen y se explican unas a otras» (*Biographia Literaria*, capítulo XIV). Naturalmente, se ha impugnado esa idea, especial-

243

mente como criterio de excelencia: «un poema es más como un árbol de Navidad que un organismo, dice John Crowe Ransom.[8] Pero, aun cuando adoptemos su metáfora, puede resultarnos difícil abandonar la idea de una totalidad armónica: algunos árboles de Navidad están más logrados que otros, y sentimos inclinación a pensar que la simetría y la disposición armoniosa de los adornos contribuye algo al éxito.

Sin embargo, el detalle crucial es que aunque neguemos la necesidad de que un poema sea una totalidad armónica, usamos esa idea en la lectura. La comprensión es necesariamente un proceso teleológico y una apreciación de la totalidad es el fin que rige ese proceso. Idealmente, deberíamos poder explicar todos los elementos de un poema y, de entre las explicaciones totales, deberíamos preferir las que mejor consiguieran relacionar los elementos unos con otros en lugar de ofrecer explicaciones separadas y sin relación. Y los poemas logrados como fragmentos o ejemplos de totalidad incompleta dependen para su éxito del hecho de que nuestra inclinación a la totalidad nos permita reconocer sus lagunas y discontinuidades y atribuirles un valor temático. Por ejemplo, *Papyrus* de Pound

> *Spring...*
> *Too long...*
> *Gongula...*

> (*Primavera...*
> *Demasiado larga...*
> *Gongula...*),

no es en sí mismo una totalidad armónica: la solidaridad de las vocales y de las consonantes no consigue imponer una continuidad semántica. Hemos de leerlo como un fragmento, lo que, de hecho, nos invitan a hacer los puntos suspensivos. Pero lo enfocamos con la presunción de continuidad (la hipótesis, por ejemplo, de que las cuatro palabras son parte de una única afirmación) y podemos extrapolarlo para leerlo como un poema de amor (Gongula como una persona a la que se dirige el autor), considerando los vacíos como figuras de la anticipación y de la falta de integridad. Es decir, que interpretar el poema es dar por sentada una totalidad y después dar sentido a los vacíos, ya sea explorando formas de completarlos o atribuyéndoles significado como vacíos.

Las ideas de totalidad revisten diferentes formas en los escritos estructuralistas. Ya hemos hablado de la insistencia de Jakobson en que los poemas revelen una rigurosa simetría en el nivel de las pautas fonéticas y gramaticales. La teoría de Greimas sobre la poesía lírica como manifestación discursiva de una taxonomía entraña la tesis de que el lector avanza hacia una comprensión del poema construyendo clases temáticas y de que lo que está buscando es una homología de cuatro términos en que dos clases opuestas van en correlación con valores opuestos. Naturalmente, se trata de una hipótesis sobre las convenciones de la lectura, el tipo de objetivo hacia el que vamos avanzando al leer. Todorov habla de la lectura como «figuración» en que intentamos descubrir una estructura central o recurso generativo que rige todos los niveles del texto. Y Barthes dice que en la poesía moderna «las palabras producen una continuidad formal de la que emana gradualmente una densidad intelectual o emocional sin ellas». Sin embargo, las palabras individuales contienen todos los sentidos y relaciones potenciales entre los cuales tendría que escoger el discurso comunicativo, por lo que «instituyen un discurso lleno de lagunas y destellos, lleno de ausencias y de signos voraces, sin una intención prevista y fija» (*Le Degré zéro de l'écriture,* pp. 34 y 38). El concepto de totalidad es fundamental porque sólo en función de él podemos definir la acción de la poesía moderna: la incapacidad para realizar, salvo momentánea y débilmente, la continuidad prometida por las pautas formales. Como cualquier interesado en el acto de la lectura, Barthes ha de dar por sentado el impulso hacia la fusión y la totalidad como una expectativa que con frecuencia quedará defraudada por la acción de la propia literatura, pero que, por una serie de razones distintas, es la fuente de los efectos que prefiere describir.

La forma más fácil de observar el propósito de totalidad del proceso interpretativo es en el caso de los poemas en que hay una discontinuidad aparente. El poema lírico de Thomas Nashe *Adieu, farewell earth's bliss,* concluye con la siguiente estrofa:

> *Haste, therefore, each degree*
> *To welcome destiny.*
> *Heaven is our heritage,*
> *Earth but a player's stage;*
> *Mount we unto the sky.*
> *I am sick, I must die.*
> *Lord, have mercy on us.*

> *(Acelera, pues, cada paso*
> *para recibir al destino.*
> *El cielo es nuestra herencia,*
> *la tierra sólo un escenario;*
> *ascendamos a los cielos.*
> *Estoy enfermo, debo morir.*
> *Señor, ten piedad de nosotros.)*

Cada uno de los tres últimos versos carece en sí mismo de ambigüedad, pero se vuelven ambiguos, como dice Empson, en virtud de que el lector da por sentado que están relacionados. Hemos de intentar reconciliarlos haciéndoles encajar en una estructura que funcione como una totalidad. Desde luego, existen diferentes formas de hacerlo —diferentes interpretaciones de los tres últimos versos— pero podemos distinguirlas mediante los diferentes modelos que usan. En primer lugar, si el modelo es la dialéctica elemental de tesis, antítesis y síntesis, podemos decir que la exaltación arrogante del místico aparece contrapuesta al mero terror del hombre natural y que el tercer verso transforma esa oposición en una humildad cristiana. O, si el modelo es la serie unida por un común denominador, podemos sostener «que la experiencia que comunican es demasiado intensa como para concebirla como una serie de contrastes; que podemos reconciliar los elementos diferentes; que no somos conscientes de su diferencia sino sólo de la grandeza de la imaginación que los ha reunido» (*Seven Types of Ambiguity,* pp. 15-16). Por último, tomando como modelo la oposición que no se transforma sino que se reduce mediante un cambio a otro modo, podríamos decir que el último verso actúa como una evasión de la contradicción de los dos versos anteriores al pasar del dominio del sentimiento y del juicio al de la fe. Si otras interpretaciones parecen menos satisfactorias que ésta, se debe indudablemente a que no consiguen alcanzar estructuras que se corresponden con uno de nuestros modelos elementales de totalidades.

En el ejemplo de Nashe los modelos de unidad nos ayudan a relacionar tres elementos distintos y paralelos en una secuencia paratáctica, pero también pueden usarse para descubrir estructura en un poema que ya esté unificado, si bien de forma algo refractaria, gracias a su sintaxis compleja.

Soupir

Mon âme vers ton front où rêve, ô calme soeur,
Un automne jonché de taches de rousseur,
Et vers le ciel errant de ton oeil angélique
Monte, comme dans un jardin mélancolique,
Fidèle, un blanc jet d'eau soupire vers l'Azur!
—Vers l'Azur attendri d'Octobre pâle et pur
Qui mire aux grands bassins sa langeur infinie
Et laisse, sur l'eau morte où la fauve agonie
Des feuilles erre au vent et creuse au froid sillon,
Se traîner le soleil jaune d'un long rayon.

Suspiro

(Mi alma hacia tu frente, donde sueña, oh calma hermana,
Un otoño cubierto de pecas,
Y hacia el cielo errante de tu ojo angélico,
Sube, como en un jardín melancólico,
Fiel, un blanco surtidor aspira al azur.
—Hacia el azur enternecido de octubre pálido y puro
Que refleja en los grandes estanques su languidez infinita
Y deja, sobre el agua muerta donde la leonada agonía
De las hojas vaga con el viento y cava un frío surco,
Arrastrarse el sol amarillo de un largo rayo.)

247

Como dice Hugh Kenner, Mallarmé produce un único efecto, y «el truco de la mezcla era hacer divagar a los elementos a partir de una oración medular que los mantiene firmemente relacionados unos con otros y permite al intelecto del lector extenderse sobre ellos» (*Some Post-Symbolist Structures,* pp. 391-2). Pero para entender el efecto y captar el poema como un todo hemos de clasificar sus elementos en estructuras que se oponen a la organización sintetizadora de la sintaxis. La primera podría ser la oposición entre lo vertical y lo horizontal: la aspiración del alma y de la fuente blanca, por un lado, contra el agua «muerta» del estanque, la agonía de las hojas muertas, el frío curso de su vagabundeo horizontal. Esa oposición proporciona una coherencia temática elemental, pero deja sin explicar algunos rasgos del poema y, para integrarlos, hemos de recurrir a otro modelo. Un otoño cubierto de pecas «sueña» en la frente de la mujer, y el azur al que el surtidor blanco aspira se refleja en el estanque del surtidor, de modo que en ambos casos el fin de la aspiración es una transformación del punto de partida. Lo de arriba y lo de abajo se oponen sólo para quedar conectados por el movimiento vertical de la aspiración, que es también, naturalmente, el acto sintetizador del poema (el poema crea conexiones en un acto de homenaje y de aspiración). Pero una vez más podríamos desear superar esa estructura dialéctica y observar que el alma sólo está subiendo, sin llegar, y que una fuente no alcanza el cielo, sino que vuelve a caer en el estanque. Además, en la medida en que el «cielo errante de tu ojo angélico» se identifica con el azur, el largo rayo de un sol que se pondrá no puede permanecer separado de la mirada de la mujer. Así, pues, puede que deseemos estructurar materiales previamente organizados, colocarlos en lo que es más o menos una homología de cuatro términos, y decir que la mujer es al otoño lo que la aspiración del alma es a su fracaso inevitable y no mencionado. Llegará el invierno y el sol se pondrá.

La aspiración a la totalidad del proceso interpretativo puede considerarse como la versión literaria de la ley *gestáltica* de Prägnanz: la de que hay que preferir la organización más rica compatible con los datos.[9] La investigación en el terreno de la percepción artística ha confirmado la importancia de los modelos o expectativas estructurales que nos permiten clasificar, seleccionar y organizar lo que percibimos,[10] y parece haber razones válidas para suponer que, si al leer e interpretar poemas estamos buscando unidad, debemos tener por lo menos nociones rudimentarias de lo que contaría como unidad. Los modelos más básicos parecen ser la oposición binaria, la transformación dialéctica de una oposición binaria, el desplazamiento de una oposición no resuelta mediante un tercer término, la homología de cuatro términos, la serie unida por un denominador común, y la serie con un término final trascendente o compendiador. Constituye una hipótesis por lo menos plausible la de que el lector no se sentirá satisfecho con una interpretación, a no ser que organice un texto de acuerdo con uno de estos modelos formales de unidad.

Tema y epifanía

La tercera convención o expectativa que rige la lírica, estrechamente relacionada con la idea de unidad, es la de significación. Escribir un poema es reclamar significación de algún tipo para la construcción verbal que producimos, y el lector enfoca el poema con la suposición de que, por breve que parezca, ha de contener, por lo menos implícitamente, riquezas potenciales que lo hagan digno de atención. De modo que la lectura de un poema se convierte en el proceso de descubrir formas de conferirle significación e importancia, y en ese proceso recurrimos a una diversidad de operaciones que han llegado a formar parte de la institución de la poesía. Desde luego, algunos poemas líricos anuncian explícitamente su interés por temas que ocupan un lugar central en la experiencia humana, pero muchos no; y en estos casos es en los que hemos de emplear convenciones formales especiales.

La primera podría enunciarse como «intento de leer cualquier poema lírico descriptivo y breve como un momento de epifanía». Si un objeto o situación es el foco de un poema, eso indica, por convención, que es especialmente importante: está en «correlación objetiva» con una emoción intensa o es la localización de un momento de revelación. Esto es aplicable en particular a los poemas imaginistas, al *haiku* y a otros poemas breves que permiten a la forma lírica afirmar su importancia. El poema de Pound *In a Station of the Metro*,

> The apparition of these faces in the crowd;
> Petals on a wet, black bough.

> (*La aparición de esos rostros en la multitud;*
> *Pétalos en una rama negra y mojada.*),

pide que se lo considere como una percepción de la «visión interior», un momento de revelación en que se capta la forma y la superficie se vuelve profundidad. Procedimientos semejantes intervienen en la lírica de William Carlos Williams. Una nota dejada en la mesa de una cocina que rezara: «Esto es simplemente para decir que me he comido las ciruelas que había en la nevera y que probablemente habías guardado para desayunar. Perdóname, estaban deliciosas: tan dulces y tan frías» sería un gesto bonito; pero cuando se escribe en la página como un poema la convención de significación entre en juego.[11] Privamos al poema de las funciones pragmática y circunstancial de la nota (conservando simplemente esa referencia a un contexto como una afirmación implícita de que ese tipo de experiencia es importante) y, en consecuencia, debemos proporcionar una nueva función que justifique el poema. Dada la oposición entre la comida de los dulces y las reglas sociales que viola, podemos decir que el poema como nota se convierte en una fuerza mediadora, al reconocer la prioridad de las reglas pidiendo perdón, pero al afirmar también, mediante el empuje de las últimas palabras, que la experiencia tiene también sus derechos y que el orden de las relaciones personales (la relación entre el «yo» y el «tú») ha de reservar un lugar para dicha experiencia. Podemos ir más lejos incluso y decir que el mundo de las notas y del desayuno es también el mundo del lenguaje, que no puede asimilar ni hacer frente a esos momentos en que, como dice Valéry, *le fruit se fonde en jouissance*. El valor afirmado por la comida de las ciruelas es algo que trasciende el lenguaje y que el poema sólo puede captar negativamente (como aparente insignificancia), razón por la cual debe ser el poema tan disperso, superficial y trivial.

Naturalmente, semejantes operaciones no están limitadas a la lectura de la poesía moderna. La lírica se ha basado siempre en la hipótesis implícita de que se ha de conceder mayor importancia a aquello a lo que se cante como una experiencia particular. Considérese uno de los *Amours* de Ronsard:

> Mignonne, levez-vous, vous êtes paresseuse,
> Jà la gaie alouette au ciel a fredonné,
> Et jà le rossignol frisquement jargonné,
> Dessus l'épine assis, sa complainte amoureuse.
> Debout donc, allons voir l'herbelette perleuse,
> Et votre beau rosier de boutons couronné,
> Et vos oeillets aimés auxquels aviez donné
> Hier au soir de l'eau, d'une main si soigneuse.
> Hier en vous couchant, vous me fîtes promesse
> D'être plus tôt que moi ce matin éveillée,
> Mais le sommeil vous tient encore tout sillée.
> Ian, je vous punirai du peché de paresse,
> Je vais baiser cent fois votre oeil, votre tétin,
> Afin de vous apprendre à vous lever matin.

> (Despierta ya, graciosilla, y no seas perezosa,
> mira que ya gorjea en el cielo la gozosa alondra
> y canta alegremente el ruiseñor
> sobre las matas su amorosa queja.
> Ea, en pie, vayamos a mirar las perladas hierbecillas,
> tu hermoso rosal coronado de capullos
> y tus caros claveles, ayer tarde por tu mano
> cuidadosamente refrescados.
> Ayer me prometiste al acostarte
> estar antes que yo en pie por la mañana,
> pero el sueño aún te tiene domeñada.
> Para castigarte, Ian, por tu pereza,
> cien veces besaré tus ojos, tus pezones,
> y así aprenderás a madrugar.)

251

Si lo sacamos de un contexto empírico sobreentendido, podemos leerlo como una versión pastoril que afirma el valor de una visión matutina del amor, una ternura juguetona a la que da carácter inocente y, sin embargo, delicadamente sensual la identificación de la mujer y la naturaleza. Para llegar a una lectura que justifique el poema, hemos de transformar su contenido (riego de las flores, enseñar a madrugar, etc.) en constituyentes de un *ethos* generalizado.

Otra convención de tipo diferente, especialmente útil en el caso de poemas oscuros o mínimos en que el hecho de que aparezcan presentados como poemas es la única cosa de la que podemos estar seguros, es la regla de que los poemas son significativos, si se pueden leer como reflexiones sobre los problemas de la propia poesía o exploraciones de ellos. El famoso poema de un verso de Apollinaire es un excelente ejemplo apropiado:

Chantre
Et l'unique cordeau des trompettes marines.

(Cantor
Y el único cordel de las trompetas marinas.)

En ausencia de cualquier otro sujeto significativo, hemos de aprovechar el hecho de que «cantor» es una metáfora tradicional para referirse a «poeta». Como, según Jean Cohen, la coordinación en poesía relaciona dos elementos en función de un sujeto implícito,[12] hemos de intentar construir el sujeto implícito que vincula cantor e instrumento, y el candidato obvio es algo como «poesía» o «actividad artística». La estructura binaria del alejandrino sugiere que relacionemos las dos frases nominales y recalcando el retruécano (*cordeau/cor d'eau* —trompa de agua—) y la ambigüedad de *trompettes marines* (trompas marinas/trompetas marinas) podemos volverlas equivalentes. Interpretando esos juegos de palabras y creación de equivalentes como sinécdoque por actividad poética en general, y recurriendo a la convención básica que nos permite relacionar lo que el poema dice con su condición de poema, podemos producir una interpretación unificada: la de que el poema tiene un solo verso, porque la trompa marina tiene una sola cuerda, pero que la ambigüedad fundamental del lenguaje permite al poeta hacer música con un solo verso. Semejante interpretación depende de tres convenciones generales —la de que un poema debe estar unificado, la de que debe ser significativo temáticamente y la de que esa significación puede adoptar la forma de una reflexión sobre la poesía— y cuatro operaciones interpertativas generales: que hay que intentar establecer relaciones binarias de oposición o equivalencia, que hay que buscar e integrar los retruécanos y las ambigüedades, que hay que interpretar los elementos como sinécdoques (o metáforas, etc.) para alcanzar el nivel de generalidad requerido y que lo que un poema dice puede ponerse en relación con el hecho de que es un poema.

La convención de que los poemas pueden leerse como declaraciones sobre la poesía es extraordinariamente potente. Si un poema parece totalmente trivial, es posible considerar la trivialidad como una declaración sobre la trivialidad y, en consecuencia, sacar una sugerencia de que la poesía no puede superar el lenguaje, que es inevitablemente distinto de la experiencia inmediata o, alternativamente, que la poesía debe celebrar los objetos del mundo mediante el simple procedimiento de nombrarlos. La capacidad de dicha convención para asimilar cualquier cosa y dotarla de significación puede conferirle una naturaleza dudosa, pero su importancia pueden atestiguarla, por ejemplo, la mayoría de los escritos críticos sobre Mallarmé y Valéry. Existe un sentido en el que toda la poesía figurativa —toda la poesía que no aparece presentada como produciéndose totalmente dentro de la propia mente— es alegórica: una alegoría del acto poético y la asimilación y transformación que realiza.[13]

Naturalmente, existen otras convenciones sobre el tipo de significación que se puede descubrir en los poemas, pero en general ésas se convierten en propiedad de escuelas particulares. Una convención biográfica indica al lector que vuelva significativo el poema descubriendo en él el testimonio de una pasión, idea o reacción y, por tanto, leyéndolo como un gesto cuya significación estriba en el contexto de una vida. Existen convenciones psicoanalíticas y sociológicas análogas. Los partidarios del *New Criticism,* que intentaba leer cada poema desde su propio punto de vista, sustituían convenciones de significación más explícitas por un humanismo liberal común (si bien la noción de tensiones equilibradas o resueltas era extraordinariamente importante [14]), con lo que desplegaban lo que R. S. Crane llama un «conjunto de términos de reducción» hacia el que debía avanzar el análisis de la ambivalencia, la tensión, la ironía y la paradoja: «muerte y vida, bien y mal, amor y odio, armonía y conflicto, orden y desorden, eternidad y tiempo, realidad y apariencia, verdad y falsedad... emoción y razón, complejidad y simplicidad, naturaleza y arte» (*The Languages of Criticism and the Structure of Poetry,* pp. 123-4). Esas oposiciones funcionan como modelos rudimentarios del tipo de significación temática que el lector intenta encontar en los poemas. Por otro lado, una crítica estructuralista, a diferencia de una poética estructuralista que no aspira a la interpretación, tiende a usar como modelos de significación nociones del lenguaje, de la propia literatura y del signo. El acto crítico logrado mostrará lo que el poema da a entender sobre la naturaleza del signo y del propio acto poético. Desde luego, no hay forma de escapar de esos modelos totalmente, por la sencilla razón de que debemos tener una idea, por poco definida que esté, del fin al que tendemos con la lectura.

Resistencia y recuperación

En ese nivel, en el que la noción de la «significación última» de una obra adquiere importancia, encontramos el pluralismo crítico. Pero antes de esa etapa hay operaciones comunes de lectura que hacen posible el descubrimiento de diferentes tipos de significación y que pueden definirse como modos de naturalización. Las convenciones de impersonalidad, unidad y significación preparan el terreno, por decirlo así, para la lectura de la poesía y determinan la orientación general de la lectura, pero en la elaboración del propio texto intervienen convenciones especiales y locales.

«El poema debe oponer resistencia a la inteligencia/Casi con éxito», dice Wallace Stevens; y su carácter distintivo estriba en dicha resistencia: no necesariamente la resistencia de la oscuridad, pero por lo menos la resistencia de las pautas y las formas cuya pertinencia semántica no es evidente de forma inmediata. Podemos considerar la crítica de este siglo como un intento de aumentar la gama de los rasgos formales a los que puede atribuirse pertinencia y de encontrar formas de analizar sus efectos en función del significado. Pero, naturalmente, la lectura de la poesía siempre ha entrañado operaciones destinadas a hacer volver inteligible lo poético, y la poética siempre ha intentado, aunque sólo fuera implícitamente, especificar la naturaleza de dichas operaciones.

La retórica, por ejemplo, «venerable antepasada» del estructuralismo, fue esencialmente un intento «de analizar y clasificar las formas del habla y de volver inteligible el mundo del lenguaje» (Barthes, *Science versus literature,* p. 897). La teoría retórica intentaba justificar diferentes rasgos de las obras literarias nombrándolas y especificando qué figuras eran apropiadas para géneros particulares. Según Genette, la animaba el deseo «de descubrir en el segundo nivel del sistema (la literatura) la transparencia y rigor que ya caracterizaban al primero (la lengua)» (*Figures,* p. 220). De hecho, parece probable que el desprestigio en que ha caído la retórica —o había caído hasta que los estructuralistas intentaron resucitarla— se debió a un malentendido con respecto a su función. Como no podemos recorrer un texto y calificar las figuras retóricas sin haber entendido ya el texto, el análisis retórico, como disciplina clasificatoria, puede parecer perfectamente una actividad estéril y auxiliar que no hace contribución importante alguna a la crítica. Pero una teoría semiológica o estructuralista de la lectura nos permite invertir la perspectiva y considerar la formación retórica como una forma de proporcionar al estudiante una serie de modelos formales que puede usar en la interpretación de las obras literarias. Cuando se tropiece con el veso de Malherbe,

Le fer mieux employé cultivera la terre

(*El hierro mejor empleado cultivará la tierra*),

descubrirá que las figuras retóricas con que está familiarizado definen una serie de operaciones que puede realizar con *fer* hasta que descubra que la mejor lectura (la más *vraisemblable*) es la que entraña dos sinécdoques (hierro → arma; hierro → arado). Aunque los estructuralistas no han concedido toda la importancia que habrían podido conceder a esto, sus análisis dan a entender que las figuras retóricas son instrucciones sobre cómo naturalizar el texto pasando de un significado a otro —desde lo «desviado» a lo integrado— y calificando esa transformación de apropiada para un modo poético particular. Cuando un amante es «muerto» por la mirada de su amada, el lector ha de realizar una transformación semántica para volver inteligible el texto; de lo contrario, como Helena en *Faust,* parte II, confundirá la galantería hiperbólica con la tragedia; pero también debe reconocer el desvío semántico del texto como una forma genérica de elogio. La figura retórica, dice Genette, «no es otra cosa que una conciencia de la figura, y su existencia depende totalmente de que el lector sea o no consciente de la ambigüedad del discurso que tiene delante» (*ibid.,* p. 216). Existe una figura retórica, cuando el lector percibe un problema en el texto y adopta determinadas medidas regidas por reglas para idear una solución.

La mejor forma de ilustrar la productividad de las operaciones retóricas es tomar una frase y ver cómo permiten las diferentes figuras desarrollarla. Si un poema empezara por: «Cansado de roble, vagué…», podríamos someter «roble» a una diversidad de operaciones semánticas que conduzcan a una gama más amplia de significados potenciales. El *Groupe de Liège* ha hecho mucho por formalizar las operaciones retóricas, y, si seguimos el análisis de su *Rhétorique générale,* podremos comprender por qué constituyen las figuras retóricas la base de la interpretación. Según dicho análisis, existen dos tipos de «descomposición» usados al construir las figuras semánticas: el todo puede dividirse en sus partes (árbol: tronco, raíces, ramas, hojas, etc.), o una clase puede dividirse en sus miembros (árbol: roble, sauce, olmo, castaño, etc.). La figura retórica más básica, la sinécdoque, a un tiempo usa esas relaciones y nos permite pasar de la parte al todo, del todo a la parte, del miembro a la clase y de la clase al miembro. Esas cuatro operaciones

aciones, aplicadas al «roble», producen una diversidad de lecturas:

parte	→	todo: bosque, jardín, puerta, mesa, etc. (cosas que contienen roble o están hechas de él).
todo	→	parte: hoja, tronco, bellota, raíces, etc.
miembro	→	clase: árbol, cosas duras, cosas altas, organismos inanimados, etc.
clase	→	miembro: roble común, encina, acebo, etc.

Naturalmente, sólo unos pocos de esos significados serían posibles en el contexto, y es evidente que las operaciones generalizadoras son las más importantes; muchas veces el paso del vehículo al contenido equivale a considerar el vehículo como miembro de una clase general. Sin embargo, quizá sea más adecuado describir el paso de la clase al miembro o del todo a la parte como reconocimiento de referencia que como interpretación figurada: en «el viejo árbol» interpretamos «roble» por «árbol» sólo cuando el contexto indica que el árbol en cuestión es efectivamente un roble. Pero, aun así, existen casos en que volvemos inteligible un tropo observando que una acción o condicción predicada de un todo pertenece sólo a una parte: «el Estado estaba irritado» significa que el gobierno o los dirigentes del Estado estaban irritados.

La metáfora es una combinación de dos sinécdoques: pasa de un todo a una de sus partes y a otro todo que contiene dicha parte, o de un miembro a una clase general y después vuelve a otro miembro de dicha clase. Partiendo de nuevo de «roble», tenemos:

miembro	→	clase → miembro
roble	→	cosas altas → cualquier persona u objeto altos, cosas resistentes, cualquier persona robusta u objeto resistente
todo	→	parte → todo
roble	→	ramas → cualquier cosa con ramas
		raíces → cualquier cosa cosa con raíces

El paso del miembro a la clase y al miembro es el proced
miento más común de interpretar las metáforas.

De las otras dos formas de combinar un par de sinécdoque
el paso de la clase al mismo miembro y a la clase de nuevo gene
ralmente es ilícito; no se le ha hecho el honor de atribuirle u
nombre y a las interpretaciones que siguieran ese modelo se la
consideraría muy discutibles: la clase de los perros tiene miembro
que también son miembros de la clase de los animales pardo;
pero (salvo en circunstancias extraordinariamente inhabituales, n
podemos considerar que «me gustan los perros» signifique «m
gustan los animales pardos». Sin embargo, la cuarta posibilida
—el paso de la parte al todo y a la parte de nuevo— es meton
mia: en «George ha estado persiguiento esas faldas», las falda
y la muchacha están relacionadas como partes de un todo concep
tual o visual; en otros casos la causa puede substituir al efect
o viceversa porque ambos son partes de un único proceso.

El repertorio de las figuras retóricas hace de conjunto de in
trucciones que los lectores pueden aplicar, cuando tropiezan con u
problema en el texto, si bien en algunos casos lo importante n
es tanto las propias operaciones cuanto la seguridad que las cate
gorías retóricas ofrecen al lector: la seguridad de que lo qu
parece extraño es en realidad perfectamente aceptable dado qu
es expresión figurada de algún tipo y, por tanto, comprensibl
Si sabemos que la hipérbole, la lítotes, el zeugma, la silepsis,
oxímoron, la paradoja y la ironía son posibles, no nos sorprende
encontrar palabras o frases a las que haya que dar el tratamient
que esas figuras sugieren. Podemos restarle énfasis a la hipérbol
o añadírselo a la lítotes, atribuir dos significados a una sola pala
bra en un zeugma, diferenciar los significados de dos casos c
una palabra en la silepsis, dar por sentada la verdad de la expr
sión e intentar encontrar formas de salir de la contradicción en
oxímoron y en la paradoja e invertir un significado literal en
caso de la ironía.[15] Desde luego, los lectores ya no aprenden
realizar esas operaciones al aprender a nombrar las figuras retó
ricas, pero los procesos de comprensión en que llegan a ser expe
tos son muy semejantes a los que Fontanier recomienda para
identificación de los tropos:

examínese si la oración en conjunto, o cualquiera de las proposiciones que la componen o, por último, cualquiera de las palabras que están al servicio de la expresión, no deberían interpretarse en un sentido diferente al del significado literal y normal; o si no se habría unido a este último otro que fuera precisamente el que se quisiera dar a entender principalmente. En ambos casos es un tropo... ¿cuál es su especie?... eso depende de su forma particular de significar o expresar o de la relación que constituye su base. ¿Se basa en un parecido entre dos objetos? Entonces es una metáfora. (*Les Figures du discours*, p. 234.)

Identificamos frases que requieren transformaciones semánticas y consideramos qué tipo de paso está justificado en cada caso; el conjunto de pasos posibles se compone en parte del conjunto de figuras retóricas.

Naturalmente, es esencial subrayar que la comprensión de la poesía no es simplemente un proceso de sustituir lo que carece de sentido por lo que tiene sentido. Nuestras convenciones nos inducen a esperar y a valorar la coherencia metafórica y a preservar así los vehículos de las figuras retóricas y a estructurarlas al tiempo que investigamos los posibles significados. La obra de Empson sobre la ambigüedad ha proporcionado admirable respaldo a la tesis de que los efectos poéticos dependen en gran medida de la interacción de diferentes significados a medio formar derivados de una consideración del lenguaje figurativo, y de que el valor debe localizarse en el proceso exploratorio más que en una conclusión semántica. Citando versos de *Hamlet,* III iii,

but tis not so above;

here is no shuffling, there the Action lies
n his true Nature, and we ourselves compelled
iven to the teeth and forehead of our faults
o give in evidence,

(pero no es así en lo alto;

o valen subterfugios, allí la acción se muestra

en su auténtica naturaleza, y nosotros nos vemos obligados
hasta los dientes y la frente de nuestras faltas
a rendirnos a la evidencia)

observa que en «los dientes y la frente de nuestras faltas» «lo único que recibimos es dos partes del cuerpo y el Día del Juicio; la imaginación del lector tiene que asociarlos. No hay un significado inmediato, y a pesar de ello tenemos una impresión de urgencia y de sentido práctico...» Indudablemente, eso se debe a «la sensación de que las propias palabras, en semejante contexto, incluyen, como parte del modo de aprehenderlas, la posibilidad de destellos de fantasía» en diferentes direcciones (*Seven Types,* p. 92). Desde luego, las metáforas que usan construcciones de genitivo son de las más potentes, dado que «el X de Y» puede expresar muchas relaciones diferentes.[16] Y en este caso, aunque puede que deseemos decir que, dada la forma «obligados hasta la X de nuestras faltas a rendirnos a la evidencia», el significado principal ha de ser algo como «los aspectos más decididos, impuros, esenciales, de nuestras faltas», para permitir que las metáforas conserven toda su fuerza, hemos de dejar que nos afecten forzando una exploración implícita de la relación de nuestros dientes y nuestra frente con nuestras faltas: «Una *frente,* además de ser un blanco para los golpes, se usa tanto para sonrojarse como para fruncir el ceño... Los *dientes,* además de ser un arma ofensiva, se usan para hacer confesiones, y constituye una señal de desprecio... recibir un golpe en ellos... la *frente* oculta el cerebro donde se planea la *falta,* mientras que los *dientes* se usan para llevarla a cabo» (*ibid.,* p. 91). Podríamos decir que la obra de Empson se basa en una doble convicción: la de que los efectos literarios pueden explicarse en función del significado, con lo que la paráfrasis es el recurso analítico básico, y de que, aun así, hemos de preservar la mayor cantidad de significado literal de las metáforas que podamos ofreciendo traducciones simultáneas en direcciones diferentes.

Las contradicciones, obscuridades o desviaciones aparentes con respecto a los requisitos de la lógica ordinaria son medios potentes, como dice Empson, de forzar al lector «a adoptar una actitud poética hacia las palabras». Para Empson, esa actitud hacia la

palabra es una atención explicativa, un proceso de invención ordenado en que la actividad puede ser más importante que los resultados pero en que los resultados pueden ordenarse. Para los estructuralistas, la ordenación discursiva es menos importante; tienden
a concebir la poesía como una forma de liberar la palabra de las
constricciones que le impone el orden discursivo y no como una
forma de imponer nuevas constricciones: la palabra «centellea con
libertad infinita y está lista para irradiar hacia mil relaciones incier-
tas y posibles».[17] Por eso, a los estructuralistas les resulta difícil
escribir sobre poemas particulares excepto para razonar que ilustran la forma como la poesía socava las funciones del lenguaje
ordinario. Sin embargo y afortunadamente, la «labor del significante» en la que los estructuralistas insisten tanto no produce simple desorden, sino que absorbe y reordena los contextos semánticos, y una de las funciones principales de la crítica ha sido naturalizar ese proceso intentando explicar el valor semántico o los
efectos semánticos de diferentes tipos de organización formal.

El rasgo más obvio de la organización formal de la poesía es
la división en versos y estrofas. Hay que conceder algún tipo de
valor a la pausa al final del verso, el espacio entre estrofas, y una
estrategia es la de considerar la forma poética como una mímesis:
las pautas representan lagunas espaciales o temporales que pueden tematizarse e integrarse en el significado del poema. Así, en
el Libro I de *Paradise Lost* el pasaje que cuenta el mito clásico
de la caída de Satán puede leerse como forma imitativa:

> *and how he fell*
> *from Heaven, they fabled, thrown by angry Jove*
> *sheer o'er the crystal battlements: from morn*
> *to noon he fell, from noon to dewy eve,*
> *A summer's day; and with the setting sun*
> *Dropped from the zenith like a falling star,*
> *On Lemnos the Aegean isle.* (versos 740-6)

> *(y cómo cayó*
> *del cielo, refiere la fábula, arrojado por el irritado Jove*
> *por sobre los cristalinos muros: de la mañana*

al mediodía cayó, del mediodía a la víspera cubierta de rocío
de un día de verano; y al ponerse el sol
se desplomó, desde el cénit, como estrella que sucumbe,
sobre Lemnos, isla del Egeo.)

Las pausas entre «cayó/del Cielo», «de la mañana/al me
diodía» y «ponerse el sol/se desplomó» son las que generalment
se consideran particularmente expresivas, al representar las laguna
espaciales mediante el espacio tipográfico. O, por tomar un ejem
plo más moderno, en *Mr Edwards and the Spider* («El seño
Edwards y la araña»), una pausa de estrofa separa una preposi
ción de su objeto:

> *Faith is trying to do without*
> *faith.*

> *(La fe está intentando prescindir de/la fe.)*

Un crítico ilustra la naturalización de los rasgos formales co
mentando que «la tipografía imita fielmente la decadencia de l
Fe y su conversión en fe, y, sin embargo, sugiere una paradoja
la de que 'la Fe' se convierte en 'fe' (las menores hipótesis prov
sionales en que se respalda cualquier vida) con dificultad y
través (apenas a través) de la gran distancia que el vacío entre l
estrofa establece».[18] Así, pues, leer es naturalizar en función de lo
contextos externos: dar por sentado que el espacio tipográfico re
produce un espacio en el mundo o por lo menos un vacío en lo
procesos mentales. La poesía de esa clase da por sentado que lo
lectores emprenderán ese tipo de naturalización: da por sentad
que semejantes procedimientos forman parte de la institución c
la poesía.[19]

Otra forma de naturalizar las terminaciones de los versos qu
no pasa tan rápidamente de la palabra al mundo se basa en l
que podríamos llamar la fenomenología de la lectura. La pausa
final del verso representa una pausa en la lectura y, por esa razó
produce la ambigüedad sintáctica: intentamos componer en u
todo la secuencia que precede a la pausa y luego, después de salt

por encima de la pausa, descubrimos que la construcción no estaba completa en realidad y que a los elementos que preceden a la
pausa hay que atribuirles una función diferente en el nuevo todo.
El Libro IV de *Paradise Lost* ofrece un ejemplo especialmente
claro:

> *Satan, now first inflamed with rage, came down,*
> *The Tempter ere th'Acuser of mankind,*
> *To wreck on innocent frail man his loss*

> (*Satán, inflamado ahora de rabia, descendió,*
> *Tentador antes que Acusador de la humanidad,*
> *para descargar sobre el hombre frágil e inocente su pérdida»);*

n esta pausa, «su pérdida» se interpreta como la caída del hom-
re, pero con el siguiente verso debemos reajustar las conclusiones
emáticas y sintácticas:

> *Of that first Battle, and his flight to Hell.*

> (*de aquella primera Batalla y su huida al Infierno.*) (versos 9-12)

Como dice John Hollander en el estudio más completo y pers-
icaz del tema, «el propio encabalgamiento revelado revela, a su
ez, el auténtico antecedente, pero la ambigüedad del pronombre
efleja el hecho de que, en el poema la pérdida de Satán no es
emejante a la de Adán, sino una causa de ella» (*Sense Variously
Drawn Out*, p. 207). O también, en el Libro III, los versos *Then*
ed on thought, that voluntary move/Harmonious numbers (*Nu-
rido así de pensamientos, que voluntariamente mueven / melo-
iosos números*) (versos 37-8), producen la «duda de si sólo se
ueven las palabras o alguna otra cosa», y así nos hacen ver que
s números «son los propios pensamientos, vistos con un aspec-
 nuevo; la colocación de *move* («mueven») que produce la mo-
entánea incertidumbre sobre su función gramatical, vincula «pen-
mientos» y «números» en una relación mucho más estrecha que
 causa y el efecto».[20]

Ese tipo de naturalización se produce en un nivel diferente, y muchos dirían más apropiado que el primero, pues permite a la organización del poema absorber y reestructurar los significados en lugar de considerar esa organización como la representación de un estado de cosas. Indudablemente, en ese nivel es en el que hay que situar la mayoría de los intentos de estudiar el ritmo y las pautas de sonidos, pues a pesar de la interesante obra de Ivan Fónagy sobre la asociación de sensación fónicas y visuales o táctiles,[21] el análisis de la poesía no puede avanzar demasiado, si se limita a los efectos miméticos (onomatopeya) y al simbolismo fónico. Aunque esas cuestiones son muy obscuras, parece que en lugar de intentar pasar directamente de la forma al significado de ese modo deberíamos explicar las convenciones que permiten a los rasgos formales organizar las estructuras semánticas y, de ese modo tener un significado de tipo más indirecto. Existen tres operaciones que podemos realizar. La primera es justificar una figura fonética o rítmica como modo de subrayar o poner de relieve una forma particular y de recalcar así su significado. En el verso de Baudelaire, *Je sentis ma gorge serré par la main terrible de l'hystérie* (Sentí mi garganta apretada por la terrible mano de la histeria), la palabra final une sonidos que van dispersos por todo el verso y de ese modo hace de recapitulación. *To the Evening Star* de Blake pide a esa «brillante antorcha de amor» que

> scatter thy silver dew
> On every flower that shuts its sweet eyes
> In timely sleep. Let thy west wind sleep on
> The Lake; speak silence with thy glimmering eyes,

> (esparce tu rocío de plata
> sobre cada flor que cierra sus dulces ojos
> en oportuno sueño. Que tu viento del oeste duerma sobre
> el lago; habla en silencio con tus brillantes ojos),

y la pauta métrica de *In timely sleep. Let thy west wind sleep on* en que *on* recibe el acento final y, por esa razón, pasa a significar «siga durmiendo», intensifica la imagen del viento que duerme sobre el lago y continúa durmiendo.

La segunda operación consiste en usar pautas métricas o foné-
icas para producir lo que Samuel Levin llama «acoplamientos»,
n que el paralelismo en el sonido o en el ritmo engendra o se
onvierte en paralelismo de significado. En *La Dormeuse*, de Valé-
y, el poema se centra en el primer verso de la sextina, *Dormeuse,
mas doré d'ombres et d'abandons,* y al principio podríamos sentir
a tentación de decir que la eufonía es una metáfora para refe-
irse a la belleza experimentada por el espectador al observar a la
Durmiente, dorado amasijo de sombras y de abandonos». Pero la
auta fonética conecta *Dor, doré, d'ombres, dons,* y la palabra
ue rima en el verso siguiente, *dons* («dones»), con lo que pone
n relación un conjunto de elementos semánticos —dormir, oro,
ombras, dones— y plantea la posibilidad de la fusión. Además,
mas comprende *âme* («alma»), que aparece dos veces en posición
ónica en el soneto, y *amie,* que se refiere a la durmiente. Como
ice Geoffrey Hartman, la sílaba *am* recorre el poema producien-
o el acoplamiento de esos elementos, y esa presencia de *ame* en
mas es la que «nos conduce al tema fundamental del poema: el
e que la belleza de las cosas es independiente de nuestro sentido
e lo humano», el alma está a un tiempo presente y ausente en el
amasijo» (*amas*) y se encuentra en su apogeo cuando está oculta
ejerce una atracción estética más que sentimental.[22]

O, por tomar un ejemplo de acoplamiento rítmico, en *The
eturn* («El regreso»), de Pound, una intensa figura rítmica une
s versos que nos dicen cómo fueron los dioses en un tiempo:

> Góds of the wingèd shóe!
> With them the sílver hóunds
>   sniffing the tráce of aír!
>
> («¡Dioses de alados pies!
> ¡Con ellos argénteos perros
>   husmean el rastro del aire!»)

No tenemos por qué preocuparnos de la identidad de esos
breles; lo importante es la coherencia o continuidad proporcio-
da por el ritmo que une esos tres versos y opone su firmeza

al vacilante y desconsolado movimiento del regreso de los dioses: [2]

> *ah, see the tentative*
> *Movements, and the slow feet,*
> *The trouble in the pace and the uncertain*
> *Wavering!*
> *See, they return, one, and by one*

> *(¡ah, contempla los vacilantes*
> *movimientos, los quedos pasos,*
> *el azotado andar y el incierto*
> *saludo!*
> *Míralos: regresan: uno, luego otro)*

Por último, en casos en que ninguna de esas dos operaciones puede realizarse con seguridad —en que los efectos temáticos específicos de las pautas prosódicas o fonéticas son difíciles de discernir— podemos recurrir a la convención de unidad y simetría y justificar los rasgos formales en función de ella. Los atractivos de la poesía carente de sentido se deben en gran medida, indudablemente, a la satisfacción de ver surgir el orden de lo semánticamente desordenado, y podemos naturalizar esa clase de poemas considerándolos simplemente de este modo: como artificio que somete el lenguaje a otro orden, cuyos propósitos no podemos captar del todo, pero que por lo menos es un orden alternativo y en virtud de ese hecho exclusivamente arroja una luz oblicua sobre el orden de otras lenguas. El famoso verso de Max Jacob, *Dahlia, dahlia, que Dalila lia* no asimila el contexto externo ni lo transforma, como nuestros ejemplos anteriores: la idea de Dalila atando dalias es muy poco pertinente. Más que nada, tenemos una solidaridad fonética que usa fragmentos de significado (el hecho de «atar» es importante) para sugerir la falta de pertinencia de otro significado. En ese sentido el surrealismo no está muy alejado de la poesía de lo sublime. Considérese la última estrofa final de *The Cloud* («La nube») de Shelley:

am the daughter of Earth and Water,
   And the nursling of the Sky;
pass through the pores of the ocean and Shores;
   I change, but I cannot die.
or after the rain when with never a stain
   The pavilion of Heaven is bare,
nd the winds and sunbeams with their convex gleams
   Build up the blue dome of air,
silently laugh at my own cenotaph,
   And out of the caverns of rain,
ike a child from the womb, like a ghost from the tomb,
   I arise and unbuild it again.

oy la hija de la Tierra y el Agua
   y la amamantada del Cielo;
e hundo en los poros del océano y las riberas;
   aunque cambio, no puedo morir.
ues después de la lluvia, cuando inmaculada
   queda desnuda la bóveda celeste,
los vientos y los rayos solares de reflejos convexos
   edifican la cúpula azul del éter,
e río en silencio de mi propio cenotafio
   y de las grutas de la lluvia,
mo niño de la tumba uterina, como fantasma de la tumba,
   me levanto para echarla abajo otra vez.)

   Donald Davie considera este poema «arruinado por la expre-
ón arbitraria», refiriéndose a la falta de coherencia semántica:
océanos y riberas», por ejemplo, es, según él, «inconcebible en
 habla y en la prosa».[24] Podríamos presentar algunos argumentos
ra defender a Shelley, pero creo que al final tendríamos que
conocer nuestra derrota, pues es evidente que shores («riberas»)
 determinado por la rima con pores («poros»), cenotaph («ceno-
fio») por la rima con laugh («reír») y que en este caso no inter-
ene una cosmología coherente. «Shelley lanza su poema en una
nalidad elevada, para avisarnos que no esperemos buen gusto
 sentido prosaico», dice Davie, y en esas expectativas pode-

mos ver la intervención de una convención de la lírica: el uso de un orden prosódico y fonético para elevarnos y alejarnos de los contextos empíricos e imponer otro orden que podemos llamar precisamente, lo sublime.

Naturalizamos esa clase de poemas de modo formal y abstracto, mostrando qué rasgos diferentes cooperan en las pautas que ayudan a afirmar la monumentalidad e impersonalidad de la poesía, pero también podemos proporcionar un contexto general en que pasan a ser significativos diciendo que su función es alejarse de la «distancia media» del realismo y afirmar, como dice Wallace Stevens que «la alegría del lenguaje es nuestro señor» y que la creación de ficciones es una actividad digna.

> *Si les mots n'étaient que signes*
> *timbres-poste sur les choses*
> *qu'es-ce qu'il en resterait*
> *poussières*
> *gestes*
> *temps perdu*
> *il n'y aurait ni joie ni peine*
> *par ce monde farfelu*
>
> *(Si las palabras fueran sólo signos*
> *sellos sobre las cosas*
> *qué quedaría*
> *polvo*
> *gestos*
> *no habría ni alegría ni pena*
> *en este mundo loco.)*

Los estructuralistas han trabajado relativamente poco con poesía, como habrá indicado indudablemente la escasez de citas procedentes de sus escritos, y con la excepción del monumental *Essai de poétique médiévale* de Paul Zumthor, cuyo propósito es reconstruir las convenciones de la poesía en la época medieval no ha habido intento alguno de presentar una descripción sistemática de las operaciones de lectura ni de las presuntas convenci nes de la lírica. En consecuencia, nos vemos obligados a tomar del estructuralismo un sistema teórico y a completarlo con elementos procedentes de los escritos de críticos pertenecientes a otras tradiciones que han estudiado la lírica con mejor resultado. Pero, naturalmente, como ya he sugerido, la reorganización de los estudios críticos de ese modo puede ser en sí misma un paso adelante, en el sentido de indicar qué problemas requieren mayor profundización si deseamos llegar a un entendimiento de las convenciones de la poesía. En el caso de la novela, de la que ahora pasamos a ocuparnos, los propios estructuralistas tienen bastantes más cosas que decir, y el próximo capítulo puede adoptar una forma más propiamente expositiva.

CAPITULO 9

POETICA DE LA NOVELA

> *L'homme poursuit noir sur blanc*
>
> Mallarmé

Le roman, escribe Philippe Sollers, *est la manière dont cette société se parle.* Más que ninguna otra forma literaria, más quizá que ningún otro tipo de escritura, la novela sirve de modelo por el que la sociedad se concibe a sí misma, de discurso en el cual y a través del cual articula el mundo. E indudablemente ésa es la razón por la que los estructuralistas han centrado su atención en la novela. En ella es donde pueden estudiar más fácilmente el proceso semiótico en su objetivo más pleno: la creación y organización de signos no sólo para producir significado, sino también para producir un mundo humano cargado de significado. Pues la convención básica que rige la novela —y que, *a fortiori,* rige las novelas que se proponen violarla— es nuestra expectativa de que la novela produzca un mundo. Las palabras deben estar ordenadas de tal manera, que mediante la actividad de la lectura surja un modelo del mundo social, modelos de la personalidad individual, de las relaciones entre el individuo y la sociedad, y, lo más importante quizá, del tipo de significación que esos aspectos del mundo pueden revestir. «Nuestra identidad», prosigue Sollers, «depende de la novela, de lo que los otros piensan de nosotros, de lo que nosotros pensamos de nosotros mismos, de la forma de moldearse nuestra vida imperceptiblemente en un todo. ¿Cómo nos ven los

demás, si no como personajes de una novela?» (*Logiques,* p. 228).
La novela es el agente semiótico primordial de inteligibilidad.

Lisibilité, illisibilité

La forma como participar las novelas en la producción de significado sería en sí misma un objeto de investigación suficientemente válido, pero el propio hecho de que la novela esté convencionalmente vinculada con el mundo, cosa que no ocurre en el caso de la poesía, le confiere una gama de funciones críticas que han interesado a los estructuralistas más todavía. Precisamente porque el lector espera poder reconocer un mundo, la novela que lee se convierte en un lugar en que se puede «desconstruir», exponer e impugnar los modelos de inteligibilidad. En poesía las desviaciones con respecto a lo *vraisemblable* son fáciles de recuperar como metáforas que deben traducirse o como momentos de una actitud visionaria o profética; pero en la novela las expectativas convencionales hacen que esas desviaciones sean más inquietantes y, en consecuencia, potencialmente más potentes; y es ahí, en los márgenes de la inteligibilidad, donde se ha centrado el interés estructuralista. En *S/Z,* Barthes inicia su estudio sobre Balzac con una distinción entre textos legibles e ilegibles: entre los que son inteligibles en función de los modelos tradicionales y los que pueden escribirse (*le scriptible*), pero que todavía no sabemos cómo leer (p. 10). Y aunque el propio análisis de Barthes sugiere que esa distinción no es una forma útil de clasificar textos —cualquier novela «tradicional» de algún valor criticará o por lo menos investigará modelos de inteligibilidad y cualquier texto radical será legible e inteligible desde algún punto de vista—, por lo menos indica la oportunidad y fecundidad de tomar el juego de la inteligibilidad como punto focal de nuestro análisis. Aun cuando la novela no se proponga explícitamente socavar nuestras nociones de coherencia y significación, mediante su uso creativo de dichas nociones participa en lo que Husserl llamaría la «reactivación» de modelos de inteligibilidad: lo que se considera natural llega hasta la conciencia y se revela como proceso, como construcción.[1] Dada la

271

gama de novelas de que disponemos, sería extrordinariamente
sorprendente que pudiéramos evitar reconocer, incluso al leer
textos anteriores al siglo XX, que connotan y nos obligan a desplegar modelos diferentes de personalidad, causalidad y significación.
Aun en los casos en que las propias novelas no pongan en cuestión los modelos en que se basan, la variedad de modelos que se
presentarán ante un lector desempeña una función crítica al provocar comparación y reflexión.

La distinción entre texto legible y texto ilegible, entre la
novela «tradicional» o «balzaciana» y la novela moderna (habitualmente representada por el *nouveau roman*), entre —y éste es el
avatar más reciente— lo que Barthes llama el *texte de plaisir* y el
texte de jouissance, ha sido tan fundamental en los estudios estructuralistas sobre la novela, que, a pesar de su utilidad al inducir a centrar la atención en los modos de orden y de inteligibilidad, amenaza con establecer una oposición deformada que entorpe-
cería gravemente nuestro estudio de la novela. Afortunadamente
el propio Barthes admite implícitamente que se trata de conceptos
funcionales más que de clases de textos. Según observa, algunas
personas parecen desear un texto que fuera plenamente moderno y
propiamente ilegible, «un texto sin sombra, separado de la ideología dominante», pero sería «un texto sin fertilidad, sin productividad, un texto estéril» que no produciría nada. «El texto necesita
su sombra (...) alguna ideología, alguna mímesis, algún tema.»
Necesita por lo menos focos, vetas, sugerencias de ese tipo: la
subversión requiere un *chiaroscuro* (*Le Plaisir du texte,* p. 53)
Y, a la inversa, el texto «legible» o tradicional no puede ser, sin
volverse estéril, totalmente predecible e inteligible de forma evidente; ha de desafiar al lector de algún modo e inducir a una
nueva interpertación del yo y del mundo. Al hablar del *nouveau
roman* como ruptura radical con la novela «balzaciana», Stephen
Heath cita la afirmación de Michel Butor de que el *nouveau roman*
mediante su práctica de la escritura, revela el mundo como una
serie de sistemas de articulación: «el sistema de significación dentro del libro será una imagen del sistema de significados dentro
del cual se ve atrapado el lector en su vida diaria» (*The Nouveau
Roman,* p. 39). Pero, desde luego, todas las defensas de la novela

han dado por sentado que existía una relación de ese tipo: que los significados experimentados al leer una novela tendrían relación con la propia vida del lector y le permitirían considerarla de modos nuevos. A pesar de su oposición a los modelos de inteligibilidad y de coherencia, la novela radical se basa en el vínculo entre el texto y la experiencia ordinaria del mismo modo que las novelas tradicionales.

Como reconoce Barthes, hay dos formas en que podríamos concebir esa oposición que los estructuralistas han convertido en su recurso crítico básico. Podríamos decir que entre el texto tradicional y el moderno, entre el placer del *texte de plaisir* y el goce del *texte de jouissance,* sólo hay una diferencia de grado: el segundo es simpleemnte una etapa posterior y más libre del primero; Robbe-Grillet se desarrolla a partir de Flaubert. Pero, por otro lado, podríamos decir que el placer y el goce son fuerzas paralelas que no se encuentran y que el texto modernista no es un desarrollo histórico lógico, sino la huella de una ruptura o escándalo, de modo que el lector que disfruta con ambos no está sintetizando en sí mismo una continuidad histórica, sino viviendo una contradicción, experimentando un yo dividido (*Le Plaisir du texte,* pp. 35-6). Pero quizá deberíamos ir más lejos que Barthes y decir que los hechos que le incitan a proponer esas dos concepciones indican que no estamos tanto ante un proceso histórico en que un tipo de novela sustituya a otra cuanto ante una oposición que siempre ha existido dentro de la novela: una tensión entre lo inteligible y lo problemático. Como observa Julia Kristeva, desde sus mismos comienzos la novela ha contenido las semillas de la antinovela y se ha construido en oposición a diferentes normas (*Le texte du roman,* pp. 175-6). Indudablemente, es sorprendente que cuando los estructuralistas escriben sobre los textos clásicos acaben descubriendo lagunas, incertidumbres, ejemplos de subversión y otros rasgos que es demasiado fácil considerar como específicamente modernos. Reconocer que en ese sentido existe una continuidad dentro de la novela —entre Flaubert y Robbe-Grillet, entre Sterne y Sollers— no nos obliga a abandonar la noción de *jouissance* como un arrebato de dislocación producido por rupturas o violaciones de la inteligibilidad.

Si organizamos nuestro enfoque de la novela de ese modo, volvemos aplicables los textos estructuralistas a la novela en conjunto y no sólo a una clase particular de textos modernistas, y centramos el estudio de la novela en los modelos de coherencia y de inteligibilidad que emplea e impugna. Sin embargo, antes de pasar a ocuparnos de dichos modelos, debemos considerar la teoría estructuralista general de la novela como jerarquía de sistemas. Existen tres dominios o subsistemas en que los modelos culturales son particularmente importantes: la trama, el tema y el personaje. Sin embargo, antes de pasar a ocuparnos de dichos modelos, debemos considerar la teoría estructuralista general de la novela como jerarquía de sistemas, las convenciones básicas de la ficción narrativa que ese enfoque identifica, y las distinciones y categorías que se han aplicado en el propio estudio de la narración.

Si aplicamos a la novela el principio de Benveniste de que «el significado de una unidad lingüística puede definirse como su capacidad para integrar una unidad de un nivel superior», podemos decir que las unidades del discurso novelístico deben identificarse por su función en una estructura jerárquica. Entender un texto, dice Bearthes,

> no sólo es seguir el desenvolvimiento de la historia, es también identificar distintos niveles, proyectar los vínculos horizontales de la secuencia narrativa en un eje implícitamente vertical; leer una narración no sólo es pasar de una palabra a otra, es también pasar de un nivel a otro. (*Introduction à l'analyse structurale des récits*, p. 5.)

Aunque se ha prestado muy poca atención a la forma como los lectores pasan de un nivel a otro, la importancia de los niveles en los sistemas lingüísticos ha conducido a la hipótesis de que para realizar un análisis estructural en otros sectores «primero hemos de distinguir varios niveles descriptivos y colocarlos en la perspectiva de una jerarquía o de integración» (*ibid.*). Las convenciones del género pueden considerarse como expectativas sobre niveles y su integración; el proceso de la lectura es el de reconocer implícitamente elementos de un nivel particular e interpretarlos como tales. Como ilustración, podemos examinar dos niveles que están muy separados: un nivel de detalles triviales y un nivel del acto de habla narrativo.

Los contratos narrativos

Si la convención básica que rige la novela es la expectativa con respecto a que los lectores, a través de su contacto con el texto, puedan reconocer un mundo que éste produce o al que se refiere, ha de ser posible identificar por lo menos algunos elementos del texto cuya función sea confirmar dicha expectativa y afirmar la orientación representacional o mimética de la ficción. En el nivel más elemental desempeña esa función lo que podríamos llamar residuo descriptivo: elementos cuyo único papel aparente en el texto es el de denotar una realidad concreta (gestos triviales, objetos insignificantes, diálogo superfluo). En una descripción de una habitación los elementos no recogidos e integrados por códigos simbólicos o temáticos (elementos que no nos dicen nada sobre el habitante de la habitación, por ejemplo) y que no tienen una función en la trama producen lo que Barthes llama «efecto de realidad» (*l'effet de réel*): privados de cualquier otra función, se convierten en unidades integradas al significar «somos lo real» (*L'effet de réel,* pp. 87-8). De este modo, la pura representación de la realidad se convierte, como dice Barthes, en una resistencia al significado, un caso de la «ilusión referencial», de acuerdo con la cual el significado de un signo no es otra cosa que su referente.

Los elementos de ese tipo confirman el contrato mimético y garantizan al lector que puede interpretar el texto como relativo a un mundo real. Desde luego, es posible perturbar ese contrato bloqueando el proceso de reconocimiento, impidiéndonos pasar a un mundo a través del texto, y haciéndonos leer el texto como un objeto verbal autónomo. Pero semejantes efectos sólo son posibles gracias a la convención de que las novelas se refieren a algo efectivamente. La famosa descripción por parte de Robbe-Grillet de un pedazo de tomate, que nos dice primero que es perfecto y después que es defectuoso, juega con el hecho de que al principio dicha

275

descripción parece tener una función puramente relacional, que queda perturbada cuando la escritura introduce incertidumbres y de ese modo desvía nuestra atención desde un supuesto objeto hasta el propio proceso de la escritura (*Les Gommes,* III, iii). O también, en el párrafo inicial de *Dans le labyrinthe* de Robbe-Grillet, la descripción del tiempo parece establecer al principio un contexto («Fuera está lloviendo»), pero cuando la siguiente oración introduce una contradicción («Fuera brilla el sol»), nos vemos obligados a advertir que la única realidad en cuestión es la de la propia escritura que, como dice Jean Ricardou, usa el concepto de un mundo para desplegar sus propias leyes.[2]

Si el proceso de reconocimiento no queda bloqueado en ese nivel, entonces el lector dará por sentado que el texto está haciendo ademanes hacia un mundo que puede identificar y, después de asimilar dicho mundo, intentará volver a pasar del mundo al texto para componer lo que ha identificado y darle significado. El segundo paso en el ciclo de la lectura puede quedar perturbado, si el texto emprende una excesiva proliferación de elementos cuya función parece puramente referencial. Las enumeraciones o descripciones de objetos que no parecen determinadas por objetivo temático alguno permiten al lector reconocer un mundo, pero le impiden componerlo y le dejan con significados defectuosos o incompletos que siguen aplicándose al mundo o a su propia experiencia en virtud de un reconocimiento previo. El carácter fundamental de un discurso auténticamente «realista» o referencial es, como dice Philippe Hamon, negar el relato o volverlo imposible al producir un vacío temático (*une thématique vide*) (*Qu'est-ce qu'une description?,* p. 485). Considérese, por ejemplo, la descripción por parte de Flaubert de la escena que se ofrece a Bouvard y Pécuchet, cuando se levantan la primera mañana y miran por la ventana de su casa de campo recién adquirida:

Directamente enfrente estaban los campos, a la derecha un pajar y el campanario de una iglesia, y a la izquierda una hilera de álamos.

Dos senderos principales, en forma de cruz, dividían el jardín en cuatro partes. Las legumbres estaban dispuestas en los arriates, donde se alzaban, aquí y allá, cipreses enanos y árboles frutales. A un lado un camino emparrado conducía a un cenador; al otro un muro sostenía escaleras; y, por detrás, una cerca con celosía daba al campo. Al otro lado del muro había un huerto; detrás del cenador, matorrales; al otro lado de a cerca, un senderito. (capítulo 2)

Resulta difícil descubrir un objetivo temático para esta descripción. Las oraciones nos conducen a través de un jardín y revelan, al final de su aventura, un huerto, unos matorrales, un senderito. La manía de la precisión produce *une thématique vide*. Al bloquear el acceso a los conceptos, Flaubert muestra su maestría en lo que Barthes llama el lenguaje indirecto de la literatura: «la mejor forma de ser indirecto un lenguaje es que se refiera lo más constantemente posible a las cosas mismas y no a sus conceptos, pues el significado de un objeto siempre fluctúa, a diferencia del de un concepto» (*Essais critiques,* p. 232.). Al recurrir a esa función referencial, Flaubert produce descripciones que parecen determinadas exclusivamente por un deseo de objetividad y de ese modo inducen al lector a construir un mundo que considera real, pero cuyo significado le resulta difícil captar.

La función referencial puede afirmarse mediante detalles descriptivos, pero también depende en gran medida de la postura narrativa connotada por el texto. La dificultad para leer una novela como *Eden, Eden, Eden,* de Pierre Guyotat, deriva en parte de que no podemos identificar narrador alguno, por lo que no sabemos cómo situar su lenguaje. Si pudiéramos leerla como la descripción por parte de un hablante de una situación, real o imaginada, avanzaríamos algo hacia su organización; pero, en lugar de eso, tenemos una oración que dura doscientas cincuenta y cinco páginas, «como si se tratara de representar, no escenas imaginadas, sino la escena del lenguaje, de modo que el modelo de esa nueva mímesis ya no es las aventuras de un protagonista sino las aventuras del significante: lo que le ocurre».[3] Sin embargo, existen pocas novelas de esa clase. En la mayoría de los casos podemos ordenar el texto como discurso de un narrador explícito o implícito que nos cuenta acontecimientos en un mundo. Sartre sostiene que la novela del siglo XIX se cuenta desde el punto de vista del orden. Ya desempeñe el papel de analista social o de un individuo que rememora, apagada toda clase de pasión, el narrador ha dominado el mundo y cuenta a una concurrencia civilizada de oyentes una serie de acontecimientos que ahora pueden componerse y nombrarse (*Qu'est-ce que la littérature?*, pp. 172-3).

Quizá sea ése el caso más simple, en que el narrador se identifica a sí mismo y al auditorio que se le une para examinar los acontecimientos del pasado; pero incluso en los casos en que falta el marco del cuento relatado junto al fuego, gracias a lo que Barthes llama «el códico mediante el cual narrador y lector son significados a lo largo de toda la historia misma»,[4] podemos convertir el texto en una comunicación sobre un mundo situado con respecto al narrador y al lector. Por ejemplo, en la primera página de *Silas Marner* de George Eliot se nos dice que «en la época en que los husos zumbaban en plena actividad en las alquerías... podían verse, en distritos muy alejados de las sendas, o en las entrañas de las colinas, ciertos hombres pálidos y diminutos». Los artículos determinados y el «podían verse» afirman una situación objetiva, que se sitúa a distancia del narrador y de los lectores, a quienes hay que decir que en aquellos tiempos la superstición rondaba a cualquier persona de aspecto singular. A medida que empieza a surgir la imagen del narrador, se va esbozando la de un lector imaginario. La narración indica lo que hay que contarle a éste, cómo podría haber reaccionado él, qué deducciones o conexiones debe aceptar. Así, en *The Mayor of Casterbridge,* de Hardy, las oraciones que afirman la objetividad de la escena indican lo que el lector podría haber observado, si hubiera estado presente: «Sin embargo, lo que era realmente peculiar en el avance de aquella pareja y habría llamado la atención de cualquier observador casual que de otro modo no se habría fijado en ellos, era el perfecto silencio que guardaban». Hay intentos de establecer la realidad de la escena deduciendo información a partir de ella, como si el narrador no disfrutara de conocimiento especial, sino que fuese un observador como el lector:

no podía dudarse de que el hombre y la mujer estaban casados y eran los padres de la niña que llevaban en brazos. Ninguna otra relación habría explicado la atmófera de vieja familiaridad que el trío llevaba consigo como un nimbo mientras bajaba por el camino. (Capítulo 1)

De modo semejante, los tics estilísticos de la prosa de Balzac son casi todos ellos formas de evocar y solidificar el contrato con el lector, insistiendo en que el narrador es sólo una versión más informada del lector y en que comparten el mismo mundo a que se refiere el lenguaje de las novelas. Los demostrativos seguidos de cláusulas de relativo (era una de esas mujeres que...; en uno de esos días en que...; la fachada está pintada con ese color que da a las casas parisinas...) crean categorías al tiempo que dan a entender que el lector las conoce ya y puede reconocer el tipo de persona u objeto de que habla el narrador. Los observadores objetivados actúan como personajes para el lector y sugieren cómo habría reaccionado ante el espectáculo que se le está presentando: «Por la forma como el capitán aceptó la ayuda del cochero al bajar del carruaje podía haberse dicho que tenía cincuenta años de edad» (*on eût reconnû le quinquagénaire*). Esa clase de construcciones afirman que los significados extraídos de la escena son propiedad común del narrador y del lector: totalmente *vraisemblables*. La falda de Madame Vauquer *résume le salon, la salle à manger, le jardinet, annonce la cuisine et fait pressentir les pensionnaires* («resume el salón, el comedor, el jardincito, anuncia la cocina y hace presentir a las residentes). *Fait pressentir* ¿para quién? ¿Para quién anuncia o encapsula esas cosas? No para el narrador solmente, que no aceptará la responsabilidad de esa síntesis, sino para el lector que, como persona familiarizada con el gran texto social, se supone que es capaz de hacer esas conexiones. «¿Quién habla aquí?» pregunta Barthes, cuando se nos dice que «Zambinella, *como* si fuera presa del terror...» No es un narrador omnisciente. «Lo que se oye aquí es la voz *desplazada* que el lector otorga, por poder, a la narración... es específicamente la voz de la lectura» (*S/Z*, p. 157).

Las novelas se vuelven problemáticas, cuando la voz de la lectura es inaudible. En *La Jalousie* de Robbe-Grillet, por ejemplo, las descripciones no se realizan de acuerdo con lo que un lector advertiría o podría sacar en conclusión, si estuviera presente, y en consecuencia resulta imposible organizar el texto como comunicación entre un «yo» implícito y un «tú» implícito. «Casi todas las afirmaciones», dice Empson, «dan por sentado de ese modo que sabemos algo, pero no todo sobre la cuestión tratada y nos dirían algo diferente, si supiéramos más» (*Seven Types*, p. 4). Cuando un texto actúa como si el lector no estuviese familiarizado con las mesas preparadas para cenar —cuando presenta descripciones sin tener en cuenta el «orden de lo notable»— el lector ha de dar por sentado que está intentando decirle más y encuentra dificultad para descubrir cuál es en realidad «la cuestión tratada». Hay un excedente de significado potencial y una falta de foco comunicativo.

Las novelas que se ajustan a las expectativas miméticas dan por sentado que los lectores pasarán del lenguaje al mundo, y, como hay diferentes formas de referirse a la misma cosa, pueden admitir una diversidad de retóricas. Al comienzo de *Le Père Goriot*, por ejemplo, el narrador de Balzac pasa a lo que es explícitamente una reflexión sobre su relato, y tan pronto como la imagen del «carro de la civilización» ha conducido a un desarrollo metafórico apropiado, atropellando corazones, partiéndolos y continuando su «gloriosa marcha», se nos asegura que la propia historia no contiene exageración alguna: *Sachez-le: ce drame n'est ni une fiction, ni un roman:* «Todo es cierto». Y unas páginas después, tras una descripción dickensiana del «olor del albergue», que es exhuberancia lingüística desesperada más que un intento de precisión, nos asegura la realidad o indescriptibilidad de su referente: «quizá podría describirse, si se inventara un procedimiento para sopesar las nauseabundas partículas elementales aportadas por las nubes catarrales distintivas de cada huésped, joven o viejo». Parece decir: no os dejéis engañar por mi lenguaje. Sea cual fuere su elaboración, sólo es un gesto para remitiros a un mundo.

Esa clase de textos hacen una distinción interna entre relato y presentación, entre objeto referencial y la retórica del narrador. Al emplear esa oposición en sus estudios de las novelas, los estructuralistas han seguido el ejemplo de la lingüística basándose en la distinción de Benveniste entre «dos sistemas distintos y complementarios... el de la historia (*l'histoire*) y el del discurso (*discours*)» (*Problèmes de linguistique générale,* p. 238). Decir que una obra literaria es a un tiempo historia y narración parece intuitivamente justo: al leer *Exercices de style,* de Raymond Queneau, por ejemplo, reconocemos que la misma historia se ha contado de noventa y cinco formas diferentes. Pero el paso de la distinción lingüística a la literaria se ha cargado de dificultades sorprendentes que llaman la atención sobre algunos aspectos interesantes de la narración.

Benveniste basa su distinción en el sistema de los tiempos verbales: la diferencia entre el perfecto y el indefinido (*passé simple* o *passé défini*) es la de que el primero establece un vínculo entre el acontecimiento pasado y el presente en que hablamos del acontecimiento (por ejemplo, John ha comprado un coche). «Como el tiempo presente, el perfecto pertenece al sistema lingüístico del discurso, ya que su referencia temporal es al momento del habla, mientras que la referencia del indefinido es al momento del acontecimiento. (*ibid.,* p. 244). La distinción crucial es la existente entre formas que contienen alguna referencia a la situación de la enunciación y formas que no la contienen. En consecuencia, los pronombres de primera y segunda persona quedan excluidos del sistema de *l'histoire,* como también los deícticos que dependen para su significado de la situación o enunciación (ahora, aquí, hace dos años, etc.).

Esto no es todavía una distinción entre un relato y su modo de presentación, porque un relato podría contarse en el modo de *l'histoire.* Como ejemplo, Benveniste cita un pasaje de *Gambara* de Balzac:

> Después de dar un paseo por las arcadas, el joven miró al cielo y luego a su reloj, hizo un gesto de impaciencia, entró en un estanco, encendió un cigarro puro, se colocó delante de un espejo y miró su atuendo, algo más esmerado de lo que las leyes del gusto permiten en Francia. Se ajustó el cuello y el negro chaleco de terciopelo, que iba cruzado por una de esas cadenas anchas que hacen en Génova; después, echándose al hombro izquierdo de un solo movimiento el

abrigo forrado de terciopelo y dejándolo colgar en él con elegantes pliegues, continuó su paseo, sin permitir que le distrajeran las miradas de los transeúntes. Cuando las luces de las tiendas empezaron a encenderse y la noche le pareció suficientemente obscura, se dirigió hacia la plaza del Palais Royal como alguien que temiera ser reconocido, pues se mantuvo por el lado de la plaza hasta la fuente, para poder entrar en la calle Froidmanteau sin ser visto desde los coches de caballos.

Aparte de un verbo en tiempo presente («de lo que las leyes del gusto permiten en Francia»), este pasaje no contiene ninguno de los signos lingüísticos del discurso: «verdaderamente, ya ni siquiera hay un narrador», dice Benveniste. «Nadie habla aquí; los acontecimientos parecen contarse por sí solos» (*ibid.*, p. 241).

Esto puede ser cierto desde un punto de vista lingüístico, pero el lector de literatura habrá reconocido una voz narrativa: «una de esas cadenas anchas que hacen en Génova» connota una relación de complicidad y conocimiento compartido entre el narrador y el lector; «como alguien que temiera ser reconocido, *pues...*» nos da un narrador que infiere un estado de ánimo a partir de una acción y supone que el lector aceptará la conexión, tal como la describe. Si tuviéramos que separar la historia de cualquier clase de señales de un narrador personal tendríamos que excluir, como dice Genette, hasta la menor observación general o el menor adjetivo valorativo, la más discreta comparación, el más modesto «quizás», la más inofensiva conexión lógica, todos los cuales corresponden al *discours* más que a la *histoire* (*Figures* II, p. 67).

Todorov dice que Benveniste ha identificado «no sólo las características de los dos tipos de habla, sino también dos aspectos complementarios de cualquier habla» (*Poétique de la prose,* p. 39), y aunque eso puede parecer un intento evasivo de usar ambas opciones, una negativa a considerar lo que la distinción entraña realmente, existe un sentido en el que se trata de un comentario oportuno. Podemos distinguir dos modos de lenguaje —las oraciones que contienen referencias a la situación de enunciación y a la subjetividad del habla y las que no—, pero también sabemos que cualquier secuencia es a un tiempo una afirmación y un acto enunciativo. Por mucho que se esfuerce un texto por ser historia pura en términos de Benveniste, seguirá conteniendo rasgos que caracterizan una postura narrativa particular. El propio *passé simple* hace de signo formal de lo literario (en el sentido de que generalmente se lo excluye del habla) y «connota un mundo construido, elaborado, independiente, reducido a sus líneas significativas» y no una realidad densa, confusa, abierta, arrojada ante el lector. Si el texto anuncia que *la marquise sortit à cinq heures,* el narrador está guardando distancias, ofreciéndonos un puro acontecimiento despojado de su densidad existencial. Por usar esa forma, la novela, dice Barthes, convierte la vida en destino y la duración en tiempo orientado y significativo (*Le Degré zéro de l'écriture,* p. 26). Además, la inmensa variación en los personajes narrativos es consecuencia de las diferencias en el grado de conocimiento o de precisión manifestado en la descripción. Compárese «encendió un cigarrillo» con «tomando un cilindro blanco de la cajetilla y colocando uno de sus extremos entre los labios, alzó una maderita encendida hasta una pulgada por debajo del otro extremo del cilindro». Aunque esas dos oraciones son *histoire* desde el punto de vista de Benveniste, connotan posturas narrativas diferentes en virtud de sus relaciones con el «umbral de pertienencia funcional» de nuestro segundo nivel de *vraisemblance.*

Pero la adaptación más confusa del análisis de Benveniste es el intento de Barthes en su *Introduction à l'analyse structurale des récits* de distinguir entre narración «personal» y narración «impersonal». Según dice, la primera no puede reconocerse exclusivamente por la presencia de pronombres de primera persona; existen relatos o secuencias escritos en la tercera persona que son «en realidad manifestaciones de la primera persona». ¿Cómo podemos saber de cuál se trata? Basta con que reescribamos la secuencia, sustituyendo *él* por *yo,* y, si eso no entraña otras alteraciones, se trata de una secuencia de narración personal (p. 20). Así, «él entró en un estanco» puede reescribirse como «yo entré en un estanco», mientras que «pareció agradado con el aire distinguido que le daba su uniforme» se convierte en la incongruente «parecí agradado con el aire distinguido que me daba mi uniforme», que supone un narrador esquizofrénico. Los ejemplos que se resisten a la reescritura son apersonales. Según Barthes, ése es el modo tradicional del *récit,* que usa un sistema temporal basado en el pretérito indefinido y destinado a excluir el presente del hablante. «En el *récit,* dice Benveniste, nadie habla.»

Esto es de lo más confuso. De acuerdo con los criterios de Benveniste, «entró en un estanco» es impersonal. El rasgo que vuelve impersonal el segundo ejemplo de Barthes es el «pareció», que indica un juicio por parte del narrador y convertiría la oración, de acuerdo con los cirterios de Genette, ya que no explícitamente con los de Benveniste, en un ejemplo de *discours* y no de *histoire.* Barthes ha invertido casi enteramente las categorías al tiempo que afirmaba seguir el ejemplo de Benveniste. Lo que impide a una oración ser reescrita en primera persona es la presencia de elementos que implícitamente identifican al narrador con alguien diferente del personaje citado en la oración, y así la señal del narrador se convierte, por una curiosa paradoja, en el criterio de un modo «impersonal» de discurso. El análisis de Barthes indica la complejidad de la subjetividad en la narración y la utilidad de distinguir entre el caso en que ningún otro punto de vista que no sea el del protagonista va señalado (que llama personal) y aquel en que otro narrador va indicado (impersonal), pero la distinción apenas puede justificarse haciendo referencia al análisis lingüístico de Benveniste. La lingüística puede haber sido una fuerza germinativa, pero lo que se cosecha con frecuencia tiene poco parecido con lo que se sembró.

La identificación de los narradores es una de las primeras formas de naturalizar la ficción. La convención de que en un texto el narrador habla a sus lectores hace apoyo para las operaciones interpretativas que se ocupan de lo extraño o aparentemente insignificante. En la medida en que la novela es, como dice George Eliot, «una descripción fiel de los hombres y de las cosas, tal como han quedado reflejados en mi mente», el lector puede tratar cualquier cosa anómala como el efecto de la visión del narrador. En el caso de la narración en primera persona, opciones para las que el lector puede no encontrar otra explicación pueden interpretarse como excesos que revelan la individualidad del narrador y como síntomas de sus obsesiones. Pero incluso en los casos en que no hay narrador que se describa a sí mismo podemos explicar casi cualquier aspecto de un texto postulando un narrador cuyo carácter están destinados a reflejar o revelar los elementos en cues-·ón. Así, *La Jalousie,* de Robbe-Grillet, puede recuperarse, como ha hecho Bruce Morrissette, postulando un narrador obsesionado por sospechas paranoicas, con lo que se explican ciertas fijaciones de la descripción; *Dans le labyrinthe* puede naturalizarse leyéndolo como el habla de un narrador que padezca amnesia.[5] El texto más incoherente podría explicarse suponiendo que es el habla de un narrador delirante. Desde luego, semejantes operaciones pueden aplicarse a una extensa gama de textos modernos, pero las obras más radicales se proponen convertir esa clase de recuperación en una imposición arbitraria de sentido y mostrar al lector hasta qué punto depende su lectura de modelos de inteligibilidad. Como ha demostrado admirablemente Stephen Heath, la forma de actuar de esas novelas es volverse completamente triviales al quedar naturalizadas y mostrar al lector a qué precio ha conseguido la inteligibilidad (*The Nouveau Roman,* pp. 137-45). En palabras de Barthes, la escritura pasa a ser escritura auténtica sólo cuando nos impide responder a la pregunta «¿quién está hablando?».

No obstante, hemos desarrollado estrategias poderosas para impedir que los textos se conviertan en escritura, y en los casos en que nos resulte difícil postular un único narrador podemos recurrir a la convención literaria moderna —vuelta explícita por Henry James y los numerosos críticos que han sugerido su ejemplo— del punto de vista. Si no podemos componer el texto atribuyendo todo a un único narrador, podemos descomponerlo en escenas o episodios y atribuir significado a detalles considerándolos como lo advertido por un personaje que estuviera presente en aquel momento. Dicha convención puede considerarse como una estrategia desesperada para humanizar la escritura y hacer de la personalidad el punto focal del texto; y, de hecho, es digno de mención que los autores que con mayor frecuencia se leen de ese modo son aquellos que, como Flaubert, logran una impersonalidad que hace que resulte difícil atribuir el texto a un narrador caracterizable.

R. J. Sherrington, que es uno de los defensores más extremos de ese tipo de recuperación, nos dice, por ejemplo, que los pasajes de *Madame Bovary* que describen las visitas de Charles a la granja donde conoce por primera vez a Emma emplean un punto de vista limitado en el sentido de que «sólo se mencionan los detalles que se imponen a la conciencia de Charles». Al entrar en la cocina, advierte que los postigos están cerrados; «naturalmente, ese hecho le hace fijarse en los haces de luz que se filtran a través de los postigos y bajan por la chimenea hasta caer sobre las cenizas del hogar». Como Emma está de pie junto al hogar, «entonces ve a Emma y nota sólo una cosa en ella: 'gotitas de sudor en sus hombros desnudos'». ¡Qué característico de Charles! Lleno de admiración por el arte de Flaubert al referir sólo lo que Charles advierte, Sherrington olvida explicar qué debemos deducir sobre el carácter de Charles a partir del hecho de que entre las oraciones que describen los haces de luz y a Emma aparezca una que revela considerable interés por el comportamiento y la muerte de las moscas: «Las moscas, en la mesa, subían y bajaban por los lados de los vasos que se habían usado y zumbaban al ahogarse en el fondo, en los posos de sidra.»[6] Si intentamos atribuir esa observación a Charles, estamos recuperando detalles mediante un argumento circular: las moscas aparecen descritas porque son lo que Charles advirtió; sabemos que son lo que Charles advirtió porque son lo que aparece descrito.

En realidad, eso es simplemente otra versión de la justificación representacional que pocos lectores sutiles de novelas se permitirían emplear ahora: la de que un pasaje particular queda justificado o explicado por el hecho de que describe el mundo. Se trata de una determinación tan débil —de acuerdo con ese criterio todo lo *vraisemblable* está igualmente justificado—, que ha dejado de usarse en serio; y el concepto de punto de vista limitado ofrece una determinación que es casi igualmente débil. La prueba de su insuficiencia es que, cuando estudiamos novelas como *Lo que Maisie sabía,* que derivan del proyecto explícito de «ofrecerlo *todo,* la situación completa que la rodea, pero de ofrecerlo sólo a través de las ocasiones y conexiones de su proximidad y de su atención», no nos contentamos con sostener que las oraciones están justificadas porque nos dicen lo que Maisie sabía, sino que exigimos que contribuyan a pautas de conocimiento y formen un drama de inocencia. La identificación de los narradores es una estrategia interpretativa importante, pero por sí sola no puede llevarlos muy lejos.

Los códigos

En su *Introduction à l'analyse structurale des récits,* Barthes identifica, además de la narración, otros dos niveles de la novela: el del personaje y el de las funciones. Este último es el más heterogéneo, pero también el más fundamental, porque representa los elementos básicos de la novela abstraídos de su presentación narrativa y antes de su reorganización mediante las operaciones sintetizadoras de la lectura. También está nombrada de forma inadecuada, ya que «función» se usa para referirse a un tipo particular de unidad encontrado en ese nivel, y sería preferible que nos refiriéramos a él con el término usado en *S/Z* y que lo llamáramos el nivel de las *lexias*. Una lexia es una unidad mínima de lectura, un trozo de texto que se aísla por tener un efecto o función específicos diferentes del de trozos de texto cercanos. De modo, que podría ser cualquier cosa, desde una sola palabra a una breve serie de oraciones. Así, pues, el nivel de las lexias sería el nivel de nuestro contacto primario con el texto, en que se separan y clasifican los elementos para atribuirles distintas funciones en niveles de organización superiores.

A la hora de estudiar las unidades básicas y sus modos de combinación disponemos de una diversidad de propuestas a las que recurrir, y es necesario seleccionar y ordenar un poco insensiblemente para dar forma a la descripción que sigue. En el que es el estudio más detallado de la organización de las lexias, Barthes distingue cinco «códigos» que se aplican en la lectura de un texto, cada uno de los cuales es una «perspectiva de citas» o un modelo semántico general que nos permite seleccionar los elementos pertenecientes al espacio funcional que el código designa. Es decir, que los códigos nos permiten identificar elementos y clasificarlos juntos de acuerdo con funciones particulares. Cada código es «una de las voces de que está trenzado el texto». Identificar un elemento como unidad del código es tratarlo como *le jalon d'une digression virtuelle vers le reste d'un catalogue* (*l'*Enlèvement *renvoie a tous les enlèvements déjà écrits*); las unidades son *autant d'éclats de ce quelque chose qui a toujours été déjà lu, vu, fait, vécu: le code est le sillon de ce déjà* («las marcas de una digresión virtual hacia los otros miembros de un catálogo [el *Rapto* se refiere a todos los raptos ya escritos]; las unidades son otros tantos destellos de ese algo que *ya* se ha leído, visto, hecho, vivido: el código es la estela de ese *ya*) (*S/Z*, pp. 27-8). Seleccionar lexias es atribuirles un lugar en las clasificaciones establecidas por nuestra experiencia de otros textos y del discurso sobre el mundo.

Para Barthes, como para Lévi-Strauss, los códigos van determinados por su homogeneidad —agrupan elementos de un mismo tipo— y por su función explicativa. Por consiguiente, el número de códigos identificados puede variar según la perspectiva escogida y la naturaleza de los textos que estemos analizando. Y, de hecho, los cinco códigos aislados en *S/Z* no parecen exhaustivos ni suficientes. El *código proairético* rige la construcción de la novela por parte del lector. El *código hermenéutico* entraña una lógica de pregunta y respuesta, enigma y solución, intriga y peripecia. Estos son componentes indudables de la novela y ambos pueden situarse en el dominio de la estructura de la trama. El *código sémico* proporciona modelos que permiten al lector reunir rasgos semánticos relativos a las personas y desarrollar caracteres, y el *código simbólico* guía la extrapolación desde el texto hasta las lecturas simbólicas y temática. Por último, existe lo que Barthes llama el *código referencial,* constituido por el ambiente cultural a que remite el texto. Este es quizá el más insatisfactorio de todos los códigos, pues, si bien es posible recorrer el texto, como hace Barthes, seleccionando todas las referencias específicas a objetos culturales (aquella mujer era como una estatua griega) y al saber estereotipado (por ejemplo, los proverbios), ésas distan de ser las únicas manifestaciones de «una voz colectiva y anónima, cuyo origen es el saber humano», y su función primordial es poner en juego modelos de lo *vraisemblable* y verificar el contrato ficticio. Como ya hemos hablado de los distintos niveles de *vraisemblance,* pode-

288

mos dejar de lado ese código y pasar a ocuparnos de los problemas de diferenciación de los otros cuatro, si bien deberíamos observar de pasada que la ausencia de cualquier código relativo a la narración (la capacidad del lector para reunir elementos que ayuden a caracterizar al narrador y a colocar el texto en una especie de circuito comunicativo) es un defecto de gran importancia en el análisis de Barthes.

Al hablar de los modos de aislar los elementos y conferirles una función, Barthes recurre a la distinción de Benveniste entre relaciones distribucionales y relaciones integrativas para distinguir dos tipos de unidad: las que se definen por su relación con otros elementos del mismo tipo que aparezcan anterior o posteriormente en el texto (distribucionales) y aquellas cuya importancia deriva, no de un lugar en la secuencia, sino del hecho de que el lector las toma y las agrupa con elementos análogos en clases paradigmáticas que reciben significado en un nivel superior de integración (integrativas) (*Introduction à l'analyse structurale des récits*, pp. 5-8). Así, si un personaje en una novela compra un libro, ese episodio puede funcionar de una de dos formas. Puede ser, como dice Barthes, «un elemento que madure posteriormente, en el mismo nivel»: al leer el libro el lector se entera de algo crucial y, así, la significación de la compra es su consecuencia. O bien, el acontecimiento puede no tener consecuencias importantes, pero puede hacer de conjunto de rasgos semánticos potenciales que se pueden tomar y usar, en otro nivel, para la construcción del personaje o de una lectura simbólica.

La distinción corresponde a la división de Greimas en predicados dinámicos (o funciones) y predicados estáticos (o calificaciones). Y podemos decir que los códigos proairético y hermenéutico rigen el reconocimiento de los predicados dinámicos, cuya distribución secuencial en el texto es crucial, mientras que los elementos del código sémico y simbólico no forman tanto secuencias cuanto conjuntos de rasgos (o calificaciones) que se combinan en niveles superiores. La distinción tiene considerable validez intuitiva como representación de los diferentes papeles que podemos atribuir a las lexias de una novela, pero se ha prestado relativamente poca atención precisamente al problema básico de cómo decidir,

289

incluso retrospectivamente, si un elemento particular debe tratarse como función o como calificación (o dividido en dos componentes, cada uno de los cuales desempeña un papel). Julia Kristeva, que usa los términos *adjoncteur prédicatif* y *adjoncteur qualitatif*, en lugar de función y calificación, observa que la secuencia que, en su opinión, inaugura la acción de *Petit Jéhan de Saintré* «no es diferente de los asertos que desempeñan el papel de *adjoncteur qualitatif*». Las propiedades de las propias oraciones, como oraciones aisladas, no son decisivas en modo alguno. Entonces, ¿cómo podemos explicar las diferencias de efecto? Esta autora sostiene que debemos recurrir a distintos modelos sociales que hacen destacar determinadas clases de acción. El discurso social de un período hará que determinadas acciones sean importantes, notables, dignas de un relato, y así podemos decir que el papel de un predicado dinámico.

> será desempeñado por cualquier elemento que, en el espacio intertextual del que se lo tome, corresponda a las afirmaciones dominantes del discurso social a que pertenece el texto. No es casualidad que en *Jéhan de Saintré* el papel de *adjunto predicativo* recaiga en oraciones tomadas del discurso de los duelos y de la guerra. Esos son los significantes principales del discurso social en el período en torno a 1456... En ese contexto cualquier otro tipo de discurso (comercio, la feria libros antiguos, la corte) pasa a una posición secundaria y sólo puede ser clasificatorio... no tiene capacidad para formar un relato. (*Le Texte du roman,* pp. 121-3.)

Hay algo de verdad en esto; los modelos culturales juzgarán determinadas acciones más importantes que otras y si dichas acciones aparecen en un texto es probable que hagan una contribución a la trama. Pero si la tesis de Kristeva fuera cierta, de ella seguiría que, dado un conocimiento de la cultura de la época, el lector podría reconocer el primer predicado o acción dinámico de la trama tan pronto como lo encontrase, y no parece que así sea. No podemos limitarnos a enumerar las acciones que en una época determinada corresponderían a la trama, pues las acciones tendrán funciones diferentes en relatos diferentes. Su papel depende de la economía de la narración más que de clase alguna de propiedades intrínsecas o determinadas culturalmente y, para estudiar cómo se les asignan papeles en la trama, hemos de pasar a ocuparnos del *analyse structurale du récit* o estudio de la estructura de la trama.

La trama

Según Barthes, las secuencias de acciones constituyen la armadura del texto legible o inteligible. Proporcionan un orden que es a un tiempo secuencial y lógico y, por esa razón, son uno de los objetos preferidos del análisis estructural (*S/Z*, p. 210). Además, es evidente que en ese dominio hay una especie de competencia literaria que estudiar y explicar. Los lectores pueden decir que dos textos son versiones de la misma historia, que una novela y una película tienen la misma trama. Pueden resumir las tramas y comentar la adecuación de los resúmenes de tramas. Y, por tanto, parece razonable pedir a la teoría literaria que dé alguna explicación de esa noción de trama, cuya adecuación parece indiscutible y que usamos sin dificultad. Una teoría de la estructura de la trama debe proporcionar una representación de la capacidad de los lectores para identificar las tramas, para compararlas y para captar su estructura.

El primer paso que debemos dar —con respecto al cual todos los analistas de la trama parecen coincidir— es el de postular la existencia de un nivel autónomo de estructura de la trama subyacente a la manifestación lingüística real. Un estudio de la trama no puede ser un estudio de los modos como se combinan las oraciones, pues dos versiones de la misma trama no tienen por qué tener oraciones comunes, ni quizá tengan por qué tener tampoco estructuras lingüísticas profundas comunes. Pero tan pronto como se enuncia la cuestión en estos términos, resulta evidente la dificultad de la tarea. La de explicar cómo se combinan las oraciones para formar el discurso coherente es ya una empresa intimidante, pero en ella las unidades con las que se trabaja por lo menos están

291

dadas de antemano. Las dificultades se multiplican en el estudio de la trama porque el analista a un tiempo ha de determinar cuáles contarán como unidades elementales de la narración e investigar sus formas de combinarse. No es de extrañar que en cierta ocasión Barthes observara que

> ante la infinitud de tramas, la multiplicidad de puntos de vista desde los que podemos hablar sobre ellas (histórico, psicológico, sociológico, etnológico, estético, etc.), el analista se encuentra casi en la misma posición que Saussure ante la diversidad de fenómenos lingüísticos e intentando extraer a partir de esa aparente anarquía un principio de clasificación y un punto de enfoque para la descripción. (*Introduction à l'analyse structurale des récits,* pp. 1-2.)

Aun así, es patente que el análisis de la estructura de la trama ha de ser posible teóricamente, pues, si no lo fuera, tendríamos que admitir que la trama y nuestras impresiones de ella son fenómenos fortuitos, idiosincrásicos. Y, evidentemente, no es así. Podemos decir con cierta seguridad si el resumen de una trama es exacto, si un episodio particular es importante para la trama y, si es así, qué función desempeña, si una trama es simple o compleja, coherente o incoherente, si sigue modelos familiares o contiene efectos inesperados. Indudablemente, esas nociones no están definidas explícitamente. Podemos decir que tienen la vaguedad apropiada para su función. En casos particulares podemos vacilar a la hora de decir si una secuencia desempeña un papel importante en una trama o si el resumen de una trama es correcto realmente, pero nuestra capacidad para reconocer casos limítrofes, para predecir cuándo y dónde es probable que se produzcan discordancias, muestra precisamente que sabemos efectivamente de qué estamos hablando: que estamos trabajando con conceptos cuyo valor interpersonal entendemos.

Nuestra capacidad para comentar y verificar afirmaciones sobre las tramas nos proporciona razones poderosas para presumir que la estructura de la trama es analizable en principio. Además, las propias tramas parecen estar ordenadas en lugar de ser secuen cias fortuitas de acciones; como dice Barthes, «existe un abismo entre el proceso aleatorio más complejo y la lógica combinatoria más simple, y nadie puede combinar o producir una trama sin hacer referencia a un sistema implícito de unidades y reglas» (*ibid.*, p. 2).

Pero, cuando examinamos propuestas relativas a ese sistema implícito de unidades y reglas, es probable que nos sintamos confusos, no sólo por su diversidad sino también por su falta de procedimientos explícitos para valorar los enfoques opuestos. Cada teoría, obligada a definir por sí misma las unidades de la trama, se convierte en un sistema independiente en función del cual puede describirse cualquier trama, y no ha habido muchos intentos de explicar cómo podría verificarse un sistema particular cualquiera.

Indudablemente, ese estado de cosas se debe en parte a la interpretación por parte de los estructuralistas del modelo lingüístico. Los lingüistas que los estructuralistas han leído no dedicaron demasiado tiempo al estudio de las condiciones que debe reunir un análisis lingüístico, y su concentración en procedimientos de segmentación y de clasificación y en el desarrollo de unidades estructurales abstractas parece haber inducido a los estructuralistas a suponer que, si un metalenguaje parecía coherente lógicamente, si sus categorías eran el resultado de una investigación sistemática, ya fuera deductiva o inductiva, y si podían usarse para describir cualquiera trama, no hacía falta ninguna otra justificación.

Pero, desde luego, existen muchos metalenguajes posibles que tengan cierta coherencia lógica y que podrían usarse para describir cualquier texto: las tramas podrían analizarse en función de «acciones logradas», «acciones fracasadas» y «acciones que ni están logradas ni fracasadas, sino que mantienen el relato»; o también, en función de «acciones que destruyen el equilibrio», «acciones que restablecen el equilibrio», «acciones que intentan destruir el equilibrio» y «acciones que intentan restablecer el equilibrio». Podrían inventarse muchos metalenguajes análogos, y, si sus categorías fueran suficientemente generales, sería difícil encontrar tramas a las que no se las pudiera aplicar.

De hecho, la única forma de evaluar una teoría de la estructura de la trama es determinar hasta qué punto se corresponde la descripción que permite con nuestra apreciación intuitiva de

293

las tramas de los relatos en cuestión y hasta qué punto excluye las descripciones que son incorrectas de forma manifiesta. La capacidad de un lector para identificar y resumir las tramas, para agrupar tramas semejantes, etc., proporciona un conjunto de hechos que hay que explicar; y sin ese conocimiento intuitivo que mostramos siempre que referimos o comentamos una trama, no hay modo de evaluar una teoría de la estructura de la trama porque no hay nada con respecto a lo cual pueda ser correcta o equivocada.

Vladimir Propp, cuya precursora obra sobre la *Morfología del cuento* ha servido de punto de partida para el estudio estructuralista de la trama, parece haber comprendido la importancia de esa perspectiva metodológica. Según dice, los cuentos que está estudiando fueron clasificados por investigadores porque «poseen una construcción particular que se siente inmediatamente y que determina su categoría, aun cuando no seamos conscientes de ello». La estructura del cuento es «introducida subconscientemente» como base de la clasificación y debe volverse explícita o «trasladarse a rasgos normales, estructurales» (pp. 5-6). Invoca incluso la lingüística para justificar su procedimiento:

> Una criatura viva es un hecho concreto, la gramática es su substrato abstracto. Esos substratos constituyen la base de muchos fenómenos vivos; y precisamente en eso centra la ciencia su atención. Ni un solo hecho concreto puede explicarse sin un estudio de esas bases abstractas (p. 14).

Los análisis particulares sugieren que los «hechos concretos» a que recurre se refieren a las intuiciones de los lectores. El predecesor de Propp, Veselovsky, había sostenido, en un análisis estructural rudimentario, que una trama se componía de *motivos* como «un dragón rapta a la hija del rey». Pero, según Propp, ese motivo puede descomponerse en cuatro elementos, cada uno de los cuales puede variarse sin alterar la trama. Podría substituirse el dragón por una bruja, un gigante, o cualquier otra fuerza malvada; la hija, por cualquier ser querido; el rey, por otros padres o poseedores; y el rapto, por cualquier versión de la desaparición. La tesis es que para los lectores la unidad funcional de la trama es un paradigma con distintos miembros, cualquiera de los cuales puede elegirse para un relato particular, de igual modo que el fonema es una unidad funcional que puede manifestarse de distintos modos en las expresiones reales efectivas. Para Propp, los cuentos folklóricos populares tienen dos tipos de contenido: el primero son *papeles* que pueden desempeñar una diversidad de personajes, y el segundo, que constituye la trama, son funciones.

Una función es «un acto de personajes dramáticos, que se define desde el punto de vista de su importancia para el transcurso de la acción del cuento en conjunto» (p. 20). Esta definición es el rasgo crucial del análisis de Propp: se pregunta qué otras acciones podrían substituir una acción particular de un relato sin alterar su papel en el cuento en conjunto, y la clase general que incluye todas esas acciones sirve de nombre de la función en cuestión. Una función «no puede definirse sin tener en cuenta el lugar que ocupa en el proceso de la narración» porque las acciones idénticas pueden tener papeles muy diferentes en dos relatos distintos y, por tanto, deben quedar incluidas en funciones diferentes. El protagonista podría construir un enorme castillo bien para cumplir con una tarea difícil que se le haya asignado, bien para protegerse de un villano, o para celebrar su matrimonio con la hija del príncipe. En cada caso la acción sería conmutable con acciones diferentes, tendría relaciones diferentes con las que la precedieron y la siguieron y, en resumen, sería un ejemplo de una función diferente.

Trabajando con un corpus de cien cuentos, Propp aísla treinta y una funciones que forman un conjunto ordenado y cuya presencia o ausencia en cuentos particulares puede servir de base de una clasificación de las tramas. Así, «se forman cuatro clases inmediatamente»: desarrollo a través de una lucha y una victoria, desarrollo mediante la ejecución de una misión difícil, desarrollo mediante ambas cosas y desarrollo a través de ninguna de ellas (p. 92). Pero esas conclusiones se refieren a las propiedades de su corpus y son menos importantes para nuestros fines que las discusiones que su análisis ha provocado.

Claude Bremond, en un ataque que pone en cuestión la noción de estructura usada en el análisis de Propp, sostiene que cada fun-

295

ción debería abrir un conjunto de consecuencias alternativas. La definición por parte de Propp de una función entraña «la imposibilidad de concebir que una función pueda abrir una alternativa: puesto que se define por sus consecuencias, no hay forma de que consecuencias opuestas puedan resultar de ella» (*Le message narratif*, p. 10). Al leer una novela tenemos la impresión de que en cualquier momento dado hay diferentes formas como podría continuar la historia y podríamos suponer que un análisis de la estructura de la trama debería proporcionar una representación de ese hecho. Además, Bremond invoca el modelo lingüístico para apoyar su argumento, afirmando que Propp está trabajando a partir del punto de vista de la *parole,* no de la *langue*:

> Pero, si pasamos del punto de vista de los actos de habla que usa constricciones terminales (el fin de la oración determina la elección de las primeras palabras), al del sistema lingüístico (el comienzo de la oración determina su final), queda invertida la dirección de inferencia. Hemos de construir nuestras secuencias de funciones partiendo del *terminus a quo,* que en el lenguaje general de las tramas abre una red de posibilidades, y no del *terminus ad quem,* en relación con el cual los actos de habla particulares de los cuentos rusos hacen su selección entre posibilidades (*ibid.,* p. 15).

Bremond parece dar por sentado que, si concebimos la lengua como un sistema, sabemos que la primera palabra de una oración impone restricciones a lo que puede seguir, pero deja abierta una multitud de posibilidades, mientras que, si consideramos una expresión completa, podemos decir que las primeras palabras tenían que escogerse para alcanzar el fin particular. Pero sea cual fuere la verdad encerrada en esa concepción, parece tener poco que ver con la estructura. Tanto si estamos hablando de la estructura de una oración como si estamos hablando de la estructura de una lengua, descubriremos que las relaciones de inferencia entre partes de una estructura funcionan en ambas direcciones. Los verbos imponen determinadas restricciones a los sujetos y a los objetos, los objetos a los verbos, etc. Ninguna gramática comien-

za con una lista de elementos que puedan aparecer en posición
inicial ni enumera después los que pueden seguir a cada uno de
ellos. De hecho, lejos de apoyar la concepción de Bremond, la
analogía lingüística indica que el análisis estructural se refiere
a la determinación recíproca entre elementos de la secuencia en
conjunto.

La cuestión en litigio es crucial. Para Propp, la función de un
elemento va determinada por su relación con el resto de la secuencia. Las funciones no son simplemente acciones, sino también los
papeles que la acción desempeña en el *récit* en conjunto. Es cierto
que, si el héroe combate efectivamente con el villano, gran parte
del interés para el lector puede depender de la incertidumbre del
resultado; pero podemos decir también que se trata de incertidumbre sobre la función de la lucha. El lector no conoce su importancia y su lugar en el cuento hasta que no conoce el resultado.
Bremond sostiene que esa concepción teleológica de la estructura es
inaceptable; pero, al contrario, ésa es precisamente la concepción
de la estructura requerida. «La esencia de cualquier función»,
dice Barthes, «es, por decirlo así, su semilla, lo que permite plan-
tar en el cuento un elemento que madurará más adelante» (*Introduction à l'analyse structurale des récits,* p. 7). La trama está sujeta
a determinación teleológica: ciertas cosas ocurren para que el *récit*
se desarrolle como lo hace. Esa determinación teleológica es lo
que Genette llama

> esa paradójica lógica de la ficción que nos exige definir cada
> elemento, cada unidad del relato, por sus cualidades funcio-
> nales, es decir, entre otras cosas por su correlación con otra
> unidad, y explicar la primera (en el orden del tiempo narra-
> tivo) mediante la segunda, y así sucesivamente. (*Figures II,*
> p. 94.)

La alternativa sería un análisis que se refiriera a las *acciones,*
o a las funciones, e intentase especificar todas las consecuencias
posibles de cualquier acción. Semejante teoría no podría explicar
qué diferencia representa para un relato en conjunto el hecho de
que una acción tenga una consecuencia en lugar de otra, pues esa

297

diferencia es precisamente un cambio en la función de la primera acción. En resumen, no podemos aislar unidades de la trama sin considerar las funciones que desempeñan. Ese ha sido un rasgo fundamental y es igualmente básico para el análisis estructural de la literatura.

En realidad, podríamos decir que la prueba del argumento estriba en el hecho de que una teoría como la de Bremond, que se centra en las posibles alternativas, se vería obligada a asignar descripciones diferentes a una narración épica de las aventuras de Ulises, en que el narrador mencionara continuamente episodios posteriores o el resultado final de la trama, y a una descripción de las mismas aventuras en que no hubiese anticipación narrativa. En la primera la gama de elección narrativa es reducida (si el narrador ha enunciado que Ulises llegará a Itaca, no puede hacer que Polifemo mate a Ulises), mientras que en la segunda habría muchas bifurcaciones. Pero por definición las dos historias tienen la misma trama. De hecho, Bremond parece haber confundido las operaciones del código hermenéutico con las del código proairético. Los elementos de este último deben definirse retrospectivamente, mientras que los del primero se reconocen prospectivamente, como una perspectiva de intriga o misterio. Si decimos unas palabras sobre el código hermenéutico, estaremos mejor preparados para regresar a la estructura de la trama propiamente dicha.

«Hacer el inventario hermenéutico», escribe Barthes, «ser distinguir los diferentes términos formales mediante los cuales se aísla, plantea, formula, dilata y finalmente resuelve un enigma» (S/Z, p. 26). Aunque Barthes se centra primordialmente en los misterios, podríamos colocar bajo ese epígrafe cualquier cosa que al avanzar por el texto desde el comienzo hasta el final, parezca insuficientemente explicada, plantee problemas, provoque el deseo de conocer la verdad. Dicho deseo actúa como una fuerza estructuradora, al inducir al lector a buscar rasgos que pueda organizar como respuestas parciales a las preguntas que se haya hecho; desde ese punto de vista resulta más importante el código hermenéutico. Aunque con él queda excluido un interés o curiosidad generalizados —el deseo, digamos, de saber lo que ocurrirá a los personajes que nos interesan—, ésa no parece una consecuencia desafortunada porque, al comentar la estructura de un relato, deberíamos poder distinguir el deseo de seguir el relato o de conocer el final de lo que ordinariamente consideraríamos como intriga propiamente dicha, en que se plantea un problema específico y seguimos leyendo no simplemente para enterarnos de más cosas, sino también para descubrir la respuesta pertinente. El deseo de ver lo que ocurre a continuación no actúa por sí mismo como una importante fuerza estructuradora, mientras que el deseo de ver resuelto un enigma o problema conduce efectivamente a organizar secuencias para hacer que satisfagan.

Los momentos de elección o bifurcación de que habla Bremond pueden concebirse como puntos de la trama en que la propia acción plantea un problema de identificación y clasificación. Después de una grave disputa, el protagonista y la protagonista pueden bien reconciliarse bien separarse, y la intriga que el lector podría sentir en semejantes momentos es, estructuralmente, un deseo de saber si la disputa debe clasificarse como una prueba para el amor o como un fin del amor. Aunque la propia acción puede aparecer presentada con toda la claridad que pudiera desear, todavía no sabe su función en la estructura de la trama. Y hasta que no se resuelve el enigma o el problema, no pasa de un entendimiento de la acción a un entendimiento o representación de la trama.

Barthes no habla de las incertidumbres de la trama, a pesar de que entran dentro del objetivo del código hermenéutico. Se ocupa primordialmente de los misterios de la identidad. Los títulos tienden a ser enigmas de esa clase: hasta el capítulo sexto no nos enteramos de si *Middlemarch* es una persona, una familia, una casa, una ciudad o una metáfora temática. Títulos como *The Wings of the Dove* («Las alas de la paloma»), *Intruder in the Dust* («Intruso en el polvo»), *Vanity Fair* («La feria de las vanidades»), *Tender is the Night* («Tierna es la noche») imponen un tipo particular de atención, mientras intentamos determinar de qué modo se aplican a la novela y la organizan en función de un tema dado a entender. Los deícticos con referencias desconocidas que aparecen en los comienzos de las novelas contribuyen también a un ritmo hermenéutico. *The Short Happy Life of Francis Macomber,* de Hemingway, comienza con una oración hermenéuticamente potente que plantea una serie de problemas: «Era la hora de comer y todos estaban sentados bajo el doble toldo verde de la tienda-comedor fingiendo que nada había ocurrido.»

La mayoría de los casos que Barthes considera, entrañan problemas sobre los que los personajes o el narrador llaman la atención: «'Pero, ¿quién es? Quiero enterarme', dijo ella enérgicamente»; «Nadie sabía de dónde procedía la familia Lanty»; o, de forma más sutil, «Pronto la exageración propia de los miembros de la alta sociedad provocó y construyó las ideas más divertidas, las afirmaciones más raras, los relatos más ridículos sobre aquel personaje misterioso», en que la sugerencia de que dichas historias no han de tomarse en serio, no hacen sino intensificar la curiosidad del lector. Los tres primeros constituyentes del proceso hermenéutico son lo que Barthes llama *la thématisation,* en que se menciona el objeto del enigma; *la position,* indicación de que existe efectivamente un problema o misterio; *la formulation,* en que aparece formulado como un enigma. La tercera operación puede realizarla el propio texto o el lector, pero la sugerencia de Barthes es que emprender una lectura hermenéutica es hacer que ese modelo se refiera al texto.

Los siguientes constituyentes del proceso hermenéutico son más importantes, pues en ellos seguimos y nos vemos afectados por «la considerable labor que ha de realizar el discurso para *detener* el enigma, para mantenerlo abierto» (*S/Z,* p. 82). Sólo cuando se mantiene un problema se convierte en una fuerza estructuradora importante, al hacer que el lector organice el texto en relación con él y que lea las secuencias a la luz de la pregunta a la que está intentando dar respuesta. Tenemos, en primer lugar, la *promesse de réponse,* cuando el narrador o un personaje indica que se dará una respuesta o que el problema no es insoluble; *le leurre,* una respuesta que puede ser estrictamente verdadera, pero que está destinada a confundir; *l'équivoque,* una respuesta ambigua, que complica más el misterio y recalca su interés; *le blocage,* una admisión de derrota, la afirmación de que el misterio es insoluble; *l réponse suspendue*, en que algo interrumpe un momento de descubrimiento; *la réponse partielle,* en que se llega a conocer algun verdad, pero perdura el misterio; y, por último, *le dévoilement,* que el narrador, el personaje o el lector acepta como solución satisfactoria (*S/Z,* pp. 91-2 y 215-16).

Este es un modelo de los diferentes papeles que los lectores pueden atribuir a los elementos de un texto, una vez que participan en un proceso hermenéutico. No avanza demasiado por el camino de proporcionar una teoría de las estructuras hermenéuticas, ya que no especifica detalladamente cómo pasan los elementos a ser considerados como enigmas y, por tanto, cómo empieza el proceso hermenéutico. Pero el análisis de Barthes tiene por lo menos el mérito de llamarnos la atención sobre el modo como conducen los enigmas a una estructuración del texto. Todorov ha sostenido que los relatos cortos de Henry James están organizados en gran medida del mismo modo: la respuesta perpetuamente aplazada, el secreto que nunca se revela, proporciona una perspectiva en que el lector puede imponer un orden a elementos heterogéneos. O podríamos pensar en el modo como un enigma estructura *Edipo rey.* «La Voz de la Verdad, puesta en juego por el código hermenéutico, puede coincidir al final con la de la propia historia, pero dos relatos con tramas idénticas podrían tener efectos muy diferentes si las estructuras hermenéuticas fueran diferentes.

Si Bremond desaprueba el hecho de que Propp centre su atención en las funciones definidas teleológicamente en lugar de en las acciones empíricas que podrían tener consecuencias diferentes, Greimas y Lévi-Strauss sostienen que hay que reprochar a Propp el descubrimiento de la forma «demasiado cérca del nivel de observación empírica». En lugar de pasar de las acciones de los cuentos individuales a los nombres ligeramente más abstractos de sus treinta y una funciones, debería haber considerado las condiciones estructurales generales que un relato debe satisfacer y haber enunciado sus funciones como manifestaciones o transformaciones de estructuras más fundamentales. La clase de los *récits dramatisés,* dentro de la cual entran los cuentos populares y probablemente la mayoría de las novelas, se define en sus niveles más elementales como una homología de cuatro términos en que se pone

301

en correlación una oposición temporal (situación inicial/situación final) con una situación temática (contenido invertido/contenido resuelto).[7] Para que una secuencia cuente como trama hemos de poder aislar, no simples acciones, sino acciones que contribuyan a una modificación temática. Esos aspectos del paso de una situación inicial a la situación final que ayudan a producir un contraste entre un problema y su resolución son los componentes de la trama.

Desde luego, todas las funciones de Propp tienen una fuerza temática de ese tipo, pero un conjunto de treinta y una funciones tiene que parecer por fuerza una serie arbitraria, y es mucho más satisfactorio estructuralmente para el analista poder convertirlas en transformaciones de tres o cuatro elementos básicos. En su artículo *L'analyse morphologique des contes russes,* Lévi-Strauss reduce el número de funciones agrupando las que están emparentadas lógicamente («así, podemos considerar la 'violación' como lo contrario de la 'prohibición' y esta última como la transformación negativa del 'mandato'»), pero Greimas, sin demasiada explicación, da la misma clasificación a cualquier grupo de funciones para las que pueda inventar un término que las abarque y saca la conclusión de que hay tres tipos de secuencias. «Al no poder emprender verificaciones exhaustivas en este caso, vamos a decir simplemente, como hipótesis, que podemos identificar tres tipos de sintagma narrativo» (*Du sens,* p. 191). Desgraciadamente, no dice cómo propondría verificar esa hipótesis ni qué afirma la hipótesis.

Los tres tipos de secuencia son *les syntagmes performanciels* (relativos a la ejecución de misiones, hazañas, etc.), *les syntagmes contractuels,* que dirigen la situación hacia determinado fin (uno decide hacer algo o se niega a hacerlo), y *les syntagmes disjonctionnels,* que entrañan movimientos o desplazamientos de distinto tipos. La última categoría es especialmente frágil e inútil. Aunque las salidas y las llegadas son de importancia evidente, la teoría de Greimas lo conduce a producir una homología oponiendo «salida» a «llegada de incógnito» y «llegada» a «regreso». Y cuando analiza la estructura de un mito particular el resultado es una confusión mayor: describe seis «disyunciones» como «salida + movimiento:

302

(ya sea «horizontal», «horizontal rápido», «ascendente» o «descendente»), una como «regreso negativo» y una como «regreso positivo» (*ibid.*, pp. 200-9). No está claro lo que se propone alcanzar con semejante análisis. Si representa la tesis de que la dirección y la velocidad del movimiento son más importantes a la hora de determinar la función de un episodio que las razones de su movimiento, entonces lo único que podemos decir es que el movimiento de su propio pensamiento no ofrece testimonios. Si un protagonista huye del malvado horizontal y rápidamente, eso es bastante diferente de competir en una carrera pedestre, pero funcionalmente es semejante a subir a un árbol, despacio y verticalmente, para esconderse y escapar.

Los *syntagmes performanciels* incluyen la mayoría de elementos que ordinariamente se clasificarían como componentes de la trama, pero no hay intento de justificar la categoría misma ni sus divisiones (batallas y pruebas). Ahora bien, como el propio Greimas se apresura a señalar, un análisis que transcribe el texto de acuerdo con su metalenguaje extrae «sólo lo que se *espera* en virtud del conocimiento de las propiedades formales del modelo narrativo» (*ibid.*, pp. 198-9). El hecho de que la transcripción sea mucho más formal de lo que nosotros mismos ofreceríamos como resumen de una trama no es en sí misma una consideración decisiva, pero nos obliga a preguntarnos por qué hay que considerar válido el propio modelo.

La única respuesta posible sería que sus categorías dan a entender hipótesis importantes sobre la estructura narrativa, pero esa afirmación sería difícil de mantener, especialmente en relación con la primera y tercera categorías. La segunda (*syntagmes contractuels*) es más prometedora: da a entender que las situaciones por sí mismas no son fundamentales para la trama, sino que lo que buscamos son situaciones que contengan un contrato implícito o la violación de un contacto. En opinión de Greimas, la mayoría de los relatos pasan de un contrato negativo a uno positivo (del alejamiento de la sociedad a la reintegración en la sociedad) o de un contrato positivo a la ruptura de dicho contrato. Aunque esa distinción no es fácil de hacer —la mayoría de las novelas entrañan una resolución de algún tipo, aun cuando resulte de la ruptura de un contrato implícito—, nos llama la atención sobre un aspecto importante de la estructura de la trama que ya va bosquejada en el modelo de la narración como paso de contenido invertido a contenido resuelto.

En su obra sobre *Les Liaisons dangereuses,* Todorov intentó usar el modelo homológico de Lévi-Strauss para describir la trama: «se postula que la teoría representa la proyección sintagmática de una red de relaciones paradigmáticas» y que debemos reconstruir dicha red en forma de una homología de cuatro clases. Aunque le resultó posible distribuir los acontecimientos en cuatro columnas, de modo que cada columna formara una clase en la estructura homológica —al modo del análisis por parte de Lévi-Strauss del mito de Edipo—, Todorov sacó la conclusión de que «había un peligroso margen de arbitrariedad» en el proceso de elegir o describir acciones para que encajaran dentro de la estructura (*Littérature et signification,* pp. 56-7). Probablemente esa dificultad surja porque la estructura homológica, tal como Lévi-Strauss la había formulado entonces, no tenía en cuenta el desarrollo lineal del relato, sino que daba por sentado que se repetirían distintas relaciones a lo largo del relato. La trama en conjunto tendría la misma estructura que una serie de cuatro acciones o episodios, o por lo menos la homología que representara su estructura tendría que ser tan abstracta que se la encontraría repetida en diferentes partes del relato.

Para conservar la especificidad de las secuencias individuales y el movimiento hacia adelante de la trama en conjunto, Todorov intentó en su *Grammaire du Décaméron* desarrollar un metalenguaje que pudiera aplicarse a todos los niveles de generalidad, pero que no nos obligase a encajar a la fuerza acciones en un molde semántico particular. Aísla tres «categorías primarias» que llama «nombre propio», «adjetivo» y «verbo». El primero representa personajes y, desde el punto de vista de la estructura de la trama, son simplemente sujetos de oraciones sin propiedades internas. Los adjetivos, análogos a las «calificaciones» de Greimas y a los «adjuntos calificadores» de Kristeva, se dividen en estados (variantes de la oposición feliz/infeliz), propiedades (virtudes/defectos) y condiciones (masculino/femenino, judío/cristiano, de origen elevado/de origen bajo). Existen tres tipos de «verbos»: modificar la situación, cometer un delito de algún tipo y castigar. Además, cualquier oración estará en uno de cinco modos: el indicativo (acciones que se han producido realmente), el «obligatorio» («una voluntad codificada y colectiva que constituye la ley de una sociedad»), el optativo (lo que los personajes desearían que hubiera ocurrido), el condicional (si tú haces X, yo haré Y) y el predictivo (en ciertas circunstancias aparecerá X) (pp. 27-49).

Las razones para escoger esas categorías son probablemente que Todorov desea tomar en serio su modelo lingüístico a la hora de escribir una «gramática de la narración» y que las categorías basadas en la oración canónica pueden usarse para reescribir tanto las oraciones del propio texto como las oraciones del resumen de la trama. Observa que «las estructuras siguen siendo las mismas, cualquiera que sea el nivel de abstracción» (p. 19), pero eso es verdad sólo porque las descripciones en cualquier nivel abarcan oraciones y, por tanto, predicados. No hay indicaciones de cómo pasa el lector de las oraciones que contienen adjetivos y verbos a los resúmenes de la trama en que secuencias enteras van representadas por adjetivos o verbos. El hecho de que las mismas categorías se usen en ambos niveles crea una conexión entre ellos sin elucidar el proceso de síntesis.

¿Qué argumentos pueden aducirse en favor de semejante metalenguaje? Todorov sugiere que al poner en conexión la estructura narrativa con las estructuras lingüísticas sus categorías pueden ayudar a entender la naturaleza de la narración: *on comprendra mieux le récit si l'on sait que le personnage est un nom, l'action un verbe* («se entenderá mejor el relato si se sabe que el personaje es un nombre y la acción un verbo») (p. 84). Pero la semejanza entre verbo y acción es de todo punto evidente y no puede constituir la justificación de un metalenguaje: como tampoco lo pueden los intentos, faltos de convicción, por parte de Todorov, de sostener que sus categorías han de ser válidas porque están sacadas de la «gramática universal» (pp. 14-17).

Si su metalenguaje llega a justificarse, lo será por la validez intuitiva de las distinciones que sus categorías connotan y de las agrupaciones de trama que establecen. En primer lugar, la división de los verbos en tres clases sugiere que hay dos tipos de trama: la que entraña modificación de la situación y aquella en que hay transgresión y castigo (o falta de castigo); pero no acabamos de ver por qué ha de particularizarse la segunda como un caso especial. ¿Por qué no admitir como tipos distintos secuencias que entrañen una búsqueda o decisión que hay que tomar? En vista de esa anomalía, John Rutherford ha propuesto que se omitan la transgresión y el castigo y que la culpabilidad resultante de la transgresión se considere como un predicado adjetivo (cometer un crimen es modificar una situación y cambiar los adjetivos que describen nuestro estado).[8] Indudablemente, eso es una mejora, pero reduce las afirmaciones que hace la teoría. El rasgo constitutivo de una trama es ahora la modificación de una situación —tesis que no se ha impugnado en serio desde que Aristóteles la enunció por primera vez— y los atributos o cualidades comprendidos en la trama son los que quedan modificados por la acción central. Esta parece una tesis válida, pero modesta: al leer una novela o relato corto, podemos presentar una serie de adjetivos que se aplican a los personajes principales, pero hasta que no se produzca algo que señale la modificación efectiva o esperada de uno de esos atributos, no sabemos cuáles son pertinentes para la trama.

Una tesis más rotunda y más discutible del sistema de categorías se refiere a los cambios que serían necesarios para que un relato pase de una estructura de la trama a otra. En uno de los cuentos de Boccaccio, Peronella oye volver a su marido y hace esconderse a su amante en un tonel. Dice a su marido que es un presunto comprador que está examinando el tonel y, mientras el marido limpia el tonel, ellos siguen con sus retozos. La transcripción por parte de Todorov de esa trama puede traducirse del modo siguiente: «X comete una fechoría y la consecuencia socialmente requerida es que Y castigue a X; pero X desea eludir el castigo y, por lo tanto, actúa para modificar la situación, con el resultado de que Y cree que ella no ha cometido un delito y, en consecuencia, no la castiga, a pesar de que ella sigue con su acción inicial» (p. 63). Según la teoría de Todorov, la estructura de la trama o se ve afectada por la forma como Peronella actúa para modificar la situación. El cuento tendría la misma estructura si ella no hubiera usado artimaña alguna y hubiese dicho simplemente a su amante que se marchara y volviese más tarde. Si eso parece inaceptable, es porque nuestros modelos culturales hacen de «la artimaña» o «el engaño» un recurso estructural básico de la narración (los relatos en que intervienen artimañas se consideran diferentes de aquellos en que no intervienen) y nos gustaría ver representado ese hecho. Sin embargo, nótese que, según la teoría de Todorov, la estructura del relato quedaría alterada, si Peronella hubiera predicho a su amante, al esconderlo, en el tonel, que podía hacer creer a su marido que se trataba de un cliente. Si el lector opina que ese cambio altera la estructura de la trama menos que el cambio que entraña despedir al amante y no emplear artimaña alguna, está impugnando implícitamente la teoría contenida en el metalenguaje de Todorov.

De modo semejante, Todorov se ve obligado a asignar la misma descripción estructural a un relato en que a X le parece remolón su amigo Y y se lo echa en cara tan expresivamente, que éste se corrige, y a otro relato en que X se enamora de la esposa de Y y la seduce. En el primer caso X actúa para modificar un atributo y lo consigue; en el segundo caso, «el atributo en cuestión es el estado de la relación sexual en que se encuentran» (él desea que ella cambie su atributo de no ser su amante y consigue producir esa modificación). Una vez más tenemos la curiosa situación de que el segundo cuento recibe la misma estructura que el primero y se distingue de un tercero en que X se enamora de la esposa de Y, predice a un amigo que es capaz de seducirla y la seduce. Esos resultados se deben a la ubicuidad del verbo del tipo A: cualquier cosa que modifique una situación recibirá la misma descripción estructural, de modo que las principales diferencias en la estructura de la trama que la teoría identifica son las debidas a cambios de modo. Como observa Claude Bremond, «nos gustaría pensar que los supuestos contenidos semánticos del verbo A son sólo los substitutos provisionales de funciones sintácticas que hay que identificar», y que un estudio posterior nos permitirá diferenciar tramas en que las situaciones resulten modificadas de forma radicalmente diferente.[9]

El problema básico parece ser el de que Todorov no ha considerado qué hechos debe explicar su teoría y, por tanto, no ha considerado la adecuación de las agrupaciones implícitas que establece. Concibe su gramática como el resultado del estudio cuidadoso de un corpus y, por tanto, como una descripción de dicho corpus, pero no ha intentado mostrar por qué ha de ser preferible esa descripción a otras. Su desinterés por el proceso de lectura en que se reconocen y sintetizan las tramas le deja sin objeto que explicar. Pero por lo menos sus categorías están suficientemente definidas como para que podamos aplicarlas efectivamente y ver qué consecuencias tienen, cosa que no se puede decir con respecto a muchas otras teorías.

El enfoque por parte de Kristeva de la descripción de la trama en *Le texte du roman* comienza de forma semejante, tomando sus categorías básicas de la lingüística. Según ella, las secuencias narrativas son análogas a los sintagmas nominales y verbales en la oración canónica y, por lo tanto, las categorías primarias son el verbo (adjunto predicativo), el adjetivo (adjunto calificativo), el «identificador» (un indicador espacial, temporal o modal unido a un predicado) y el sujeto o «actante». Con esas categorías construye lo que llama «el modelo aplicativo para la generación de clases de complejos narrativos en la estructura secuencial de la novela» (*le modèle applicatif de la génération des complexes narratifs en classes narratives dans la structure phrastique du roman*) (pp. 129-30). El modelo genera descripciones estructurales mediante operaciones recursivas de combinación. Ha de haber por lo menos un verbo, pero, aparte de eso, la gramática combina términos con completa libertad: puede aparecer cualquier número de verbos; cualquier número de adjetivos, con o sin identificadores, puede aparecer en cualquier punto de la oración; y los identificadores, sin restricción de número, pueden ir unidos a verbos y adjetivos. No hace falta decir que el modelo no constituye una hipótesis convincente sobre la estructura de la novela.

Kristeva sostiene que su modelo establece una tipología de ocho estructuras diferentes, pero, de hecho, casi todos los *récits* pertenecerán a su primer tipo: una serie de acciones y calificaciones con algunos identificadores espaciales, temporales y modales. Podríamos perfectamente encontrar ejemplos de su tercer tipo (que contiene sólo un personaje y acciones), de su cuarto tipo (que no contiene sino una sola acción además de calificaciones e identificadores) o de su sexto tipo (que consta exclusivamente de acciones realizadas por distintos personajes), si bien serían rarezas y excepciones y no formas importantes de la prosa narrativa. Pero los otros cuatro tipos parecen imposibles, más que simplemente raros. En los tipos dos y cinco los adjetivos no llevan identificadores, aunque, desde luego, hasta la presentación más neutral («el hombre alto...») proporciona identificaciones modales (él *es* alto). En los tipos siete y ocho no hay personajes, simplemente acciones con o sin identificadores, lo que parece sacarnos totalmente del dominio de la ficción narrativa (p. 132). De hecho, es extraordinariamente difícil sacar hipótesis significativa alguna a partir del modelo de Kristeva. Las categorías no establecen por sí mismas agrupaciones pertinentes de tramas y no hay un intento de justificarlas excepto por referencia a un modelo lingüístico. Y, desde luego, Kristeva ha substituido las constricciones sintácticas y las estructuras de la lengua por combinaciones libres de elementos. Su hipótesis parece haber sido la de que, si todas las secuencias pueden describirse en un metalenguaje procedente de la lingüística, las descripciones y el metalenguaje han de tener por fuerza interés y valor, pero su propio ejemplo basta para mostrar que no es así.

Si tanto los intentos de Greimas y de Lévi-Strauss de avanzar hacia abajo a partir de una homología de cuatro términos como los intentos de Kristeva de avanzar hacia arriba a partir de los constituyentes de la oración parecen inadecuados como modelos de la estructura de la trama, ¿qué tipo de enfoque debemos apoyar? Para que pueda alcanzar aunque sea una adecuación rudimentaria, ha de tener en cuenta el proceso de la lectura, de modo que, en lugar de dejar las lagunas que encontramos en los enfoques de Greimas y de Todorov, proporcione alguna explicación de la forma como se construyen las tramas a partir de las acciones y episodios que encuentra el lector. Es decir, que ha de considerar qué tipo de hechos está intentando explicar. Por ejemplo, en *Eveline,* de Joyce, un cuento de *Dubliners* que Seymour Chatman ha intentado analizar desde el punto de vista estructuralista, podemos dar una jerarquía de resúmenes de trama apropiados:

(1) Eveline va a fugarse y a empezar una nueva vida, pero en el último minuto se niega.

(2) Después de haber decidido fugarse con Frank y comenzar una nueva vida, Eveline reflexiona sobre su pasado y presente y se pregunta si debe ir hasta el final. Decide hacerlo, pero en el último momento cambia de opinión.

(3) Eveline ha quedado en fugarse a Argentina con Frank y comenzar una nueva vida, pero la tarde de su marcha se sienta ante la ventana y se pone a mirar la calle donde siempre ha vivido, mientras pasa revista a la recuerdos felices de su infancia, su sensación de apego y su deber para con su familia frente a la brutalidad presente de su padre, su atracción hacia Frank y la nueva vida que éste le dará. Llega a la conclusión de que debe escapar y de que se fugará, pero cuando está a punto de subir a bordo del barco con él, siente una reacción violenta, casi física, y se niega a marchar.

Evidentemente, podríamos no estar de acuerdo con algunos detalles de estos resúmenes, pero en general serían aceptables como descripciones de la trama. Para llegar a estos resúmenes excluimos gran cantidad de cosas, y casi todo el mundo estaría de acuerdo en lo que hay que excluir. Por ejemplo, en el segundo párrafo se nos dice: «El hombre del último portal pasó camino de casa.» Se trata de una acción, pero quedaría excluida de cualquier descripción de la trama. Y la razón es simplemente que no tiene consecuencias. Cuando leemos el cuento por primera vez, no sabemos qué papel asignar a esa frase, pero, cuando en las siguientes oraciones no se vuelve a hacer mención del hombre, sacamos la conclusión de que no es por sí mismo un elemento de la trama, sino sólo una ilustración de la observación casual de Eveline que pasará a formar parte de la trama bajo el epígrafe de «reflexiones», por ejemplo.

En su *Introduction à l'analyse structurale des récits*, Barthes distingue entre «núcleos» que se enlazan mutuamente para formar la trama y «catalizadores» y «satélites» que van unidos a los núcleos, pero no establecen oraciones por sí mismos. Esta distinción servirá como representación de parte del proceso de lectura, si la modificamos de dos modos. En primer lugar, los núcleos y los satélites no son necesariamente frases separadas en el texto. El núcleo puede ser perfectamente una abstracción manifestada por una serie de frases que pueden considerarse sus satélites. Seymour Chatman considera la frase «En un tiempo había ahí un campo en que» como el segundo núcleo de *Eveline,* pero esa frase no pertenece a la secuencia de la acción; es simplemente una manifestación del núcleo «reflexiones».[10] En segundo lugar, núcleo y satélite son términos puramente relacionales: lo que en un nivel de la estructura de la trama es un núcleo pasará a ser un satélite en otro, y una secuencia de núcleos puede, a su vez, ser abarcada por una unidad temática. Cuando Eveline recuerda lo que Frank y ella hacían cuando eran novios, esas acciones, aunque pueden organizarse como núcleos y satélites, son manifestaciones de una unidad mayor que podemos llamar algo así como «noviazgo feliz» y que, en otro nivel, se convierte en parte de la unidad temática: «características positivas de la vida con Frank».

¿Qué es lo que determina ese proceso de identificación de núcleos y satélites? En *S/Z* Bartthes recurre a los modelos culturales en busca de una respuesta:

> Quien lea el texto recoge retazos de información bajo los nombres genéricos de acciones (Paseo, Asesinato, Cita), y ese nombre es el que crea la secuencia. La secuencia llega a existir sólo en el momento en que podemos nombrarla y porque podemos nombrarla; se desarrolla de acuerdo con el ritmo de ese proceso de nombrar, que busca y confirma (p. 26).

En el nivel más bajo podemos decir que, cuando el narrador de Balzac lleva a Sarrasine a una «orgía», avisa al lector que la secuencia siguiente debe leerse en función de un modelo de la orgía, cuyos momentos o elementos serán ilustrados metonímicamente por una serie de acciones: una muchacha derrama vino,

311

un hombre se queda dormido, se pronuncian chistes, blasfemias, maldiciones; y las operaciones sintácticas que producen la serie son abarcadas por un proceso paradigmático que confiere significado a los constituyentes en el nivel del modelo cultural (*S/Z,* p. 163).

Propp parece haber reconocido la importancia de esos estereotipos culturales al dar a muchas de sus funciones nombres que figuraban ya en la experiencia de los lectores (Lucha con el malvado, Rescate del protagonista, Castigo del malvado, Misión difícil, etc.). Aunque Bremond afirma que «la misión, el contrato, el error, la trampa, etc., son categorías universales» usadas para identificar las tramas en la narración narrativa, podríamos decir también que las propias novelas han contribuido substancialmente a nuestra apreciación de los acontecimientos importantes en la vida de las personas, los acontecimientos suficientemetne potentes para constituir un relato. Y, así, la primera oración de *Eveline,* «Estaba sentada a la ventana viendo cómo la tarde invadía la avenida. Tenía la cabeza apoyada en los visillos, y el olor a cretona polvorienta impregnaba su nariz», nos obliga a esperar algo que nos dé una clave con respecto al nombre apropiado. ¿Está «esperando» algo en particular? ¿Está «negándose» a hacer algo? ¿Está «pensando» o «tomando una decisión»? Nuestros modelos culturales están esperando, pero todavía no sabemos a qué aspectos recurrir.

«¿Qué sabemos de las secuencias proairéticas?» pregunta Barthes al final de *S/Z:*

> que nacen de cierto poder de la lectura, que intentan nombrar con un término suficientemente trascendental una secuencia de acciones, que, a su vez, proceden de un patrimonio de la experiencia humana; que la tipología de esas unidades proairéticas parece incierta, o, por lo menos, que no podemos conferirle otra lógica que la de lo probable, la del mundo organizado, la de lo *ya-hecho* o *ya-escrito;* pues el número y el orden de los términos son variables, ya que unos derivan de un depósito práctico de comportamiento trivial y ordinario (llamar a una puerta, concertar una reunión), y otros proceden de un corpus escrito de modelos novelísticos (p. 209).

Pero no tenemos por qué renunciar tan pronto ni dejar el modelo en ese estado atomístico, pues al escoger los nombres que aplicar, el lector se guía por fines estructurales que le confieren un sentido de aquello hacia lo que avanza. En el caso de *Eveline,* por ejemplo, después de identificar el primer núcleo, «reflexiones», esperamos un núcleo estructuralmente más importante, pues sabemos que las propias reflexiones no fundamentarán un relato, sino que habrán de ponerse en relación con un problema, decisión o acción central sobre los que el personaje esté reflexionando. Y cuando tropezamos con la oración «Había aceptado marcharse, abandonar su hogar. ¿Era juicioso hacerlo?», podemos dejar que esa pregunta haga de recurso estructurador más importante. Las reflexiones y reminiscencias que preceden y siguen van organizadas de acuerdo con su relación con la pregunta, y nuestra apreciación de lo que podría hacer de estructura completa nos hace esperar tanto una respuesta a la pregunta como un acto que ejecute la decisión. Una vez hemos identificado la estructura del *récit,* sabemos qué tratamiento dar a cualesquiera núcleos y satélites, que postulemos después. Ilustran lo que Greimas llamaría el paso de contenido invertido a contenido resuelto, de un contrato a otro: la conformidad de Eveline para fugarse con Frank, que anula su contrato con su madre, es afirmada por una decisión, pero invalidada por la acción final que restablece el primer contrato.

Naturalmente, los fines hacia los que avanzamos al sintetizar una trama son nociones de estructuras temáticas. Si decimos que la jerarquía de núcleos está regida por el deseo del lector de alcanzar un nivel de organización en que se capte la trama en conjunto de forma satisfactoria y si consideramos que esa forma es lo que Greimas y Lévi-Strauss llaman homología de cuatro términos, Todorov la modificación de una situación y Kristeva la transformación, disponemos por lo menos de un principio general cuyos efectos pueden investigarse en los niveles inferiores. El lector ha de organizar la trama como el paso de un estado a otro y ese paso o movimiento ha de ser tal que sirva de representación de un tema. Hay que convertir el final en una transformación del comienzo, de modo que el significado pueda sacarse a partir de la percepción de la semejanza y de la diferencia. Y eso impone constricciones a nuestra forma de nombrar el comienzo y el final. Podemos intentar establecer una serie causal coherente, en que episodios distintos se interpreten como etapas hacia un fin, o un movimiento dialéctico en que los episodios estén relacionados como contrarios cuya oposición contiene el problema que hay que resolver. Y esas mismas constricciones se aplican en niveles inferiores de la estructura. Al componer un estado inicial y otro final, el lector recurrirá a una serie de acciones que puede organizar como una secuencia causal, de modo que lo que se nombra como el estado que la estructura temática más amplia requiere es, a su vez, un desarrollo lógico, o puede interpretar una serie de episodios como ilustraciones de una condición común que hace de estado inicial o final en la estructura total.

Al intentar especificar las formas temáticas que rigen la organización de las tramas en sus niveles más abstractos, podríamos recurrir a una teoría de las tramas arquetípicas o canónicas, como la de Northrop Frye. Sus cuatro *mythoi* —de Primavera, Verano, Otoño e Invierno— son a un tiempo tramas estereotipadas y estructuras temáticas o visiones del mundo. Al *mythos* de la primavera corresponde la trama cómica del amor triunfante: una sociedad restrictiva pone obstáculos, pero los superamos y pasamos a un estado de sociedad nuevo e integrado. Las tramas trágicas del otoño entrañan una alteración negativa del contrato: los obstáculos triunfan, los contrarios (ya sean humanos, naturales o divinos) se cobran la revancha y, si hay reconciliación o reintegración, es en forma de sacrificio o en otro mundo. El *mythos* del verano tiene como trama preferida la narración fantástica de la búsqueda, con su viaje peligroso, la lucha crucial y la exaltación del héroe protagonista; y el *mythos* del invierno invierte al modo irónico la trama de esta última: las búsquedas fracasan, la sociedad no resulta transformada y el protagonista ha de enterarse de que no hay escape del mundo excepto mediante la locura o la muerte (*Anathomy of Criticism,* pp. 158-239). Las formas de este tipo sirven de modelos que ayudan a los lectores a identificar y organizar las trampas: la apreciación de lo que constituirá una

314

tragedia o una comedia nos permite nombrar núcleos para volverlos temáticamente pertinentes.

Si los estructuralistas emprendieran investigaciones de esos problemas, encontrarían un ilustre predecesor en el formalista ruso Victor Sklovsky, que es uno de los pocos que han comprendido que el estudio de *La construction de la nouvelle et du roman* debe ser un intento de explicar las intuiciones estructurales de los lectores estudiando sus expectativas formales. ¿Qué es lo que necesitamos, se pregunta, para sentir que un relato está completo? En algunos casos tenemos la sensación de que un relato no ha acabado realmente. ¿A qué se debe esa impresión? ¿Qué tipo de estructura satisface nuestras expectativas formales? (pp. 170-1). Sklovsky investiga algunos de los tipos de paralelismo que parecen producir tramas satisfactorias estructuralmente: el paso de una relación entre los personajes a la relación opuesta, de un problema a su solución, de una acusación o descripción falsa de la situación a una rectificación. Pero sus conclusiones más interesantes se refieren a la novela por episodios y sus posibles finales. Generalmente, lo que se requiere es un epílogo que, al diferenciarse de la serie, la cierra y nos muestra cómo leerla. Una descripción de la situación del protagonista diez años después nos revelará si la serie debe interpretarse como etapas de su decadencia, de su pérdida de la ilusión, de su aceptación de su mediocridad, etc. Pero también existe lo que Sklovsky llama el «final ilusorio», caso extremo que ilustra perfectamente el poder de las expectativas formales del lector y el ingenio que se usará para producir una sensación de terminación. «Generalmente se trata de descripciones de la naturaleza o del tiempo que proporcionan material para esos finales ilusorios... Este nuevo motivo se inscribe como paralelo al relato precedente, gracias a lo cual el cuento parece acabado» pp. 176-7).

Una descripción del tiempo puede proporcionar una conclusión satisfactoria porque el lector le da una interpretación de metáfora o de sinécdoque y después lee esa declaración temática sobre el fondo de las acciones mismas. Como ejemplo, Sklovsky cita un breve pasaje de *Le Diable boiteux* en que un transeúnte, que se detiene para ayudar a un hombre mortalmente herido en una pelea,

315

queda detenido a su vez. «Ruego al lector que invente incluso una descripción de la noche en Sevilla o del cielo indiferente y que la añada a ese pasaje» (p. 177). E, indudablemente, tiene razón; semejante descripción daría al relato una estructura satisfactoria porque el cielo indiferente presenta una imagen temática que puede interpretarse en el sentido de que identifica y confirma el papel del acontecimiento precedente en la trama. Al confirmar la ironía del relato, aísla, como estructura dominante de la trama, el movimiento irónico de la acción.

Sklovsky parece haber comprendido que el análisis de la estructura de la trama debe ser un estudio del proceso estructurador por el cual toman forma las tramas, y sabía que uno de los mejores modos de descubrir qué normas intervienen era alterar el texto y considerar cómo cambia su efecto. Barthes ha observado que el analista de la narrativa ha de ser capaz de imaginar «contratextos», posibles deslices del texto, cualquier cosa que fuera escandalosa en la narración (*L'analyse structurale du récit*, p. 23). Eso le ayudaría a identificar las normas funcionales. Así, pues, la misión del analista no es la de desarrollar una taxonomía de tramas o metalenguajes nuevos para su transcripción, pues existe un número infinito de semejantes taxonomías y metalenguajes. Como dice Barthes, debe de explicar «el metalenguaje dentro del propio lector», el lenguaje de la trama que está dentro de nosotros (*Introduction à l'analyse structurale des récits*, p. 14).

Tema y símbolo

Los estructuralistas no los han presentado como objetos de investigación distintos. La razón puede ser pura y simplemente que el tema no es resultado de un conjunto específico de elementos, sino el nombre que damos a las formas de unidad que podemos discernir en el texto o a los modos de conseguir que los códigos se junten y tengan coherencia. Las estructuras últimas del código proairético, como revela claramente el modelo de Greimas y Lévi-Strauss, son temáticas, y podríamos decir que la trama no es sino la proyección temporal de las estructuras temáticas. Los hom-

316

bres nacen, viven y mueren *in mediis rebus;* «para dar sentido a su duración necesitan concordancias ficticias con principios y fines» (Kermode, *The Sense of an Ending,* p. 7). Para elaborar algo lo convertimos en una historia de modo que sus partes puedan disponerse en una sucesión ordenada. Esa estructura temporal pone en juego una especie de inteligibilidad que es esencial para el funcionamiento de la novela: por tema no entendemos generalmente una ley general que la novela proponga o el tipo de conocimiento que nos permitiría predecir qué ocurrirá en situaciones como las presentadas. Como subraya W. B. Gallie en otro contexto, captar el tema de una novela es haber seguido la historia. Seguir una historia no es igual que seguir un argumento: el hecho de que se siga con éxito no entraña la capacidad para predecir la conclusión deductiva, sino sólo una apreciación del «nexo principal de continuidad lógica» que vuelve inteligibles sus elementos.[11]

Pero para producir unidad, resolución, continuidad, hay que extrapolar a partir de elementos del texto, asignándoles una función general. ¿Qué significa para Louisa en *Hard Times* («Tiempos difíciles») que la descubren mirando por el agujero de un árbol? Eso depende de lo que consideremos representa ese hecho y de cómo caractericemos el *ethos* de los Gradgrinds: claramente, se está apartando de la ley de su padre, pero ¿es culpable simplemente de curiosidad o de curiosidad con respecto a objetos particulares? ¿Qué significa el hecho de que Fanny Assingham rompa el tazón de oro, uno de los pocos acontecimientos de *The Golden Bowl* («El tazón de oro»)? Una vez más, tenemos que generalizar la función del tazón para poder aplicar al mismo acontecimiento algunos de los nombres que Maggie, Fanny y el Príncipe se abstienen de emplear. El problema de la extrapolación temática está relacionado muy estrechamente con el de la lectura simbólica: ¿mediante qué lógica podemos generalizar a partir de un objeto o acontecimiento y hacer que signifique?

Las convenciones de la lectura de novelas proporcionan dos operaciones básicas que podríamos llamar *recuperación empírica* y *recuperación simbólica.* La primera está basada en la extrapolación causal: si se describe el elegante vestido de un personaje, podemos recurrir a modelos estereotipados de la personalidad y decir que, si va vestido así, es *porque* es un petimetre o un dandy y establecer una relación de signos entre la descripción y este último significado. Aunque esa clase de extrapolación da mejor resultado en las novelas que en otros modos de experiencia, porque nos acercamos al texto con la hipótesis de que cualquier cosa observada sea probablemente notable y significativa, los significados derivados de las conexiones causales son convencionales de forma menos evidente y más difíciles de estudiar que los producidos por recuperación simbólica. Ese proceso se produce en los casos en que las conexiones causales están ausentes o en que aquellas a las que podríamos recurrir parecen insuficientes para explicar la insistencia con que se habla en el texto de un objeto u acontecimiento, o incluso en los casos en que no sabemos qué hacer con un detalle. Probablemente no estaríamos dispuestos a dar por sentada una conexión causal entre una complexión perfecta o defectuosa y un carácter moral perfecto o defectuoso, pero el código simbólico admite esa clase de asociaciones y nos permite considerar lo primero como señal de lo segundo. O bien, no hay conexión causal entre los bigotes y la maldad, pero el código simbólico nos permite establecer una relación de signos.

Esa clase de extrapolaciones son extraordinariamente curiosas, especialmente porque la lectura simbólica no es una asociación libre, sino un proceso regido por reglas cuyos límites son extraordinariamente difíciles de establecer. La torpeza a la hora de abordar los símbolos es una de las señales más claras de un trabajo escolar deficiente, pero pocos autores han llegado muy lejos a la hora de explicar qué debe aprender el lector para adquirir gracia. Los estructuralistas no han conseguido explicar la distinción entre lecturas simbólicas aceptables y no aceptables, pero la obra de Barthes sobre el código simbólico sí que ofrece algunas sugerencias sobre los mecanismos básicos de ese tipo de recuperación.

El recurso formal en que se basa el código simbólico es la antítesis. Si el texto presenta dos elementos —personajes, situaciones, objetos, acciones— de un modo que sugiera oposición, en ese caso se abre al lector «todo un espacio de substitución y variación» (Barthes, *S/Z,* p. 24). La presentación de dos heroínas, una morena y otra rubia, pone en acción un experimento de extrapolación en que el lector pone en correlación esa oposición con oposiciones temáticas que podría manifestar: malo/bueno, prohibido/permitido, activo/pasivo, latino/nórdico, sexualidad/pureza. El lector puede pasar de una oposición a otra, ensayándolas, invirtiéndolas incluso, y determinando cuáles son pertinentes para estructuras temáticas más amplias que abarquen otras antítesis presentadas en el texto. Así, la primera manifestación del código simbólico en *Sarrasine* encuentra al narrador sentado en una ventana con una fiesta elegante en una de sus manos y un jardín en la otra. La oposición, como ocurre con tanta frecuencia en Balzac, se desarrolla explícitamente de distintas formas, a medida que el narrador indica posibles lecturas simbólicas: danza de la muerte/danza de la vida, naturaleza/hombre, frío/caliente, silencio/ruido. El propio narrador se convierte en el punto focal de la antítesis, y su posición en la ventana se interpreta como fundamentalmente ambigua, peligrosamente distanciada: «Verdaderamente, mi pierna estaba helada por una de esas corrientes de aire que te congelan la mitad del cuerpo, mientras la otra mitad siente el calor húmedo del salón» (*ibid., p. 33*).

Las oposiciones sugeridas en ese pasaje se conservan y se utilizan en el siguiente caso importante del código simbólico, el contraste entre un hombre viejo y arrugado y una mujer joven y bella: «relacionados con la antítesis de interior y exterior, de caliente y frío, de vida y muerte, el viejo y la joven están separados por la más inflexible de las barreras: la del significado» (*ibid.,* p. 71). Sentados uno junto a otro, presentan una condensación simbólica «verdaderamente se trataba de la vida y la muerte»), pero cuando la joven se aproxima y toca al viejo se produce «el paroxismo de la transgresión». Su fascinación y repulsión, su reacción excesiva cuando lo toca, indican una «barrera de significado», subrayan la importancia de la oposición exclusiva, y exigen al lector emprender una lectura simbólica que aproveche la oposición y le conceda un lugar en una estructura simbólica más amplia.

Desde luego, interpretar una oposición es producir lo que Greimas llama la estructura elemental del significado: una homología de cuatro términos. Pero el proceso no tiene por qué detenerse ahí, ya que el segundo par de térmios puede servir de punto de

319

partida para una extrapolación posterior. Es sorprendente lo poco del contenido original que hace falta preservar en esas transformaciones semánticas. Lévi-Strauss ha sostenido a partir de su vasto corpus de mitos que, a pesar de que el sol y la luna no se pueden usar para significar cualquier cosa, mientras se los coloque en oposición, no hay límites para otros contrastes que pueden expresar (aunque, naturalmente, la gama de significados posibles en un texto determinado estará limitada estrictamente) (*Le sexe des astres,* p. 1168). En las novelas, la mayoría de las operaciones simbólicas siguen los modelos de la metonimia o de la sinécdoque —la extrapolación por contigüidad o por asociación en la forma de recuperación simbólica que está relacionada de forma más estrecha con la recuperación empírica—, pero también encontramos ejemplos de la transferencia simbólica que Lévi-Strauss ha estudiado, en que a dos términos puestos en relación por alguna cualidad que comparten se les hace oponerse después y significar la presencia y ausencia de dicha cualidad. Asar y cocer son dos formas de cocinar y, por tanto, culturales, pero la oposición entre ellas (exposición directa al fuego frente a exposición mediada por un objeto cultural, la olla) puede usarse para manifestar, dentro del propio sistema cultural, el contraste entre cultura y naturaleza.[1] La mujer joven y el hombre viejo de *Sarrasine* son seres humanos vivos, pero ese rasgo semántico que los pone en relación, por estar quizá «en el ambiente», puede convertirse en un aspecto de contraste, cuando se los opone: vida y muerte. Dos hombres, si se los opone, pueden contener el contraste entre masculino y femenino o entre lo humano y lo animal. Esas operaciones semánticas son extraordinariamente curiosas e indudablemente compensaría un estudio más profundo.

El estudio de los códigos por parte de Lévi-Strauss sugiere que la interpretación simbólica consiste en pasar de las antítesis de texto a las oposiciones más básicas de otros códigos sociales, psicológicos o cósmicos. En ese caso, la pregunta crucial pasaría a ser ¿qué se quiere decir con eso de «más básicos»? ¿Hacia dónde avanza la interpretación simbólica? ¿Cuáles son las constricciones al tipo de significado que estamos dispuestos a atribuir a los símbolos? Barthes habla del significado como de una fuerza que intenta subyugar a otras fuerzas, a otros significados, a otros lenguajes. La fuerza del significado depende de su grado de sistematización: el significado más potente es aquel cuyo sistema incluye el mayor número de elementos, hasta el punto de que parece abarcar todo lo notable del universo semántico (*S/Z,* p. 160).

Los significados más débiles tienen que dar paso a significados más potentes, más abstractos, que abarquen una parte mayor de la experiencia captada en el texto. Barthes sugiere que la fuente de esa potencia —aquello hacia lo que avanza la interpretación simbólica— es el cuerpo humano: «el campo simbólico está ocupado por un solo objeto, del que deriva su unidad (y del que nosotros obtenemos la capacidad de nombrar...). Dicho objeto es el cuerpo humano» (*S/Z,* p. 220). El cuerpo es la localización del deseo, y convertirlo en el ocupante principal del campo simbólico sería dar preferencia a ciertas interpertaciones psicoanalíticas. Pero, de hecho, en *S/Z,* como en *Le Plaisir du texte,* Barthes usa el cuerpo y la sexualidad como metáfora para una diversidad de fuerzas simbólicas. El texto es erótico en el sentido de que compromete y tienta. Su atractivo último es el de un objeto que atrae mi deseo y escapa a él. Y convertir el cuerpo en el centro del campo simbólico no es sino decir que es una imagen de la fuerza que en última instancia subyuga otros significados. Incluso en *Sarrasine,* donde la castración es un tema explícito, Barthes no permite que el cuerpo como tal domine la estructura temática, sino que lo convierte en una serie de códigos en que va representado el peligro de destruir las distinciones de que depende el funcionamiento de distintas economías (lingüística, sexual, monetaria) (*S/Z,* p. 221-2).

Pero, si bien no podemos decir que la interpretación simbólica se encamine siempre hacia el cuerpo, no por ello deja de haber constricciones intuitivas al tipo de significado que deseamos atribuir a los símbolos. Si alguien interpretara el contraste entre baile y jardín en las primeras líneas de *Sarrasine* como una oposición entre caliente y frío, sería insatisfactorio: desde luego, no porque la correlación no sea válida, sino porque semejante interpretación no es suficientemente rica como para contar como una configuración propiamente dicha del *champ symbolique*. Nos gustaría decir: «¿Por qué *caliente y frío?*», y pasar de eso a algo como la pasión humana y su ausencia, la vida y la muerte, el hombre y la naturaleza, para satisfacer las exigencias de la fuerza simbólica. Un crítico temerario que deseara enunciar dichas exigencias podría adaptar las conclusiones a que llega Todorov en su *Introduction à la littérature fantastique,* en que, al agrupar los temas que ha observado, distingue los «temas del *yo*», que se refieren a «la relación entre el hombre y el mundo, el sistema de percepción y de conocimiento», y los «temas del *tú*», que se refieren «a la relación del hombre con su deseo y, por tanto, con su inconsciente» (p. 146). La importancia de esas categorías radica en las hipótesis que han de subyacer en ellas: las de que en su nivel literario más básico los temas sólo pueden exponerse en estos términos como nociones de la relación del individuo con el mundo y consigo mismo. Y la hipótesis correspondiente sería la de que nuestra apreciación sobre cuándo detener la generalización a partir de los símbolos va determinada por nuestro conocimiento de las estructuras y de los elementos que entran dentro de ese paradigma general y que, en consecuencia, son dignos de desempeñar el papel de *symbolisés* en relación con los símbolos. Eso podría explicar por qué habla Greimas de interpretación simbólica como un proceso de construcción de «sememas axiológicos… como *euforia de las alturas* y '*disforia' de las profundidades*», pues la relación temática más general entre la conciencia y sus objetos es de atracción y rechazo, y las experiencias evaluadoras primarias, que entran también dentro del dominio del cuerpo, son las de la felicidad y la infelicidad. Barbara Smith ha mostrado que «las alusiones a cualquiera de las fases 'naturales' de reposo de nuestras vidas y experiencias —el sueño, la muerte, el invierno, etc.— tienden a dar fuerza de conclusión cuando aparecen como rasgos terminales en un poema» (*Poetic Closure,* p. 102). Parece probable que un conjunto análogo de experiencias humanas primarias hagan de fases de reposo en el proceso de interpretación simbólica o temática.

Barthes lo expresa del modo contrario: una vez que se detiene el proceso de extrapolar y de nombrar, se crea un nivel omentario definitivo, la obra queda cerrada o acabada, y el lenguaje en que las transformaciones semánticas terminan se vuelve natural»: la verdad o el secreto de la obra (*S/Z,* p. 100). Hemos descubierto, como la poco feliz jerga crítica, de qué «trata realmente» la obra. Desde luego, a veces la propia obra nos dice dónde detenernos, se cierra al ofrecer un comentario definitivo sobre su tema, pero ni siquiera en sos casos tenemos por qué detenernos en ese lugar: podemos seguir para llegar a otros que proporcionen nuestras convenciones de la lectura. Puede ser que nos detengamos cuando sintamos haber alcanzado la verdad o el lugar de máxima fuerza y no, como sugiere Barthes, que cualquier lugar en que nos detengamos se convierta en el de la verdad; si bien las alternativas no se excluyen mutuamente, como es natural.

Muchas obras impugnan ese proceso de naturalización, nos impiden pensar que la práctica de las lecturas simbólicas es eminentemente natural. Aunque dichas obras son de dos tipos muy diferentes, ambos pueden calificarse de alegóricos más que de simbólicos. La alegoría suele concebirse como una forma que exige comentario en parte proporciona el suyo propio, pero, como reconoció Coleridge en su famosa definición, también subraya la artificialidad del comentario, la diferencia entre significado aparente y significado último [13]:

> Así, que podemos definir la escritura alegórica sin miedo a equivocarnos como el empleo de un conjunto de agentes e imágenes con acciones y acompañamientos correspondientes, para expresar, de forma velada, bien cualidades o concepciones morales de la mente que no sean en sí mismas objetos de los sentidos, bien otras imágenes, agentes, acciones, fortunas y circunstancias, con lo que en todos los casos la diferencia se presenta al ojo o a la imaginación, mientras el parecido se sugiere a la mente.

En el texto simbólico, se hace parecer natural el proceso de interpretación. Como dijo Goethe al distinguir lo simbólico de lo alegórico, se hace que lo general sea inherente a lo particular, con

323

lo que apreciamos su fuerza e importancia sin abandonar el plano de los pormenores y, así, experimentamos a través de la literatura, como no se cansan de decirnos los apologistas del símbolo, una unidad o armonía orgánica raras veces encontrada en el mundo: una fusión de lo concreto y de lo abstracto, de la apariencia y de la realidad, de la forma y del significado. El símbolo debe contener todo el significado que producimos en nuestras transformaciones semánticas. Es un signo natural en que *signifiant* y *signifié* van fundidos indisolublemente, no un signo arbitrario o convencional en que vayan unidos por la autoridad o el hábito humanos. Por otro lado, la alegoría subraya la diferencia entre niveles, ostenta el abismo que debemos salvar para producir significado, con lo que despliega la actividad de la interpretación con toda su convencionalidad. O bien presenta un relato empírico que por sí solo no parece un objeto digno de atención y da a entender que, para producir tipos de significación que la tradición nos incita a desear debemos traducir el resultado a otro modo, o bien presenta un aspecto enigmático, al tiempo que pone obstáculo incluso a ese tipo de traducción y nos obliga a leerla como una alegoría del proceso interpretativo. Ese primer tipo abarca desde la parábola, su versión más simple, hasta las alegorías largas y complejas de Dante Spencer, Blake, pero en cada caso el nivel apropiado de interpretación se identifica y justifica mediante una autoridad externa nuestro conocimiento de los temas cristianos o la visión de Blake nos permite identificar significados alegóricos satisfactorios. El segundo tipo se produce cuando las autoridades externas son débiles o cuando no sabemos cuál debe aplicarse. Si la obra tiene sentido será como una alegoría, pero no podemos descubrir un nivel en que pueda basarse la interpretación, con lo que nos quedamos con una obra que, como *Finnegans Wake, Locus Solus* e incluso *Salambô* de Flaubert, ostenta la diferencia entre significante significado y parece adoptar como tema implícito las dificultades o la agudeza de la interpretación.[14] Podríamos decir que la alegoría es el modo que reconoce la imposibilidad de fusionar lo empírico y lo eterno, con lo que aclara la relación simbólica al subrayar la separación entre los dos niveles, la imposibilidad de vincular los excepto momentáneamente y sobre un fondo de disociación la importancia de proteger cada nivel y el nexo potencial entre ambos confiriéndole carácter arbitrario. Sólo la alegoría puede hacer la conexión de modo consciente y exento de confusiones.

El personaje

El personaje es, de los aspectos importantes de la novela, aquel al que el estructuralismo ha prestado menor atención y ha estudiado con menos éxito. Aunque para muchos lectores el personaje constituye la fuerza totalizadora más importante de la ficción —todos los elementos de la novela existen para ilustrar el personaje y su desarrollo—, un enfoque estructuralista ha tendido a explicarlo como un prejuicio ideológico y no a estudiarlo como un hecho de la lectura.

Las razones no son difíciles de encontrar. Por un lado, el *ethos* general del estructuralismo se opone a las nociones de individualidad y de rica coherencia psicológica que con frecuencia se aplican a la novela. La insistencia en los sistemas interpersonal y convencional que pasan a través del individuo, que lo convierten en un espacio en que las fuerzas y los acontecimientos se encuentran y no en una esencia individuada, conduce a un rechazo de una concepción frecuente del personaje en la novela: la de que la mayoría de los personajes logrados y «vivos» son totalidades autónomas ricamente perfiladas, que se distinguen claramente de los demás por características físicas y psicológicas. Los estructuralistas dirían que la idea de personaje es un mito.

Por otro lado, ese argumento se funde con frecuencia con una distinción histórica. Si, como dice Foucault, el hombre no es otra cosa que un pliegue en nuestro conocimiento que desaparecerá en su forma presente tan pronto como cambie la configuración del saber, apenas debe sorprender que un movimiento que afirma haber participado en ese cambio considere la noción del personaje rico y autónomo como la estrategia recuperadora de otra época. A los personajes de las obras de Virginia Woolf, Faulkner, Nathalie Serraute y Robbe-Grillet no se les puede tratar de acuerdo con los modelos del siglo XIX; son nudos en la estructura verbal de la obra, cuya identidad es relativamente precaria.

Cada uno de esos argumentos indica un detalle válido, pero quizá sea importante mantenerlos separados para que no se desdibuje esa validez. Ha habido un cambio en las novelas, que tanto la teoría como la práctica de la lectura han de afrontar. Las expectativas y procedimientos de asimilación apropiados para las novelas del siglo XIX con sus esencias psicológicas individuales fracasan ante los protagonistas anónimos de la narrativa moderna o los protagonistas picarescos de novelas anteriores. Pero, tal como muestra la polémica contra la novela «balzaciana», sostenida con tanto brío por Sarraute y Robbe-Grillet, el efecto de esos textos modernos con sus protagonistas relativamente anónimos depende de las expectativas tradicionales relativas al personaje que la novela expone y socava. Lo que podríamos llamar los «protagonistas pronominales» de *Les fruits d'or* de Sarraute o de *Nombres* de Sollers no funcionan como retratos, sino como etiquetas que, en su negativa a convertirse en personajes plenos, entrañan una crítica de las concepciones de la personalidad. En *Martereau* de Sarraute, por ejemplo, el protagonista epónimo comienza como una presencia sólida, pero a medida que la novela avanza «el firme perfil de su carácter empieza a desdibujarse hasta que acaba flotando también en el mismo mar de anonimato que los otros... La disolución de Martereau es la esencia de la novela: el arabesco de la individualidad es desechado ante los propios ojos del lector para dar paso, en los términos de Nathalie Sarraute, a un estudio profundamente realista de la vida impersonal» (Heath, *The Nouveau Roman,* p. 52).

Una vez equipados con esa distinción histórica entre formas de tratar al personaje, podemos leer muchas novelas anteriores de modo diferente. Aunque es posible considerar *L'Education sentimentale* como un estudio del personaje, colocar a Frédéric Moreau en el centro e inferir del resto de la novela un rico retrato psicológico, ahora estamos por lo menos en condiciones de preguntarnos si es ése el mejor modo de proceder. Cuando enfocamos la novela de ese modo, encontramos una ausencia o vacío en el centro, cosa de la que se quejaba Henry James. La novela no se limita a retratar una personalida trivial, sino que muestra una pronunciada falta de interés por las que podríamos esperar que fueran las preguntas más importantes: ¿cuál es la cualidad y valor precisos del amor de Frédéric por la señora Arnoux? ¿Por Rosanette? ¿Por la señora Dambreuse? ¿Qué es lo que aprende y qué lo que se le escapa en su educación sentimental? Como lectores y críticos, podemos dar respuestas a esas preguntas, y eso es indudablemente lo que los modelos tradicionales del personaje nos prescriben hacer. Pero, si lo hacemos, nos comprometemos a naturalizar el texto e ignorar o reducir el carácter extraño de sus lagunas y silencio.[15]

Si la distinción histórica del estructuralismo es válida, su crítica general de la noción de personaje tiene también la virtud de hacernos reflexionar de nuevo sobre la noción de personajes ricos y «que parecen vivos» que ha desempeñado un papel tan importante en la crítica. Al sostener que los personajes mejor descritos y mejor individuados no son, de hecho, los más realistas, el estructuralista impugna esa defensa de la novela tradicional que se basa en las nociones de veracidad y de reconocibilidad empírica. Una vez que dudamos de que los retratos más vívidos y detallados sean los que parecen más vivos, podemos considerar otras posibles justificaciones y estamos en mejor posición para estudiar el artificio inevitable en la construcción de los personajes. «El personaje que admiramos como resultado de la atención amorosa es algo construido mediante convenciones tan arbitrarias como cualesquiera otras, y la única esperanza de recuperar un arte es reconocerlo como arte» (Price, *The Other Self,* p. 293).

Un análisis de la base convencional de la caracterización se centraría en el hecho de que «las dimensiones del personaje que el novelista presenta van determinadas por algo más que por su amor hacia la realidad de otras personas» (*ibid.,* p. 297). Lo que se nos dice sobre los personajes difiere mucho de un novelista a otro, y aunque indudablemente es decisivo para la impresión de *vraisemblance* que tengamos la sensación de que podrían haberse aportado otros detalles, hemos de leer una novela suponiendo que se nos ha dicho todo lo que necesitamos saber: que la significación es inherente precisamente a esos niveles en que el

327

novelista se centra. Cuando superamos la noción de verosimilitud, estamos en condiciones de considerar como fuente importante de interés la produción de los personajes. ¿Qué sistema de convenciones determina las nociones de plenitud e integridad operativas en una novela o tipo de novela determinados y rige la selección y organización de los detalles?

Los estructuralistas no han trabajado mucho sobre los modelos convencionales de personaje usados en novelas diferentes. Se han ocupado más de desarrollar y perfeccionar la teoría de Propp de los papeles o funciones que los personajes deben asumir. «El análisis estructural, preocupado por no definir al personaje en función de las esencias psicológicas, ha intentado hasta ahora, mediante distintas hipótesis, definir al personaje como un 'participante' y no como un 'ser'».[16] Pero puede tratarse perfectamente de un paso demasiado rápido de un extremo a otro, pues los papeles propuestos son tan reductivos y tan dependientes directamente de la trama, que nos dejan con un inmenso residuo, cuya organización debería intentar explicar el análisis estructural en lugar de pasarla por alto.

Propp aisló siete papeles asumidos por los personajes en los cuentos folklóricos: el malvado, el ayudante, el donador (que proporciona agentes mágicos), la persona buscada y su padre, el expedidor (que envía al héroe en pos de aventuras), el héroe y el falso héroe. No pretendió afirmar la universalidad de ese conjunto de papeles, pero Greimas ha tomado su hipótesis como prueba de que «un pequeño número de términos actanciales basta para explicar la organización de un microuniverso». Con el propósito de proporcionar un conjunto de reglas universales o *actantes,* Greimas extrapola a partir de su descripción de la estructura de la oración para producir un modelo actancial que, según afirma, forma la base de cualquier «espectáculo» semántico, ya sea oración o relato. Nada puede ser un todo significante, a no ser que pueda captarse como una estructura actancial (*Semántique structurale,* pp. 173-6).

El modelo de Greimas consta de seis categorías colocadas en relación sintáctica y temática mutua:

$$destinateur \rightarrow objet \rightarrow destinataire$$
$$\uparrow$$
$$adjuvant \rightarrow sujet \rightarrow opposant$$

Centra su atención en el objeto deseado por el sujeto y situado entre el *destinateur* («emisor») y el *destinataire* («destinatario»). El propio sujeto tiene como proyección suya al *adjuvant* («ayudante») y al *opposant* («oponente») (*ibid.,* p. 180). Cuando los papeles de Propp se reparten de este modo, obtenemos el siguiente diagrama:

$$expedidor \rightarrow persona\ buscada \rightarrow héroe$$
$$\uparrow$$

Donador y → héroe ← malvado y
ayudante   falso héroe

Una objeción inicial podría ser la de que la relación entre emisor y destinatario no parece ser, intuitivamente, de la misma naturaleza primaria que las demás relaciones. No es difícil admitir que en todos los *récits* interviene un personaje que busca algo y encuentra ayuda y oposición internas y extremas. Pero la afirmación de que la relación entre un emisor y un destinatario es de la misma naturaleza básica requiere alguna justificación. Greimas no ofrece ninguna.

Además, es sorprendente que precisamente en ese punto no sea capaz de sacar apoyo empírico alguno de Propp, cuyo análisis, según cree, confirma el suyo. Ninguno de los siete papeles de Propp corresponde al del destinatario, y Greimas se ve obligado a sostener que el cuento popular tiene la peculiaridad de que el héroe es a un tiempo sujeto y destinatario. Pero eso parece contradecir la afirmación de que el expedidor es el emisor, pues en general el expedidor no da nada al héroe, es el papel del ayudante o del padre de la persona buscada, que al final puede conceder al héroe el objeto de su búsqueda. En vista de ese problema, parece probable que cualquiera que use el modelo para estudiar una diversidad de relatos necesitará ejercitar considerable ingenio para descubrir emisarios y destinatarios apropiados.

329

Greimas afirma que su modelo nos permitirá establecer una tipología de relatos agrupando juntos los relatos en que los mismos papeles van fundidos en un solo personaje. Pero semejante tipología no nos llevaría muy lejos. Por ejemplo, Greimas sostiene que en el cuento follkórico popular el sujeto y el destinatario van fundidos, pero eso es aplicable a cualquier cuento en que el protagonista desee algo y al final lo reciba o no lo reciba. De ese modo, todos los cuentos populares y todas las novelas irían clasificados juntos y se distinguirían de cualquier otra historia en que vayan fundidos en uno o más personajes ambivalentes. Pero ésa parece una cuestión delicada, una distinción de grado más que de clase.

Todas estas especulaciones son muy provisionales, pero, como Greimas ofrece pocas pruebas de cómo funcionaría su modelo en la práctica, lo único que podemos hacer es esperar que los ejemplos que ideemos ilustren las dificultades del modelo y no la incompetencia para aplicarlo. El principio parece ser el de que, si la incertidumbre sobre los representantes de cada papel en una novela particular representa un problema o decisión temática, la dificultad para aplicar el modelo cuenta como prueba a su favor y no en contra (el modelo localiza correctamente un problema temático). Sin embargo, si el tema es relativamente claro, pero difícil de formular en función del modelo, en ese caso esas dificultades cuentan contra la hipótesis de Greimas. Para *Madame Bovary* podríamos proponer: sujeto — Emma, objeto — la felicidad, expedidor — la literatura romántica, destinatario — Emma, ayudante — Léon, Rodolphe, oponente — Charles, Yonville, Rodolphe. En este caso la dificultad a la hora de decidir si Rodolphe (y quizá Léon) deben contar como ayudantes solamente o como ayudantes y oponentes no parece corresponder a un problema temático de la novela. Podemos decir pura y simplemente que Emma intenta encontrar la felicidad con cada uno de ellos y fracasa, pero eso es difícil de exponer en función del modelo de Greimas. Para *Tiempos difíciles* podríamos proponer: sujeto — Louisa, objeto — la existencia digna, emisario — ¿Gradgrind?, destinatario — Louisa, ayudante — Sissy Jupes, ¿la fantasía?, oponente — Bounderby, Coketown, el utilitarismo. Podríamos decir que la fantasía inextinguida es un ayudante, pero también podríamos decir que Gradgrind es el emisor y que Gradgrind es un oponente, a pesar de su amor por su hija. Una vez más, esa indecisión no parece representar un problema temático; sólo cuando se introduce la noción de «emisor» surgen dificultades; y eso parece contar contra el modelo.

Probablemente, al leer una novela usemos algunas hipótesis relativas a los posibles papeles. Intentamos determinar al principio de la novela cuáles son los personajes a los que debemos prestar más atención y, después de haber identificado un personaje principal, colocar a los demás en relación con él. Pero, si lo que se afirma es que intentamos llenar inconscientemente esos seis papeles, distribuyendo a los personajes entre ellos, lo único que podemos hacer es lamentar que no se hayan aducido pruebas para mostrar que así es.

En su análisis de *Les Liaisons dangereuses,* Todorov intentó usar el modelo de Greimas considerando el deseo, la comunicación y la participación —los tres ejes del modelo actancial— como las relaciones básicas entre los personajes. A continuación formuló ciertas «reglas de acción» que rigen dichas relaciones en esa novela: por ejemplo, si A ama a B, intenta hacer que B le ame; si A descubre que ama a B, en ese caso tratará de negar u ocultar ese amor.[17] Sin embargo, en su *Grammaire du Décaméron,* rechaza explícitamente la tipología de los *actantes.* Tomando la oración como modelo (como hace Greimas también, naturalmente), sostiene que «el sujeto gramatical carece siempre de propiedades internas; éstas sólo pueden proceder de su conjunción momentánea con un predicado» (p. 28). Así, pues, propone tratar a los personajes como nombres propios a los que se atribuyen ciertas cualidades en el curso de la narración. Los personajes no son héroes, malvados ni ayudantes; son simplemente sujetos de un grupo de predicados que el lector suma, a medida que avanza.

Todorov no ofrece pruebas para respaldar esa opinión, y hemos de sacar la conclusión de que la pregunta fundamental sigue sin respuesta: ¿es que al leer nos limitamos a sumar acciones y atributos de un personaje individual, extrayendo de ellos una concepción de la personalidad y del papel, o nos guiamos en ese proceso por expectativas formales sobre los papeles que hay que

331

llenar? ¿Nos limitamos a observar lo que hace un personaje o intentamos encajarlo en una de las ranuras de una serie limitada? La inadecuación del modelo de Greimas podría inclinarnos a escoger la primera respuesta, pero indudablemente sería preferible esperar que se pudiera producir un modelo mejor de papeles funcionales y que éste pudiese permitirnos elegir la segunda. Como sostiene Northrop Frye,

> Todos los personajes que parecen vivos, tanto en el teatro como en la narrativa, deben su solidez a la adecuación del tipo de repertorio que corresponde a su función dramática. Ese tipo de repertorio no es el personaje, pero es tan necesario para el personaje como el esqueleto para el sector que lo interpreta. (*Anatomy of Criticism*, p. 172.)

Las categorías de Frye, que parecen mucho más prometedoras que las de Greimas, están elaboradas en relación con los cuatro *mythoi* genéricos de primavera, verano, otoño e invierno. En la comedia, por ejemplo, tenemos el contraste entre el *eiron* o el que se rebaja a sí mismo y el *alazon* o impostor, que forma la base de la acción cómica, y el existente entre el bufón y el patán, que polariza el talante cómico. Para cada una de esas categorías podemos identificar distintas figuras de repertorio, de las que nuestros códigos culturales contienen modelos: para el *alazon* el *senex iratus* o padre severo, el *miles gloriosus* o bravucón, el petimetre o fanfarrón, el pedante. La tesis no es, como deja claro Frye, que cada personaje de una obra teatral o de una novela encaje precisamente en una de esas categorías, sino que esos modelos guían la percepción y la creación de los personajes, con lo que nos permiten componer la situación cómica y atribuir a cada uno un papel inteligible.

Aunque Barthes no elabora una tipología amplia como la de Frye, su estudio del personaje y del código sémico en *S/Z* tiene que ver con los procesos por los que, durante la actividad de la lectura, se combinan e interpretan diferentes detalles para formar personajes. En su análisis del texto de Balzac selecciona en cada oración o pasaje los elementos que podemos considerar contribuyen a la caracterización en virtud de que nuestros códigos culturales nos permiten obtener connotaciones apropiadas a partir de ellos. Cuando se nos dice que Sarrasine de joven «ponía extraordinario ardor en el juego» y que en las peleas «si era el más débil, mordía», podemos asimilar directamente ese «ardor» y el exceso de «extraordinario» como marcas de su carácter; pero el morder requiere una explicación: puede considerarse como «exceso» en función de las reglas del combate limpio, o como «feminidad» en función de otros estereotipos culturales y psicológicos (p. 98). Ese proceso de nombrar connotaciones —de moldearlas de forma que pueda usárselas después— a es crucial para el proceso de la lectura.

> Decir que Sarrasine es «alternativamente activo y pasivo» es obligar al lector a encontrar en su personaje algo «que no cuadra», obligarle a nombrar ese algo. Así comienza un proceso de nombrar: leer es esforzarse por nombrar; es hacer que las oraciones del texto experimenten una transformación semántica (pp. 98-9).

Ese hecho de nombrar es siempre aproximativo e inseguro. Pasamos de nombre a nombre a medida que el texto arroja más rasgos semánticos y nos invita a agruparlos y componerlos. *Reculer de nom en nom à partir de la butée signifiante* («retroceder de nombre a nombre a partir del estribo significante»): ése es el proceso de totalización que entraña la lectura (p. 100). Cuando conseguimos nombrar una serie de semas, se establece una pauta y se forma un personaje. Sarrasine, por ejemplo, es el lugar de encuentro de la turbulencia, la capacidad artística, la independencia, la violencia, el exceso, la feminidad, etc. (p. 197). El nombre propio proporciona una especie de refugio, una garantía de que esas cualidades, recogidas de todo el texto, pueden relacionarse unas con otras y formar un todo que es mayor que la suma de sus partes: «el nombre propio permite al personaje existir fuera de los rasgos semánticos, a pesar de que la suma de éstos lo constituye totalmente» (p. 197). El nombre propio permite al lector postular su existencia.

333

El proceso de seleción y organización de semas está regido por una ideología del personaje, modelos implícitos de coherencia psicológica que indican qué clase de cosas son posibles como rasgos de personaje, cómo pueden coexistir y formar conjuntos dichos rasgos, o por lo menos qué rasgos coexisten sin dificultad y cuáles se oponen necesariamente y, al hacerlo, producen tensión y ambigüedad. Desde luego, hasta cierto punto esas nociones proceden de la experiencia no literaria, pero no debemos subestimar el hecho de que en cierta medida, por pequeña que sea, son convenciones literarias. Los modelos que Frye cita, por ejemplo, dependen para su coherencia y eficacia del hecho de que son resultado de experiencia literaria y no empírica; por eso están más ordenados y más listos para participar en la producción del significado. Si una de las funciones de la novela es la de convencernos de la existencia de otras mentes, en ese caso ha de servir como fuente de nuestras nociones del personaje; y podríamos sostener con Sollers que *le discours romanesque* se ha convertido en nuestro saber social anónimo, el instrumento de nuestra percepción de los demás, los modelos mediante los cuales los convertimos en personas (*Logiques,* p. 228). Sea cual fuere su papel fuera de la novela, nuestros modelos del bravucón, el joven amante, el subordinado intrigante, el hombre sabio, el malvado —modelos polivalentes con oportunidad para la variación, indudablemente— son construcciones literarias que facilitan el proceso de selección de los rasgos semánticos para llenar plenamente o dar contenido a un nombre propio. Podemos extraer nuevos rasgos a medida que leemos e inferimos otros a continuación, porque un personaje no es, *pace* Todorov, un conglomerado de rasgos, sino un «conjunto dirigido o teleológico» basado en modelos culturales.[18]

Para entender el funcionamiento del código sémico, necesitamos un esbozo completo de los estereotipos literarios que proporcionan sus modelos elementales de coherencia, pero aun en ese caso el código seguiría en gran medida abierto. Tan pronto como el perfil básico de un personaje empieza a surgir en el proceso de la lectura, podemos recurrir a cualquiera de los lenguajes desarrollados para el estudio del comportamiento humano y empezar estructurar el texto en esos términos. Como subraya Barthes, el sema es simplemente un punto de partida, una avenida de significado; no podemos decir qué hay al final del camino: «todo depende del nivel en que detengamos el proceso de nombrar» S/Z, pp. 196-7). Pero por lo menos debe ser posible trazar las direcciones que puede seguir el significado y sus modos generales de progresión.

En éste, como en otros casos, el estructuralismo no ofrece un modelo desarrollado de un sistema literario, pero por los problemas que ha planteado y las formulaciones que ha ensayado, proporciona por lo menos un marco dentro del cual puede producirse la reflexión sobre la novela como forma semiótica. Al centrar la atención en la forma como coincide con nuestras expectativas y les opone resistencia, en sus momentos de orden y de desorden, en su interación entre reconocimiento y dislocación, abre paso a una teoría de la novela que sería una descripción de los placeres y las dificultades de la lectura. En lugar de la novela como mímesis tenemos la novela como una estructura que juega con modos diferentes de ordenar y permite al lector entender cómo da sentido al mundo.

Tercera parte

Perspectivas

CAPITULO 10

«MAS ALLA» DEL ESTRUCTURALISMO: TEL QUEL

> *Un système est une espèce de damnation*
> *qui nous pousse à une abjuration perpétuelle;*
> *il en faut toujours inventer*
> *un autre, et cette fatigue est un cruel*
> *châtiment* *
>
> BAUDELAIRE

Aunque los estructuralistas de todas las creencias sostendrían que la lectura es una actividad estructuradora y que debemos estudiar los procesos por los que se produce el significado, muchos impugnarían la visión del estructuralismo presentado en la Parte II de este libro. En particular, podrían desear contraponerle la idea de que hay que estudiar la lectura como un proceso regido por reglas o como la expresión de un tipo de «competencia literaria». Para los teóricos asociados a la revista *Tel Quel,* el programa que he presentado podría parecer una castración ideológica de todo que lo que el estructuralismo tenía de vital y radical: un intento de convertirlo en una disciplina analítica que estudie y describa el *status quo* en lugar de una fuerza activa que libere las prácticas semióticas de la ideología que las contiene. Su argumentación podría rezar así:

El aspecto de la teoría del lenguaje de Chomsky que

---

* Un sistema es una especie de condenación que nos lanza a una abjuración perpetua; siempre hay que inventar otro, y esa fatiga es un castigo cruel.»

invoca usted en su descripción del estructuralismo es precisamente el que nosotros hemos rechazado. La noción de «competencia lingüística» de éste y su uso de las «intuiciones» del hablante nativo convierten al sujeto individual en punto de referencia, la fuente del significado, el centro de la creatividad, y confieren una condición privilegiada a un conjunto particular de reglas que rigen las oraciones que aquél considera bien construidas. El concepto de competencia literaria es un modo de conceder preeminencia a ciertas convenciones arbitrarias y de excluir del dominio del lenguaje todas las violaciones auténticamente creativas y productivas de dichas reglas.

En consecuencia, no es probable que aceptemos la noción de competencia literaria, que sería más prescriptiva y represiva todavía. La ideología de nuestra cultura fomenta una forma particular de leer la literatura, y, en lugar de impugnarla, lo que usted hace es volverla absoluta y traducirla a un sistema de reglas y de operaciones que considera usted como normas de racionalidad e inaceptabilidad. Es cierto que en sus primeras etapas el estructuralismo contembló la posibilidad de un «sistema literario» que asignara una descripción estructural a cada texto; pero esa propuesta, que es la única que justificaría que se hablase de competencia literaria, está reconocida ahora como un error. Los textos pueden leerse de muchas formas; cada texto contiene en su interior la posibilidad de un conjunto infinito de estructuras, y dar preferencia a una estableciendo un sistema de reglas para generarlas es una iniciativa flagrantemente prescriptiva e ideológica.

La tesis sería que el tipo de poética que Barthes propuso en *Critique et vérité* —un análisis de la inteligibilidad de las obras, de la lógica mediante la cual se producen los significados aceptables— ha quedado rechazada o trascendida en favor de un enfoque más «abierto» que subraya la libertad creativa tanto del autor como del lector. Hablando de un cambio en el estructuralismo, que en su obra corresponde al paso de *Introduction à l'ana-*

lyse structurale des récits (1966) a *S/Z* (1970), Barthes observa que

> en el primer texto recurrí a una estructura general de la que se derivarían análisis de textos contingentes... En *S/Z* invertí esa perspectiva: en ese libro rechacé la idea de un modelo trascendente para varios textos (y, por tanto y con mayor razón, de un modelo que trascendiera cualquier texto) para postular que cada texto es de algún modo su propio modelo, en otras palabras, que cada texto ha de considerarse en su diferencia, y «diferencia» ha de entenderse en este caso precisamente en un sentido nietzscheano o derridano. Expresémoslo de otro modo: el texto se ve atravesado por códigos incesantemente y de cabo a rabo, pero no es la consumación de un código (del código narrativo, por ejemplo), no es la *parole* de una *langue* narrativa. (*A Conversation with Roland Barthes,* p. 44.)

Ese argumento es curioso, por parecerse tanto, aparte de la diferencia de terminología, a los ataques al estructuralismo desde las posiciones más tradicionales. Los que se oponen a la idea de poética lo hacen en nombre de la singularidad de cada obra literaria y del empobrecimiento crítico resultante de considerarla como un ejemplo del sistema literario: la heterogeneidad de los lectores y de las obras, las posibiildades de innovación literaria, nos impiden incluir en una sola teoría las formas de la literatura y los significados que puede producir. Ninguna ciencia puede agotar las modalidades del genio creativo.

En realidad, eso no está muy alejado de la sugerencia de Barthes de que cada texto es su propio modelo, un sistema por sí solo. No tiene una estructura única, asignada por un sistema literario, ni contiene un significado codificado que un conocimiento de los códigos literarios nos permitiría descifrar. La lectura ha de centrarse en la diferencia entre textos, las relaciones de proximidad y distancia, de cita, negación, ironía y parodia. Esa clase de relaciones son infinitas y actúan para diferir cualquier significado final.

No obstante, el argumento de Barthes parece fundamentalmente ambiguo. No se limita a preservar la noción de código, que entraña conocimiento colectivo y normas compartidas; en *S/Z* el concepto alcanza su pleno desarrollo: los códigos se refieren a todo lo que ya se ha escrito, leído, visto, hecho. El texto se ve atravesado por códigos incesantemente, que son la fuente de otros significados, sus significados. El texto puede no tener *una* estructura asignada por una gramática de la narrativa, pero eso se debe a que las operaciones de la lectura le permiten estar estructurado de distintas formas. Si el texto tiene una pluralidad de significados es porque no contiene en sí un significado, sino que implica al lector en el proceso de producción de significado de acuerdo con una variedad de procedimientos apropiados. Rechazar el concepto de sistema basándose en que los códigos interpretativos que nos permiten leer el texto producen una pluralidad de significados es un curioso *non sequitur,* pues el hecho de que sea posible una diversidad de significados y estructuras es la prueba más contundente que tenemos de la complejidad e importancia de la práctica de la lectura. Si cada texto tuviera un solo significado, en ese caso sería posible sostener que dicho significado es inherente a él y que no depende de un sistema general, pero el hecho de que haya un conjunto abierto de significados posibles indica que estamos ocupándonos de procesos interpretativos de considerable potencia que requieren estudio. Es difícil evitar la conclusión de que las teorías del grupo de *Tel Quel* y los argumentos que podrían aducir contra las nociones de sistema literario y de competencia literaria presuponen, de hecho, esas nociones que afirman haber rechazado.

Para mostrar que es así y que es extraordinariamente difícil superar el tipo de estructuralismo que hemos delineado en capítulos anteriores, vamos a tener que examinar detalladamente los intentos de autotranscendencia de *Tel Quel.* Donde mejor aparecen expuestas las razones para intentar superar el estructuralismo es en *L'Ecriture et la différence* de Jacques Derrida.

En primer lugar, en el estudio de la literatura la noción de estructura tiene un carácter teleológico: la estructura va determinada por un fin particular; se reconoce como una configuración que contribuye a dicho fin. «¿Cómo podemos percibir un todo organizado, si no es partiendo de su fin o propósito?» (p. 44). A no ser que hayamos postulado alguna «causa final» transcendente o significado último para la obra, no podemos descubrir su estructura, pues la estructura es aquello por lo que el fin se hace presente a lo largo de toda la obra. El analista de la estructura tiene la misión de mostrar la obra como una configuración en que el tiempo pasado y el tiempo futuro apuntan a un fin que está siempre presente. Derrida escribe:

> *On nous accordera qu'il s'agit ici de la métaphysique implicite de tout structuralisme ou de tout geste structuraliste. En particulier, une lecture structurale présuppose toujours, fait toujours appel, dans son moment propre, à cette simultanéité théologique du livre.*

> (Se nos concederá que en este caso estamos ante la metafísica implícita en cualquier clase de estructuralismo o de gesto estructuralista. En particular, una lectura estructural presupone siempre, en su momento oportuno —y recurre siempre a— esa simultaneidad teológica del libro) (p. 41).

En ese sentido el estudio de la estructura está regido por «un paso que consiste en darle un centro, en referirlo a un momento de 'presencia' de un origen definitivo». Ese centro encuentra y organiza la estructura, permitiendo cierta combinación de elementos y excluyendo otros: «el centro clausura el juego que inicia y hace posible... El concepto de una estructura centrada es de hecho el del juego limitado o fundado» (pp. 409-10). Podríamos sostener que esa clausura testimonia la presencia de una ideología.

Esa noción no es difícil de ilustrar. Cuando hablamos de la estructura de una obra literaria, lo hacemos desde determinada posición ventajosa: partimos de nociones del significado o de los efectos de un poema e intentamos identificar las estructuras responsables de dichos efectos. Las posibles configuraciones o pautas que no hagan contribuciones quedan rechazadas por carecer de pertinencia. Es decir, que una comprensión intuitiva del poema hace de «centro», que rige el juego de las formas: es a un tiempo un punto de partida —que nos permite identificar estructuras— y un principio limitador.

Pero conceder a un principio, cualquiera que éste sea, esa condición privilegiada, convertirlo en el primer motor, a su vez inmóvil, es un paso patentemente ideológico. Las nociones de significado o efectos de un poema particular van determinadas por los hechos contingentes de la historia de los lectores y por los distintos conceptos críticos e ideológicos de actualidad en ese momento. ¿Por qué habría de permitirse que esos productos culturales —lo que a los lectores se les ha enseñado sobre la literatura— permanezcan fuera del juego de la estructura, limitando sin verse limitados a su vez? El hecho de convertir cualquier efecto postulado en el punto fijo de nuestro análisis tiene por fuerza que parecer una iniciativa dogmática y prescriptiva que refleja un deseo de verdades absolutas y significados transcendentes.

La condición de esa clase de centros llegó a verse impugnada seriamente, escribe Derrida, «en el momento en que la teoría empezó a considerar la naturaleza estructurada de las estructuras» (p. 411). La noción de un *système décentré* llegó a parecer muy atractiva. ¿No podríamos alterar y desplazar el centro durante el análisis del propio sistema? Aunque todavía necesitaríamos un punto de partida, ¿no podría incluir el movimiento del análisis una crítica de ese centro que lo desplazó del papel de postulado no examinado? Así, el estructuralismo y la semiología llegaron a ser definidos como una actividad cuyo valor radicaba en la avidez con que escrutaba sus postulados:

> La semiótica no puede desarrollarse sino como una crítica de la semiótica... La investigación en semiótica sigue siendo una investigación que no descubre al final de su búsqueda otra cosa que sus pasos ideológicos, para reconocerlos, para negarlos y para empezar de nuevo (Kristeva, *Semiotikè*, pp. 30-1).

Aunque no está claro cómo afectaría ese programa de Kristeva al análisis semiológico real, por lo menos podemos imaginar cómo podría tratarse el lenguaje como un *système décentré*. Hace tiempo que los lingüistas han tomado como punto de partida ciertos usos «normales» del lenguaje: la expresión en oraciones gramaticalmente bien constituidas de intenciones comunicativas determinadas. Así, según sostiene Derrida, la reflexión sobre el lenguaje se ha producido dentro de una metafísica del *logos* que concede primacía al *signifié* y ve el *signifiant* como una notación a través de la cual pasamos para alcanzar el pensamiento. Los modos especiales como produce la literatura el significado se dejaron de lado como técnicas de connotación. Si los examinamos seriamente —podrían sostener los estructuralistas— encontraremos multitud de casos en que el significante no manifiesta un significado, sino que lo sobrepasa, ofreciéndose a sí mismo como un excedente que engendra un juego de significación. Para percibir ese exceso, hemos de considerar los usos normales del lenguaje como el «centro», pero, una vez que hemos captado los fenómenos que dicho centro excluye, hemos de desplazar el centro de su papel, como lo que fundamenta y rige el juego de la estructura lingüística, y eso puede hacerse tomando en serio la teoría de Saussure de la naturaleza diacrítica del significado y su argumento de que en el sistema lingüístico «sólo hay diferencias sin términos positivos». Si el significado está en función de las diferencias entre términos y cada término no es sino un nudo de relaciones diferenciales, cada término nos remite a otros términos de los que difiere y con los que guarda algún tipo de relación. Esas relaciones son infinitas y todas ellas tienen la posibilidad de producir significado.

En ese caso, según ese argumento, no podríamos identificar los significados que la lengua produce ni usar eso como concepto normativo para regir nuestro análisis, pues el hecho sobresaliente del lenguaje es el de que sus modos de producir significado son ilimitados y el de que el poeta sobrepasa cualquier clase de límites normativos. Por amplio que sea el espectro de posibilidades en que basemos un análisis, siempre es posible superarlas; la organización de las palabras en configuraciones que oponen resistencia a los métodos de lectura heredados nos fuerza a experimentar y a poner en juego nuevos tipos de relaciones a partir del infinito conjunto de posibilidades del lenguaje. Como dice Malarmé,[1]

les mots, d'eux-mêmes, s'exaltent à mainte facette reconnue
la plus rare ou valant pour l'esprit, centre de suspens vibra
toire; qui les perçoit indépendamment de la suite ordinaire,
projetés, en parois de grotte, tant que dure leur mobilité ou
principe, étant ce qui ne se dit pas du discours: prompts
tous, avant extinction, à une réciprocité de feux distante
ou présentée de biais comme contingence.

(Las palabras, por sí mismas, se exaltan a la condición de
faceta reconocida como la más rara o de valor para la in
teligencia, centro de suspensión vibratorio, que las perci
be independientemente de la sucesión ordinaria, proyecta
das, en paredes de gruta, mientras dura su movilidad o
principio, al ser lo que no se dice del discurso: listas todas
antes de la extinción, para una reciprocidad de fuegos dis
tante o presentada oblicuamente como contingencia.)

Así, con la *réciprocité de feux distante ou présentée de biais*
comme contingence, la frase *Un coup de dés* («Una tirada de da
dos») nos da, en una chispa móvil y contingente, las diferencia
que hacen resaltar a *coup* de *cou* («cuello»), *coût* («costo»), *coupe*
(«copa»), *couper* («cortar»); la serie *un* («uno»), *deux* («dos»)
des («unos»); la metátesis *des coups.* El verso puede abrir en lo
que Julia Kristeva llama la *mémoire infinie de la signifiance* e
juego de todas las cosas que no es pero que se relacionan con ella
como espejos oblicuos y distantes. Podemos leer en la frase la
huellas de otras secuencias de las que se diferencia y contra la
que pide se la contraste.

A ese texto de posibilidades infinitas que hace de substrato
para cualquier texto real lo llama «geno-texto»:

el geno-texto puede considerarse como un recurso que con
tiene toda la evolución histórica del lenguaje y las distinta
prácticas significadoras que puede tener. Las posibilidade
de cualquier lenguaje del pasado, presente o futuro van da
das en él, antes de quedar ocultas o reprimidas en el feno
texto. (*Semiotikè,* p. 284.)

En su opinión, ése es el único tipo de concepto que puede hacer de centro para el análisis del lenguaje poético, pues es el único que incluye (por definición) todas las posibles variedades de significación que los poetas y los lectores pueden inventar. Cualquier otra noción en que intentáramos fundar nuestro análisis quedaría debilitada tan pronto como se desarrollaran nuevos procedimientos que excluyese.

Pero, como corolario directo de esa definición, se desprende que el «geno-texto» es un concepto vacío, una ausencia en el centro. No podemos usarlo para fin alguno, dado que nunca podemos saber lo que contiene, y su efecto consiste en impedirnos rachazar siempre cualquier propuesta sobre la estructura verbal de un texto. Cualquier combinación o relación está ya presente en el geno-texto y, por lo tanto, una posible fuente de significado. No hay punto desde el que se pudiera rechazar una propuesta. A falta de noción primitiva alguna de los significados o efectos de un texto (cualquier juicio de ese tipo representaría, en su opinión, una exclusión insidiosa que intentaría establecer una norma), no hay nada que limite el juego del significado. Como dice Derrida, «la ausencia de un significado último abre un espacio ilimitado para el juego de la significación» (*L'Ecriture et la diférence*, p. 411). El miedo a que los conceptos que rigen el análisis del significado se vieran atacados como premisas ideológicas ha inducido a los teóricos de *Tel Quel* a intentar, por lo menos en principio, prescindir de ellos.

El efecto práctico primordial de esa reorientación es el de subrayar la naturaleza activa y productiva de la lectura y eliminar las nociones de la obra literaria como «representación» y «expresión». La interpretación no consiste en recuperar un significado que esté oculto tras la obra y haga de centro que rija su estructura; antes bien, es un intento de observar y participar en el juego de los significados posibles a que el texto da acceso. En otras palabras, la crítica del lenguaje tiene la función de liberarnos de cualquier anhelo nostálgico de un significado original o transcendente y de prepararnos para aceptar *l'affirmation nietzschéenne, l'affirmation joyeuse du jeu du monde et de l'innocence du devenir, l'affirmation d'un monde de signes sans faute, sans vérité,*

347

sans origine, offert à une interprétation active («la gozosa afirmación nietzscheana del juego del mundo y de la inocencia del porvenir, la afirmación gozosa de un mundo de signos sin falta, sin verdad, sin origen, ofrecido a una interpretación activa»). Existen, prosigue Derrida, dos tipos de interpretación: «una intenta descifrar, sueña con descifrar una verdad o un origen que se halla fuera del dominio de los signos y de su juego, y experimenta la necesidad de interpretar como una especie de exilio», una exclusión de la plenitud original que busca; la otra acepta su función práctica y creativa y avanza gozosamente sin mirar atrás (*ibid.*, p. 427).

En un nivel no es difícil ver el atractivo de ese enfoque, que intenta substituir la angustia del regreso infinito por el placer de la creación infinita. Dado que no hay justificación última y absoluta para sistema alguno o para interpretaciones que broten de él, intentamos valorar la propia actividad de interpretación, o la actividad de la elaboración teórica, y no resultados que pudieran obtenerse. No hay nada a lo que deban corresponder los resultados; y, por eso, en lugar de concebir la interpretación como un juego *en* el mundo, cuyos resultados podrían ser interesantes si se acercaran a alguna verdad exterior al juego, hemos de reconocer que la actividad de la escritura, en su sentido derrideano más amplio de «producción de significado», es el juego *del* mundo.

> *Nous sommes donc d'entrée de jeu dans le devenir-immotivé du symbole... L'immotivation de la trace doit être maintenant entendue comme une opération et non comme un état, comme un mouvement actif, une dé-motivation, non come une structure donnée.*

> (Así, pues, desde el principio mismo estamos en el deveni —inmotivado del símbolo... Ahora la inmotivación de la huella debe entenderse como una operación y no como un estado, como un movimiento activo, una desmotivación, no como una estructura dada.) (*De la grammatologie,* p. 74.)

Es decir, que debemos liberarnos de esa ficción logocéntrica y teológica que, al tiempo que reconoce la naturaleza arbitraria del signo; concibe los signos como establecidos de una vez por todas por decreto, y, en adelante, regidos por convenciones estrictas. El hecho de que la forma no sea un determinante necesario y suficiente del significado es una condición constante de la producción de significado. El signo tiene una vida propia que no está regida por *archè* o *telos* alguno, origen o causa final, y las convenciones que rigen el uso en tipos particulares de discurso son epifenómenos: son, a su vez, productos culturales transitorios. «¿Puedo decir *bububu* y significar: 'Si no llueve, iré a dar un paseo'?», se pregunta Wittgenstein.

«Sólo en una lengua puedo significar algo mediante algo.» [2] Es cierto, en el sentido de que no puedo usar *bububu* para expresar o comunicar ese significado. Sin embargo, puedo establecer, como el propio Wittgenstein ha hecho, una relación entre los dos, y ahora, de forma bastante irónica, hay una lengua en que *bububu* es atravesado por «Si no llueve, iré a dar un paseo». No es tanto que *bububu* haya recibido un significado cuanto que en el *devenir-immotivé su symbole* ha llegado a ostentar la huella de un posible significado. En resumen, el problema del lenguaje no es sólo un problema de expresión y comunicación, modelos estos inadecuados para los fenómenos más complejos e interesantes con que nos tropezamos. Como dice Derrida, es un problema de inscripción y producción, de las «huellas» ostentadas por las secuencias y los desarrollos verbales que pueden provocar. La forma verbal no nos remite simplemente a un significado, sino que abre un espacio en que podemos relacionarlo con otras secuencias cuyas huellas ostenta.

Pero, cualesquiera que sean los atractivos de esa concepción, tiene sus dificultades prácticas. El análisis de los fenómenos culturales debe producirse siempre en algún contexto, y en cualquier momento concreto la producción de significado en una cultura está regida por convenciones. En la época en que Wittgenstein estaba analizando el problema del significado y la intención, no se podía decir *bububu* y significar «Si no llueve, iré a dar un paseo», independientemente de que así fuera o no en la actualidad. El semiólogo puede estudiar las reglas implícitas que permiten a los lectores dar sentido a los textos —que definen la gama de interpretaciones aceptables— y puede intentar cambiar esas reglas, pero se trata de empresas diferentes que sólo los hechos de la historia cultural nos prescribirían separar.

Un solo ejemplo ilustrará el problema: la adopción por los teóricos de *Tel Quel* de los anagramas de Saussure. Saussure estaba convencido de que los poetas latinos ocultaban regularmente nombres propios clave en sus versos, y dedicó mucho tiempo al descubrimiento de esos anagramas. Pero consideraba de crucial importancia la cuestión de la intención, y sus dudas a ese respecto —no pudo encontrar referencias a esa práctica y la información estadística que obtuvo no fue concluyente— le hicieron dejar inéditas sus especulaciones.[3] Kristeva y otros, a quienes no preocupan las intenciones, han visto en la obra de Saussure una teoría que subrayaba la materialidad del texto (el *signifiant* como combinación de letras) y postulaba «la expansión de una función significadora particular, que prescinde de la palabra y del signo como unidades básicas del significado, a lo largo de todo el material significador de un texto dado» (*Semiotikè,* p. 293). El texto es un espacio en que las letras, accidentalmente dispuestas en una dirección, pueden agruparse de forma diferente para revelar una diversidad de pautas latentes.

Está claro que ésa es una posible técnica interpretativa: si permitimos al analista que encuentre anagramas de palabras clave que enriquezcan su lectura del texto, le ofrecemos un procedimiento eficaz para producir significado. Pero también está claro que por el momento las constricciones «ideológicas» nos impiden leer de ese modo. Si intentamos eliminar dichas constricciones, sólo podemos hacerlo utilizando otros principios que a su modo son igualmente ideológicos. Por ejemplo, Kristeva sostiene que Saussure estaba «equivocado» al buscar sólo nombres propios en los anagramas.[4] Si se refiere a que podemos encontrar otros anagramas en los textos, indudablemente está en lo cierto, pero basándonos en eso podríamos decir que está equivocada al buscar solamente anagramas de palabras francesas y excluir, así, «arbitrariamente» los anagramas de palabras alemanas que podemos encontrar en textos franceses o los anagramas de cadenas carentes de sentido que podemos encontrar en cualquier texto (*Un coup de dés* como anagrama de *deepnudocus*).

Además, y éste es el punto importante, los anagramas pueden usarse para producir significado sólo en caso de que recurramos a las técnicas interpretativas actuales para tratar lo que quiera que descubra ese modo de lectura. Al descubrir un anagrama de *rire* en *Brise marine,* de Mallarmé, podemos utilizarlo porque sabemos lo que podríamos hacer, si la propia palabra apareciera en el poema. Ha de haber formas particulares de relacionar el anagrama con el texto, para que resulte algún significado de la operación.

Cuando Kristeva analiza efectivamente parte de un texto, parece, de hecho, estar empleando principios de pertinencia procedentes de procedimientos de lectura comunes. Así, al analizar la oración *Un coup de dés jamais n'abolira le hasard,* a pesar de su afirmación de que «esta oración debe leerse en el registro de resonancias que hacen de cada palabra un punto en que puede leerse un número infinito de significados», no usa demasiado esas posibilidades infinitas. Lo más cerca que llega de un anagrama es la extracción de *bol, lira, ira* y *lyra* de *abolira,* y de ningún modo recurre a «todos los lenguajes del pasado y del futuro» presuntamente contenidos en el geno-texto. Aunque usa imágenes procedentes de otros poemas para mostrar que la palabra *coup,* «mediante una serie de retiradas, extensiones, escapes, podría aportar al proceso de la lectura todo un corpus temático que mora en el texto», pasa por alto asociaciones tan obvias como *cou, coût, coupe,* etc., que podrían conducir a una diversidad de direcciones (*Sémanalyse et production de sens,* pp. 229-31). Para realizar algo que se parezca a un análisis, se ve obligada a desplegar convenciones de lectura completamente restrictivas. Sin ellas la interpretación sería imposible.

De hecho, precisamente a causa de la libertad ilimitada que su teoría garantiza, es tanto más importante para ella aplicar algunos principios de pertinencia, aunque sólo sea para determinar cuál de las relaciones del infinito conjunto posible va a usar. Y necesita alguna forma de integrar lo que se ha seleccionado. El intento de «liberar» el proceso de lectura de las constricciones impuestas por una teoría particular de la cultura nos exige reintroducir algunas reglas bastante potentes para aplicarlas a las combinaciones o contrastes producidos por la extracción y asociación casuales. Cualquier cosa puede ponerse en relación con cualquier otra cosa, indudablemente: una vaca es como la tercera ley de la termodinámica en que ninguna de las dos es una papelera, pero poco se puede hacer con eso. Sin embargo, otras relaciones sí que tienen potencial temático, y la cuestión crucial es la de qué es lo que rige su selección y desarrollo. Aun «vaciado» por una teoría radical, el centro se llenará inevitablemente a medida que el analista siga opciones y ofrezca conclusiones. Siempre funcionará algún tipo de competencia literaria o semiótica, y la necesidad de ella será mayor, si se amplía la gama de relaciones de que haya de tratar.

Podría ser que Kristeva no negara eso; podría decir simplemente que el centro nunca está fijo, siempre se construye y desconstruye con una libertad que la teoría busca como fin en sí misma.

> En cada momento de su desarrollo la semiótica ha de teorizar su objeto, su propio método y la relación entre ellos; así pues, se teoriza a sí misma y se convierte, al retroceder sobre sí, en la teoría de su práctica científica... Como lugar de interacción entre distintas ciencias y proceso teórico siempre en desarrollo, la semiótica no puede reificarse como ciencia, y mucho menos como *la* ciencia. Antes bien, es una dirección para la investigación, siempre abierta, una empresa teórica que retrocede sobre sí misma, una perpetua autocrítica. (*Semiotikè,* p. 30.)

Esta tesis invoca sin el menor reparo lo que podríamos llamar el mito de la inocencia del devenir: el de que el cambio continuo, como un fin en sí mismo, es la libertad, y de que nos libera de las exigencias que podrían hacerse a un estado particular del sistema. El argumento podría rezar así: si, como han mostrado Barthes y Foucault, nuestro mundo social y cultural es el producto de sistemas simbólicos, ¿no deberíamos negar cualquier condición privilegiada a las convenciones erigidas por las instituciones opresivas del momento y afirmar gozosamente para nosotros el derecho a producir significado *ad libitum,* con lo que garantizaría mos mediante el proceso de autotrascendencia la invulnerabilidad a cualquier crítica basada en criterios positivistas y puesta a nuestro nivel desde fuera?

Esa visión tiene sus fallos. En primer lugar, aunque es cierto que el estudio de cualquier conjunto de convenciones quedará invalidado en parte por el conocimiento que resulta de ese estudio (cuanto más conscientes somos de las convenciones, más fácil es intentar cambiarlas), no podemos eludir ese hecho recurriendo a la autotrascendencia. Aun cuando la semiología se niegue a reificarse como ciencia, no por ello escapa a la crítica. Independientemente del pasado y del futuro de la disciplina, cualquier análisis particular se produce en una etapa particular, es un objeto con premisas y resultados; y la posibilidad de negar dichas premisas en el momento siguiente no hace que la evaluación sea imposible o inapropiada.

En segundo lugar, la noción de libertad en la creación de significado parece ilusoria. Como el propio Foucault se apresura a señalar, las reglas y conceptos que subyacen a la producción de significado —«tantos recursos infinitos para la creación de discurso»— son simultánea y necesariamente «principios de constricción, y es probable que no podamos explicar su papel positivo y productivo teniendo en cuenta su función restrictiva y constrictiva» (*L'Ordre du discours*, p. 38). Una cosa puede tener significado sólo si hay otros significados que no puede tener. Podemos hablar de modos de leer un poema, sólo si hay otros modos imaginables e inapropiados. Sin reglas restrictivas no habría significado alguno.

De hecho, el propio Derrida, que nunca se apresura a ofrecer propuestas positivas, es profundamente consciente de la imposibilidad de escape, de las restricciones impuestas por el propio lenguaje y los conceptos en que puede exponerse el escape:

> De ce langage, il faut donc tenter de s'affranchir. Non pas tenter de s'en affranchir, car c'est impossible sans oublier notre histoire. Mais en rêver. Non pas de s'en affranchir, ce qui n'aurait aucun sens et nous priverait de la lumière du sens. Mais de lui résister le plus loin possible.

353

(Así, pues, debemos intentar liberarnos de ese lenguaje. No
intentar liberarnos de él, pues es imposible sin olvidar nuestra historia. Pero soñar con ello. No con *liberarnos* de él,
pues no tendría el menor sentido y nos privaría de la luz del
significado. Sino con ofrecerle resistencia lo más lejos posible.) (*L'Ecriture et la différence*, p. 46.)

La liberación de nuestra ideología más penetrante, de nuestras convenciones de significado, «carece de sentido» porque hemos nacido en un mundo de significado y ni siquiera podemos
rehuir sus exigencias sin reconocerlas al mismo tiempo. Y, aun
cuando pudiéramos, nos encontraríamos en medio de un barboteo
sin sentido, privado de la *lumière du sens* que hace posible la
discusión. Lo que hemos de hacer es *imaginar* que nos liberamos
de las convenciones operativas para ver con mayor claridad las
propias convenciones.

Sea cual sea el tipo de libertad que los miembros de *Tel Quel*
consigan para sí mismos, se basará en la convención y consistirá
en un conjunto de procedimientos interpretativos. Existe una diferencia crucial entre la producción de significado y la asignación
arbitraria de significado, entre desarrollo plausible y asociación
fortuita. Buscan lo primero en lugar de lo segundo —no estarían
dispuestos a afirmar que sus análisis no son mejores que cualquier
otro— y en esa medida están obligados a trabajar dentro de las
convenciones. De hecho, la idea de que podemos «mostrar», como
lo intenta Sollers, el carácter revolucionario de la *écriture* de Dante
o identificar el auténtico lugar de Lautréamont en la historia de
la literatura francesa significa que aceptamos ciertos criterios de
argumentación y plausibilidad.

Lo que *Tel Quel* está proponiendo, en realidad, es un cambio
en la competencia semiótica más que su superación; la introducción de algunos procedimientos nuevos y creativos de lectura. Pero
por la propia naturaleza de las cosas sólo pueden avanzar paso a
paso, recurriendo a los procedimientos que los lectores usan efectivamente, frustrando algunos de ellos para que se desarrollen
algunas formas nuevas de producir significado, y sólo entonces
prescindiendo de otros. Están en gran medida en la posición de

los marineros de Von Neurath, intentando reconstruir su barco en medio del océano, pero, en lugar de comprender que eso debe hacerse madero a madero, sostienen que se puede desguazar el barco entero; la diferencia es que en el océano real se hunde uno.

Así, que lo que me gustaría afirmar es que, si bien el estructuralismo no puede escapar de la ideología ni proporcionar sus propios fundamentos, eso tiene poca importancia porque los críticos del estructuralismo, y particularmente de la poética estructuralista, no pueden hacerlo y a través de sus estrategias de evasión conducen a posiciones insostenibles. O quizá deberíamos decir, más modestamente, que cualquier ataque a la poética estructuralista basado en la afirmación de que no puede captar los distintos modos de significación de la literatura fallará, a su vez, a la hora de proporcionar una alternativa coherente. De hecho, tanto la crítica tradicionalista ingenua, que afirma la singularidad de la obra de arte y la inadmisibilidad de las teorías generales, como el sutil *sémanayse* de *Tel Quel,* que intenta teorizar una autotrascendencia perpetua, fracasa de forma análoga. Ambos dan a entender que el proceso de interpretación es fortuito: la primera por omisión (al negarse a aceptar las teorías semióticas generales) y el segundo por glorificación explícita de lo aleatorio.

Al contrario, hemos de sostener que la gama de significados que un verso puede contener depende de que numerosos significados sean manifiestamente imposibles, y que preguntar por qué *azón* se excluyen otros significados y buscar como respuesta algo más que una reformulación de las convenciones operativas es salirse de la cultura para pasar a un sector en que no hay significados en absoluto. Como dice Barthes, el lector está *guidé par les contraintes formelles du sens; on ne fait pas le sens n'importe comment (si vous en doutez, essayez)* [«guiado por las constricciones formales del significado; no se hace el significado de cualquier manera (si lo dudáis, intentadlo»] (*Critique et vérité,* p. 65). Un detalle simple, tal vez, pero que últimamente se ha pasado por alto injustamente. Hemos de responder también que la posibilidad de cambio depende de algún concepto de la identidad, que ahora debe haber convenciones operativas para la producción de significado, para que cambien mañana, y que, en consecuencia, has-

355

ta nuestra apreciación de la posibilidad de cambio indica que hay sistemas simbólicos interpersonales que estudiar. En lugar de intentar salir de la ideología, hemos de permanecer resueltamente dentro de ella, pues tanto las convenciones que hay que analizar como las *nociones de entendimiento se hallan dentro de ella. Si hay círculo,* es el propio círculo de la cultura.

CAPITULO 11

CONCLUSION: EL ESTRUCTURALISMO Y LAS CARACTERISTICAS DE LA LITERATURA

L'endroit le plus érotique d'un corps n'est-il pas là où le vêtement bâille? *

BARTHES

«Creo que el nombre de estructuralismo debería reservarse hoy para un movimiento metodológico que reconoce específicamente su vínculo directo con la lingüística», observa Barthes. «En mi opinión, sería el criterio de definición más preciso» (*Une problématique du sens,* p. 10). La definición es apropiada, pero, como habrán mostrado los capítulos anteriores, muy poco precisa. Los enfoques que podría incluir son extraordinariamente diversos, tanto en su concepción de la crítica como en su uso de la lingüística. De hecho, parece que la lingüística ha afectado a la crítica francesa de tres formas distintas. Ante todo, como ejemplo de una disciplina «científica», sugirió a los críticos que el deseo de ser riguroso y sistemático no entrañaba necesariamente intentos de explicación causal. Un elemento podía explicarse por su lugar en una red de relaciones más que en una cadena de causa y efecto. Por eso, el modelo lingüístico ayudó a justificar el deseo de abandonar la historia literaria y la crítica biográfica; y, si bien la idea de que se estaba haciendo crítica científica indujo en ocasiones a

* «¿Acaso no es el lugar más erótico de un cuerpo *aquel en que el vestido bosteza?*»

357

adoptar una actitud arrogante, la conclusión de que la literatura se podía estudiar como *un système qui ne connaît que son ordre propre* [1] —un sistema que sólo conoce su orden propio— ha sido eminentemente saludable, al garantizar a los franceses algunos de los beneficios del *New Criticism* angloamericano sin inducir al error de convertir el texto individual en un objeto autónomo que deba enfocarse con una *tabula rasa*.

En segundo lugar, la lingüística proporcionó una serie de conceptos que podían usarse ecléctica y metafóricamente al analizar las obras literarias: significante y significado, *langue* y *parole,* relaciones sintagmáticas y paradigmáticas, los niveles de un sistema jerárquico, las relaciones distribucionales e integradoras, la naturaleza diacrítica o diferencial del significado, y otras nociones subsidiarias como los *shifters* o las expresiones performativas. Desde luego, esos conceptos pueden emplearse con habilidad o con ineptitud; por sí mismos, en virtud de su origen lingüístico, no producen una visión introspectiva. Pero el uso de esos términos puede ayudarnos a identificar relaciones de distintos tipos, tanto reales como virtuales, dentro de un solo nivel o entre niveles, que son responsables de la producción del significado.

Si no se usan eclécticamente esos conceptos, sino que se los considera constituyentes de un modelo lingüístico, tenemos un tercer modo como la lingüística puede afectar a la crítica literaria: proporcionar un conjunto de instrucciones generales para la investigación semiótica. La lingüística indica cómo debemos emprender el estudio de los sistemas de signos. Este es un argumento más convincente sobre la pertinencia de la lingüística que los de los otros dos casos, y es la orientación que, según hemos considerado aquí, caracteriza al estructuralismo propiamente dicho.

Pero dentro de esa perspectiva general hay modos diferentes de interpretar el modelo lingüístico y de aplicarlo al estudio de la literatura. En primer lugar, existe el problema de si los métodos lingüísticos deben aplicarse directa o indirectamente. Como la literatura es, a su vez, lenguaje, es por lo menos plausible que las técnicas lingüísticas, cuando se apliquen directamente a los textos de poemas, novelas, etc., puedan ayudar a explicar su estructura y significado. ¿Es realmente ésa una misión que la lingüística pueda cumplir, o hemos de aplicar sus métodos indirectamente desarrollando otra disciplina, análoga a la lingüística, para estudiar la forma y el significado literarios? En segundo lugar, está la cuestión de si la lingüística, aplicada directa o indirectamente, proporciona un «procedimiento de descubrimiento» o método preciso de análisis que conduzca a corregir las descripciones estructurales o si ofrece sólo un marco general para la investigación semiótica que especifique la naturaleza de sus objetos, la condición de sus hipótesis y sus modos de evaluación.

Si se combinan esos dos conjuntos de alternativas, proporcionan un resumen esquemático de cuatro posiciones diferentes. La primera afirma que la lingüística proporciona un procedimiento de descubrimiento que puede aplicarse directamente al lenguaje de la literatura y que revelará las estructuras poéticas. Los análisis distribucionales de Jakobson entran dentro de este apartado, y he intentado mostrar que sus inadecuaciones demuestran la necesidad de rechazar ese uso particular de la lingüística. En lugar de dar por sentado que la descripción lingüística revelará los efectos literarios, debemos partir de los propios efectos y después buscar una explicación en la estructura lingüística.

Greimas parte de la hipótesis de que la lingüística, y en particular la semántica, debe poder explicar el significado de todas clases, incluido el significado literario. Pero, como muestran con toda claridad sus intentos de desarrollar esa semántica, la lingüística no proporciona un algoritmo para el descubrimiento de los efectos semánticos. De hecho, las conclusiones principales que se desprenden de un estudio de su teoría son las de que el significado en literatura no puede explicarse mediante un método que avance desde las unidades más pequeñas hasta las mayores; aunque la organización semántica última de un texto puede ser especificable en términos lingüísticos, el proceso por el que se alcanzan dichos efectos entraña algunas expectativas complejas y operaciones semánticas. De modo que la obra de Greimas puede colocarse en la segunda categoría. Demuestra que, aunque la lingüística no proporciona un procedimiento para el descubrimiento de la estructura literaria, algunas de las complejas operaciones de la lectura pueden identificarse por lo menos en parte mediante un intento de aplicar

359

las técnicas lingüísticas directamente al lenguaje de la literatura.

Pasando de la aplicación directa a la indirecta de los modelos lingüísticos, encontramos dos posiciones análogas a las de Jakobson y Greimas. La primera da por sentado que la lingüística proporciona procedimientos de descubrimiento que pueden aplicarse, por analogía, a cualquier corpus de datos semióticos. Los problemas con que tropieza Barthes en *Système de la mode* indican que esa forma de basarse en los modelos lingüísticos puede conducir a una incapacidad para determinar lo que se está intentado explicar. En el estudio de la literatura esa actitud caracteriza a la *Grammaire du Décaméron,* de Todorov, y otras obras críticas que dan por sentado que si aplicamos las categorías lingüísticas metafóricamente a un corpus de texto produciremos resultados que son tan válidos como una explicación de un sistema lingüístico, o que las operaciones de segmentación y clasificación, aplicadas a un corpus de relatos, producirán una «gramática» de la narración o de la estructura de la trama. Cuando se usa de ese modo, el modelo lingüístico hace posible una gran diversidad de descripciones estructurales, y en ocasiones los estructuralistas han intentado defender su uso del modelo afirmando que los resultados de la indeterminación metodológica son de hecho propiedades de las propias obras literarias: si pueden descubrirse muchas estructuras es porque la obra tiene una diversidad de estructuras. Naturalmente, esa orientación puede conducir a una rigurosa falta de pertinencia. Cualquier principio o conjunto de categorías procedente de la lingüística puede usarse como un procedimiento de descubrimiento a partir de la hipótesis de que su uso como procedimiento de descubrimiento está justificado por la analogía lingüística; y así se rechaza, elude o desconoce el problema de la evaluación.

Ese problema sólo puede resolverse si pasamos a la cuarta posición y usamos la lingüística, no como método de análisis, sino como modelo general para la investigación semiológica. Indica cómo debemos emprender la construcción de una poética que sea a la literatura lo que la lingüística al lenguaje. Ese es el uso más apropiado y eficaz del modelo lingüístico y presenta la ventaja particular de convertir la lingüística en fuente de claridad metodológica y no de vocabulario metafórico. El papel de la lingüística es insistir en que hay que construir un modelo para explicar la forma y el significado de las oraciones para los lectores expertos, que hay que empezar aislando un conjunto de hechos por explicar, y que hay que verificar las hipótesis por su capacidad para explicar esos efectos.

La propuesta de que la competencia literaria es el objeto de la poética encontrará alguna resistencia basada en que cualquier cosa que se parezca a la competencia que pudiéramos identificar sería demasiado indeterminada, variable y subjetiva como para servir de base para una disciplina coherente. Esas objeciones están justificadas en parte, e indudablemente será difícil seguir un camino intermedio, evitando, por un lado, los peligros de un enfoque experimental o sociopsicológico que tomaría demasiado en serio la actuación efectiva e indudablemente idiosincrásica de los lectores individuales, y, por otro lado, los peligros de un enfoque puramente teórico, cuyas normas postuladas podrían tener poca relación con lo que los lectores hacen realmente. Pero, a pesar de esa dificultad, el caso es que, a no ser que rechacemos las actividades de la enseñanza y de la crítica, es inevitable alguna concepcepción de las normas interpersonales y de los procedimientos de la lectura. La noción de formación literaria o de argumentación crítica tiene sentido sólo si la lectura no es un proceso idiosincrásico y fortuito. Hacer que alguien entienda un texto o una interpretación requiere puntos de partida comunes y operaciones mentales comunes. El desacuerdo con respecto a un texto es de interés sólo porque damos por sentado que el acuerdo es posible y que cualquier desacuerdo tendrá motivos que puedan reconocerse. En realidad, notamos las diferencias de interpretaciones precisamente porque damos por sentado el acuerdo como el resultado natural de un proceso comunicativo basado en convenciones compartidas.

Así, pues, debe quedar claro que la noción de competencia no conduce, como podrían temer algunos estructuralistas, a una rehabilitación del sujeto individual como fuente de significado. El único sujeto en cuestión es una construcción abstracta e interpersonal: *Ce n'est plus* je *qui lit: le temps impersonnel de la régularité, de la grille, de la l'harmonie s'empare de ce* je *dispersé d'avoir lu: alors on lit* («Ya no soy *yo* quien lee: el tiempo impersonal de la

No existe método estructuralista tal, que, aplicado a un texto, nos descubra automáticamente su estructura. Pero existe una especie de atención que podríamos llamar estructuralista: un deseo de aislar códigos, de nombrar los diferentes lenguajes con los que y entre los que juega el texto, superar el contenido manifiesto hasta llegar a una serie de formas y después convertir esas formas u oposiciones o modos de significación en la esencia del texto. «No podemos comenzar el análisis de un texto», dice Barthes en un artículo titulado *Par où commencer?*,

> sin antes examinar semánticamente (el contenido), ya sea temático, simbólico o ideológico. El (inmenso) trabajo que queda por hacer consiste en seguir esos primeros códigos, identificar sus términos, esbozar sus secuencias, pero también en postular otros códigos que se vislumbran en la perspectiva del primero. En resumen, si exigimos el derecho a comenzar con cierta condensación de significado es porque el movimiento del análisis, con su infinita prolongación, consiste en destrozar el texto, la primera nebulosa de significado, la primera imagen de contenido. Lo que está en juego en el análisis estructural no es la verdad del texto, sino su pluralidad; la tarea no consiste en partir de las formas para percibir, clarificar o formular el contenido (en ese caso, no habría necesidad de un método estructuralista), sino, al contrario, en esparcir, posponer, desencajar, descargar el significado mediante la acción de una disciplina formal. (*Le Degré zéro de l'écriture*, p. 155.)

En *Sarrasine* de Balzac, por ejemplo, el contenido inicial consiste en el contrato amoroso del narrador con una bella mujer (ésta le concede una cita para oír el relato), la explicación de la fortuna de Lanty que el relato ofrece, y la aventura del joven escultor que se enamora de una cantante de ópera, sin saber que ella/él es un eunuco. Ese contenido se «desconstruye», se descompone en los distintos códigos que recorren el texto, y después la acción de dichos códigos se convierte en el tema principal de análisis. ¿Cómo se produce el significado? ¿Qué resistencia encuen-

regularidad, de la rejilla, de la armonía se ampara de ese *yo* disperso por haber leído: entonces *se* lee) (Kristeva, *Comment parler à la littérature,* p. 48). El sujeto que lee está constituido por una serie de convenciones, las rejillas de la regularidad y de la intersubjetividad. El «yo» empírico queda disperso entre esas convenciones que usurpan su lugar en el acto de la lectura. En realidad, precisamente porque la competencia no es coextensiva al sujeto individual se requiere esa noción.

¿Cuál es el papel de una poética estructuralista? En cierto sentido su misión es humilde: volver lo más explícito posible lo que conocen implícitamente todos aquellos que se ocupen de la literatura lo suficiente como para interesarse por la poética. Visto así, no es hermenéutico; no propone interpretaciones sorprendentes ni resuelve debates literarios; es la teoría de la práctica de la lectura.

Pero es evidente que el estructuralismo e incluso la poética estructuralista ofrecen también una teoría de la literatura y un modo de interpretación, aunque sólo sea al centrar la atención en ciertos aspectos de las obras literarias y en características particulares de la literatura. El intento de entender cómo damos sentido a un texto nos induce a concebir la literatura, no como representación o comunicación, sino como una serie de formas que obedecen a la producción de significado y le oponen resistencia. El análisis estructural no avanza hacia un significado ni descubre el secreto de un texto. La obra, como dice Barthes, es como una cebolla,

> una construcción de capas (o niveles, o sistemas) cuyo cuerpo no contiene al final ni corazón ni meollo ni secreto ni principio irreductible, nada más que la infinitud de sus propias envolturas, que no envuelve otra cosa que la unidad de sus propias superficies. (*Style and its Image,* p. 10.)

Leer es participar en el juego de un texto, localizar zonas de resistencia y transparencia, aislar formas y determinar su contenido y después considerar ese contenido, a su vez, como una forma con su propio contenido, seguir, en resumen, la interacción de la superficie y la envoltura.

tra? ¿Qué significado podemos encontrar en el propio proceso de significación? ¿Qué nos dicen las formas del relato sobre las aventuras del significado?

> *il est mortel, dit le texte, de lever le trait séparateur, la barre paradigmatique qui permet au sens de fonctionner (c'est le mur de l'antithèse), a la vie de se reproduire (c'est l'opposition des sexes), aux biens de se protéger (c'est la règle de contrat). En somme, la nouvelle représente (nous sommes dans un art du lisible) un effondrement généralisé des économies... Cette métonymie, en abolissant les barres paradigmatiques, abolit le pouvoir de substituer légalement, qui fonde le sens... Sarrasine représente le trouble même de la représentation, la circulation déréglée (pandémique) des signes, des sexes, des fortunes.*

> («es mortal, dice el texto, alzar el guión de separación, la barra paradigmática que permite al significado funcionar (es el muro de la antítesis), a la vida reproducirse (es la oposición de los sexos), a los bienes protegerse (es la regla de contrato). En resumen, el relato *representa* (estamos en un arte de lo legible) un hundimiento generalizado de las economías... Esa metonimia, al abolir las barras paradigmáticas anula el poder de *substituir legalmente,* que fundamenta el sentido... *Sarrasine* representa el propio problema de la representación, la circulación descompuesta (pandémica) de los signos, de los sexos, de las fortunas.) (*S/Z,* pp. 221-2.)

Ese es el tipo de recuperación última hacia el que la crítica estructuralista se dirige: leer el texto como una exploración de la escritura, de los problemas de articulación de un mundo. Así pues, la crítica pasa a centrarse en el juego de lo legible y lo ilegible, en el papel de las lagunas, del silencio, de la opacidad. Aunque puede considerarse ese enfoque como una versión de formalismo, el intento de convertir el contenido en forma y después leer la significación del juego de las formas no refleja un deseo de fijar el texto y reducirlo a una estructura, sino un intento de captar su *fuerza*. La fuerza, el poder de cualquier texto, hasta el más descaradamente mimético, radica en esos momentos que superan nuestra capacidad para categorizar, que chocan con nuestros códigos interpretativos pero, aún así, parecen ciertos. Las palabras de Lear: *Pray you, undo this button; thank you, sir* («Os lo ruego, desabrochadme este botón; gracias, señor») es un resquicio, un desplazamiento modal que nos deja con dos bordes y un abismo abierto entre ellos; el «rosado albor de una apoteosis» de Milly Theale ante el retrato de Bronzino —«Milly se reconoció exactamente en palabras que no tenían nada que ver con ella. 'Nunca seré mejor que esto'»— son algunos de esos intersticios en que hay un cruce de lenguajes y una sensación de que el texto se nos está escapando en varias direcciones a la vez. Definir semejantes momentos, hablar de su fuerza, sería identificar los códigos que encuentran resistencia ahí y delinear los vacíos dejados por un cambio de lenguaje.

La ficción narrativa puede mantener juntos en un mismo espacio una diversidad de lenguajes, niveles de enfoque, puntos de vista, que serían contradictorios en otro tipo de discurso organizado hacia un fin empírico particular. El lector aprende a habérselas con esas contradicciones y se convierte, como dice Barthes, en un protagonista de las aventuras de la cultura; su placer procede de «la cohabitación de lenguajes, que funcionan unos junto a otros» (*Le Plaisir du texte*, p. 10). Y el crítico, cuya tarea es revelar y explicar ese placer, como el aspecto afortunado de Babel, un conjunto de voces, identificables o inidentificables, que rozan unas con otras y producen a un tiempo deleite e incertidumbre. En la sección 7 de *The Open Boat* de Crane, por ejemplo, después de que se nos dice que la naturaleza era «indiferente, completamente indiferente», encontramos uno de esos curiosos pasajes que seduce y escapa:

> Quizá sea plausible que un hombre en esa situación, impresionado por la despreocupación del universo, vea los innumerables errores de su vida y haga que le sepan mal en su mente y desee otra oportunidad. Una distinción entre lo correcto y lo falso le parece absurdamente clara, entonces,

en esa nueva ignorancia al borde de la tumba, y entiende que, si se le diera otra oportunidad, corregiría su conducta y sus palabras, y sería mejor y más brillante en una presentación o tomando el té.

¿Ironía virulenta? ¿O un intento de dejar que la ironía diga lo que tenga que decir y después salvar lo que quede? ¿Quién dice «plausible», «absurdamente», «ignorancia»? ¿Por qué «entiende» en lugar de «cree»? ¿Corresponde alguna otra cosa a «entiende»? Y, sobre todo, ¿de dónde procede la última frase? Podemos intentar seleccionar los distintos momentos del lenguaje o podemos preferir leer en ese pasaje la dificultad de superar lo que Barthes llama el «*apagarse* de las voces»: se empujan unas a otras, pero ofrecen pocos asideros para el proceso de naturalización.

Así, los enigmas, los vacíos, los cambios, se convierten en una fuente de placer y de valor. «Ni la cultura ni su destrucción es erótica», dice Barthes, sino sólo la grieta entre ellas, el espacio en que sus bordes se frotan:

> *ce n'est pas la violence qui impressionne le plaisir; la destruction ne l'intéresse pas; ce qu'il veut, c'est le lieu d'une perte, c'est la faille, la coupure, la déflation, le* fading *qui saisit le sujet au coeur de la jouissance.*

(«no es la violencia lo que impresiona al placer; la destrucción no le interesa; lo que quiere es el lugar de una pérdida, la falla, el corte, la deflación, el *fading* que se apodera del sujeto en pleno goce».) (*Iibd.*, p. 15.)

Por eso, no es sorprendente que a pesar de su expresada admiración por los textos más modernos y radicales, los estructuralistas hayan tenido más éxito en sus análisis de obras que contienen amplias porciones de «sombra» («un poco de ideología, un poco de mímesis, algún sujeto»), obras que hacen considerable uso de los códigos tradicionales y en que, por tanto, pueden localizar momentos de indeterminación, de incertidumbre, de exceso. Precisamente la obra tradicional, la obra que no podría escribirse en la actualidad, es la que más puede beneficiarse de la crítica, y la crítica que obtiene el mayor éxito es la que presta atención a su rareza, despertando en ella un drama cuyos actores son todas esas hipótesis y operaciones que hacen del texto la obra de una época. No se salva a Balzac volviéndolo actual —leyéndolo, por ejemplo, como un crítico de la sociedad capitalista—, sino subrayando su rareza: la inmensa confianza pedagógica, la fe en la inteligibilidad, la concepción preindividualista del personaje, el convencimiento de que la retórica puede convertirse en un instrumento de verdad; en resumen, la diferencia de su enfoque de los problemas del significado y del orden.

Una crítica que se centre en las aventuras del significado quizá sea más adecuada que cualquier otra para la que debería ser la misión más importante de la crítica: la de volver interesante el texto, la de combatir el aburrimiento que acecha detrás de todas las obras, esperando instalarse en ella, si la lectura se extravía o zozobra, *Il n'y a pas d'ennui sincère,* dice Barthes. En última instancia, no podemos aburrirnos sinceramente, porque el aburrimiento llama la atención sobre ciertos aspectos de la obra (sobre modos particulares de fracaso) y nos permite volver interesante el texto averiguando cómo y por qué aburre. *L'ennui n'est pas loin de la jouissance: il est la jouissance vue des rives du plaisir* («El aburrimiento no queda lejos del goce: es el goce visto desde las orillas del placer») (*ibid.,* p. 43). Un texto aburrido no consigue ser lo que deseamos; si fuéramos capaces de convertirlo en un desafío a nuestro deseo, de localizar un ángulo desde el que pudiéramos verlo como rechazo o dislocación, en ese caso sería *un texte de juoissance;* pero, cuando lo vemos desde las orillas del placer y nos negamos a aceptar su desafío, se convierte simplemente en ausencia de placer. Una crítica semiológica debe conseguir reducir las posibilidades de aburrimiento enseñándonos a encontrar desafíos y peculiaridades en obras que sólo la perspectiva del placer volvería aburridas.

Generalmente la crítica pasa por alto el aburrimiento. Un modelo que nos permite hablar de él o lo convierte en el fondo sobre el cual se produce la lectura aporta una nota realista y saludable. Entre otras cosas, porque los diferentes ritmos de la lectura, que afectan a la estructuración del texto, parecen resultar del imperativo más apremiante: el deseo de escapar al aburrimiento: «Si lees despacio, si lees *todas y cada una de las palabras* de una novela de Zola, se te caerá el libro de las manos» (*ibid.,* p. 23). Al leer una novela del siglo XIX, hay momentos en que aceleramos la marcha y otros en que la aflojamos, y el ritmo de nuestra lectura es un reconocimiento de la estructura: podemos pasar rápidamente por sobre las descripciones y conversaciones cuyas funciones identificamos; esperamos algo más importante, punto en que aflojamos el ritmo de lectura. Si invirtiéramos dicho ritmo, indudablemente llegaríamos a aburrirnos. Con un texto moderno que no podemos organizar como las aveuturas de un personaje, no podemos dar saltos ni regular la velocidad del mismo modo sin tropezar con la opacidad y el aburrimiento; hemos de leer más despacio, saboreando el drama de la oración, explorando las indeterminaciones locales, y desarrollando el proyecto general que promueven o resisten: *ne pas dévorer, ne pas avaler, mais brouter, tondre avec minutie* (*ibid.,* pp. 23-4). No podemos devorar ni engullir, sino que debemos pacer, mordisqueando cuidadosamente cada bocado de hierba. Una crítica basada en una teoría de la lectura debería tener por lo menos la virtud de estar dispuesta a preguntarse, en relación con la obra que esté estudiando, qué operaciones de lectura serán más apropiadas para reducir el aburrimiento y para despertar el drama latente en todos los textos.

De hecho, es de suponer que el estructuralismo intentará, como dice Barthes, elaborar una estética basada en el placer del lector («las consecuencias serían enormes»).[2] Cualesquiera que fueran sus otros resultados, indudablemente conduciría a la destrucción de los distintos mitos de la literatura. Ya no necesitaríamos convertir la unidad orgánica en un criterio de valor, sino que podríamos permitirle funcionar simplemente como una hipótesis de lectura, pues seríamos más conscientes de que con frecuencia nuestro placer procede del fragmento, del detalle incongruente, del exceso encantador de ciertas descripciones y elaboraciones, de la oración construida cuya elegancia sobrepasa su función o de los defectos en un plan grandioso. Podríamos no necesitar ya dar por sentado que todas las palabras y oraciones de un texto merecen leerse con igual cuidado porque el autor las haya seleccionado, sino que podríamos reconocer que nuestro placer y admiración puede depender de un ritmo de lectura variable. Si no veneráramos la obra literaria tanto, podríamos gozar de ella bastante más, y no hay camino más seguro para el goce de ese tipo que una crítica que intente volver explícitas las convenciones de la lectura y los costes y beneficios de aplicarlas a distintas obras.

Pero el placer no es el único valor a cuyo servicio podría estar un estudio estructuralista de la literatura. Es un concepto que hizo su aparición bastante tarde en las discusiones estructuralistas, como si sólo se pudiera ofrecer como valor, una vez que se ha defendido la posición en otros términos. La tesis básica sería la de que una crítica que estudia la producción del significado arroja luz sobre una de las actividades humanas más fundamentales, que se produce en el propio texto y en el encuentro del lector con el texto. El hombre no es simplemente *homo sapiens,* sino también *homo significans*: un ser que da sentido a las cosas. La literatura ofrece un ejemplo o imagen de la creación del significado, pero eso es sólo la mitad de su función. Como ficción, guarda una relación peculiar con el mundo; el lector es quien debe completar, reordenar, introducir los signos en el dominio de la experiencia. De ese modo, expone todos los rasgos desafortunados y todas las incertidumbres del signo e invita al lector a participar en la producción del significado para superarlos o por lo menos reconocerlos. La primera oración de una novela, por ejemplo, es algo muy extraño: «Emma Woodhouse, bella, inteligente, y rica, con un hogar cómodo y un carácter alegre, parecía reunir algunas de las mejores gracias de la vida; y en los casi veintiún años que había vivido en el mundo había conocido muy pocas aflicciones y disgustos.» Esta oración ofrece una imagen de confianza, de plenitud de significado y de organización; pero, al imsmo tiempo, está incompleta; el lector ha de hacer algo con ella, ha de reconocer la insuficiencia del lenguaje por sí solo, y ha de intentar introducirla dentro de un orden de signos para que pueda satisfacer. La literatura ofrece la mejor de las ocasiones para explorar las complejidades de orden y de significado.

El proyecto estructuralista o semiológico está regido por un doble imperativo, intelectual y moral. *Nous ne sommes rien d'autre, en dernière analyse, que notre système écriture/lecture,* escribe Sollers (*Logiques,* p. 248). En última instancia, no somos otra cosa que nuestro sistema de lectura y escritura. Nos leemos y entendemos a nosotros mismos a medida que seguimos las operaciones de nuestro entendimiento y, lo que es más importante, a medida que experimentamos los límites de dicho entendimiento. Conocerse a sí mismo es estudiar los procesos intersubjetivos de articulación e interpretación por los que surgimos como una parte del mundo. Quien no escribe, diría Sollers —quien no aborda activamente ese sistema ni trabaja sobre él—, se ve «escrito» por el sistema. Se convierte en el producto de una cultura que lo esquiva. Y así, como dice Barthes, «el problema ético fundamental es reconocer los signos donde quiera que estén; es decir, no confundir los signos con los fenómenos naturales y proclamarlos en lugar de ocultarlos» (*Une problématique du sens,* p. 20). El estructuralismo ha logrado revelar muchos signos; ahora su misión debe ser la de organizarse de forma más coherente para explicar cómo funcionan dichos signos. Ha de intentar formular las reglas de sistemas particulares de convenciones y no limitarse a afirmar su existencia. El modelo lingüístico, aplicado adecuadamente, puede indicar cómo proceder, pero no puede hacer mucho más. Ha ayudado a proporcionar una perspectiva, pero todavía entendemos muy poco nuestra forma de leer.

NOTAS

Capítulo 1. El fundamento lingüístico

1. C. Lévi-Strauss, *Anthropologie structurale*. El artículo se publicó por primera vez en *Word* en 1945.

2. *Cf.* N. C. W. Spence, «A hardy perennial: the problem of *la langue* and *la parole*».

3. Véase Lévi-Strauss, *op. cit.*, p. 306; y Dan Sperber, «Le structuralisme en anthropologie», pp. 222-3.

4. C. Hockett, *A Manual of Phonology,* p. 17. *Cf.* N. Chomsky, *Language and Mind* (Trad. esp.: *El lenguaje y el entendimiento,* Barcelona, Seix-Barral, 1971), p. 61; y M. Halle, «The strategy of phonemics», p. 198.

5. C. Lévi-Strauss, *Le Totémisme aujourd'hui,* p. 130. *Cf.* A. J. G. Greimas, *Sémantique structurale,* pp. 18-25.

6. Véase R. Barthes, *Mythologies,* pp. 193-247.

7. Véase M. Foucault, *Naissance de la clinique.*

8. Ludwig Wittgenstein, *Philosophical Investigations* (Oxford, 1963), p. 59.

9. C. Hockett, «A formal statement of morphemic analysis», p. 27. *Cf.* B. Bloch y G. L. Trager, *Outline of Linguistic Analysis,* p. 68; y N. Chomsky, «A Transformational Approach to Syntax», p. 212.

10. Véase N. Chomsky, *ibid.,* p. 221; C. Hockett, «Two models of grammatical description», pp. 223-4; y un análisis general del problema en Chomsky, *Current Issues in Linguistic Theory,* pp. 75-95.

11. M. Joos, *The English Verb* (Madison, Wisc., 1964), p. 3.

12. J. Kristeva, *Semiotikè,* p. 281; *cf.* p. 174.

13. Carl Hempel, «Fundamentals of Taxonomy», en *Aspects of Scientific Explanation* (Nueva York, 1965), pp. 137-54.

14. Véase J. Culler, «Phenomenology and structuralism».

15. Véase E. Donato, «Of structuralism and literature», p. 558; y J.-M. Benoist, «The end of structuralism», pp. 40-53.

16. M. Heidegger, *Der Satz vom Grund* (Pfullingen, 1957), p. 161.

17. Véase J. Lacan, *Ecrits,* pp. 93-100.

371

Capítulo 2. El desarrollo de un método: dos ejemplos

1. T. Todorov, «De la sémiologie à la rhétorique», p. 1323. *Cf.* J. Kristeva, *Semiotikè,* pp. 60-89.

2. Vol. 1: *Le Cru et le cuit;* vol. 2: *Du Miel aux cendres;* vol. 3: *L'Origine des manières de table;* vol. 4: *L'Homme nu.*

3. R. Poole, «Structures and materials», p. 21. *Cf.* Todorov, *op. cit.*

4. J. Viet, *Les Méthodes structuralistes dans les sciences sociales,* p. 78. Se refería al primer método de Lévi-Strauss.

5. J. A. Boon, *From Symbolism to Structuralism,* p. 97. Véase un comentario en mi recensión, *The Human Context* 5: 1 (1973).

6. C. Lévi-Strauss, *L'Origine des manières de table,* p. 160, y «Le sexe des astres», p. 1168.

7. Véase G. Genette, *Figures II,* pp. 101-22.

Capítulo 3. Los análisis poéticos de Jakobson

1. P. Valéry, *Oeuvres,* ed. Jean Hytier (París, 1957) I, p. 1440.

2. J. Mukarovsky, «Standard Language and Poetic Language», p. 19. El concepto deriva del formalismo ruso.

3. Véanse ejemplos en *Questions de poétique,* pp. 285-483; N. Ruwet, *Language, musique, poésie,* pp. 151-247; J. Geninasca, *Analyse structurale des* Chimères *de Nerval.* El ejemplo comentado es «Une microscopie du dernier Spleen dans les *Fleurs du Mal»,* de *Questions de poétique.*

4. Véase M. Grevisse, *Le Bon Usage,* 8.ª edición (París, 1964), p. 378.

5. J. Culler, «Jakobson and the linguistic analysis of literary texts», p. 56. La respuesta de Jakobson está en *Questions de poétique,* pp. 496-7.

6. L. Cellier, «Où en sont les recherches sur Gérard de Nerval», *Archives des lettres modernes* 3 (mayo de 1957), p. 24. *Cf.* Cellier, «Sur un vers des *Chimères»,* *Cahiers du Sud* 311 (1952).

Capítulo 4. Greimas y la semántica estructural

1. J. Katz y J. Fodor, «The Structure of a Semantic Theory», *Cf.* Katz, «Semi-Sentences».

2. El mejor análisis, aunque no menciona los problemas literarios, es el de E. U. Grosse, «Zur Neuorientierung der Semantik bei Greimas». La recensión de J.-C. Coquet, «Questions de sémantique structurale», no es crítica. Véase también la recensión de Stephen Ullmann en *Lingua,* 18 (1967).

3. Pero véase C. Zilberberg, «Un essai de lecture de Rimbaud»; J.-C. Coquet, «Combinaison et transformation en poésie», y «Problèmes de l'analyse structurale du récit. *L'Etranger* d'Albert Camus».

4. Véase C. J. Fillmore, «The Case for Case»; J. M. Anderson, «Er-

gative and nominative in English», *Journal of Linguistics*, 4 (1968); y M. A. K. Halliday, «Notes on transitivity and theme in English», *ibid.*, 3 (1967) y 4 (1968).

5. Véase T. A. Dijk, «Some problems of generative poetics»; I. Bellert, «On a condition of the coherence of texts»; L. Lonzi, «Anaphore et récit»; y W. Kummer, «Outlines of a model for a grammar of discourse», *Poetics*, 3 (1972).

6. Véase J.-P. Richard, *L'Univers imaginaire de Mallarmé* (París, 1961); y *Paysage de Chateaubriand* (París, 1967).

7. F. Rastier, «Systématique des isotopies», p. 96. Identifica correctamente el fin, pero no lo alcanza.

8. T. A. van Dijk, «Sémantique structurale et analyse thématique», p. 41. *Cf.* P. Madsen, «Poétiques de contradictions».

9. A. J. Greimas, *Essais de sémiotique poétique*, p. 19. Desgraciadamente, Greimas no analiza este problema.

Capítulo 5. Las metáforas lingüísticas en la crítica

1. J.-P. Richard, *Poésie et profondeur* (París, 1955), p. 9; J. Starobinski, «Remarques sur le structuralisme», p. 277.

2. Véase su contribución a *Structuralism: An Introduction,* ed. Robey.

3. M. Proust, *A la recherche du temps perdu,* ed. Clarac y Ferré (París, 1954), I, p. 855.

4. J. L. Austin, «Performative-Constative», en *Philosophy and Ordinary Language,* ed. C. Caton (Urbana, Ill., 1963). *Cf.* E. Benveniste, *Problèmes de linguistique générale,* pp. 269-76.

Capítulo 6. La competencia literaria

1. Harold Bloom, *The Visionary Company* (Nueva York, 1961), p. 42.
2. *Ibid.*
3. P. Valéry, *Oeuvres,* II, pp. 629 y I, pp. 1439-41.
4. Ludwig Wittgenstein, *Philosophical Investigations,* p. 59.
5. Véase N. Chomsky, *Aspects of the Theory of Syntax,* p. 19.
6. L. Wittgenstein, *op. cit.,* p. 144.

Capítulo 7. Convención y naturalización

1. A. Thibaudet, *Physiologie de la critique* (París, 1930), p. 141.
2. J. Derrida, *De la grammatologie* p. 23. *Cf. La Voix et le phénomène, passim.*
3. Platón, *Fedro. Cf.* J. Derrida, «La pharmacie de Platon», en *La Dissémination.*

4. Mme. de Lafayette, «La Comtesse de Tende», en *Romans et nouvelles*, ed. E. Magne (París, 1961), p. 410.

5. Domairon, *Rhétorique française,* citado por G. Genette, *Figures,* p. 206.

6. Véase Genette, *op. cit.,* pp. 205-21; M. Foucault, *Les Mots et les choses,* pp. 57-136; y J. Culler, «Paradox and the language of morals in La Rochefoucauld».

7. G. Genot, «L'écriture libératrice», p. 52. *Cf.* J. Kristeva, *Semiotikè,* pp. 211-16.

8. Ludwig Wittgenstein, *Tractatus Logicus-Philosophicus* (Londres, 1961).

9. S. Heath, «Structuration of the Novel-Text», p. 74. *Cf. The Nouveau Roman,* p. 21.

10. M. Proust, *A la recherche du temps perdu,* II, p. 406.

11. J. P. Stern, *On Realism* (Londres, 1973), p. 121.

12. *Cf.* F. Jameson, «La Cousine Bette and allegorical realism», p. 244.

13. Véase J. Culler, *Flaubert: The Uses of Uncertainty,* capítulo II, sección e.

14. Véase T. Kavanagh, *The Vacant Mirror, passim.*

15. Agatha Christie, *The Body in the Library,* cap. I.

16. W. Empson, *Some Versions of Pastoral* (Hammondsworth, 1966), p. 52.

17. Véase S. Heath, *The Nouveau Roman, passim;* y Kristeva, *op. cit.,* pp. 174-371.

18. *Parodies,* ed. D. Macdonald (Londres, 1964), p. 218.

19. Véase B. Tomashevsky, «Thematics», pp. 78-92.

Capítulo 8. Poética de la lírica

1. Véase G. Genette, *Figures II,* pp. 150-1.

2. Ludwig Wittgenstein, *Zettel* (Oxford, 1967), p. 28.

3. Robert Graves, *The Common Asphodel* (Londres, 1949), p. 8.

4. Véase R. Jakobson, «Shifters, Verbal Categories, and the Russian verb», en *Selected Writings,* II, pp. 130-47; E. Benveniste, *Problèmes de linguistique générale,* pp. 225-66, y J. Lyons, *Introduction to Theoretical Linguistics* pp. 275-81.

5. Véase M. A. K. Halliday, «Descriptive Linguistics in Literary Studies», pp. 57-9.

6. John Ashbery, *The Tennnis Court Oath* (Middletown, Conn., 1962), p. 13.

7. John Ashbery, *Rivers and Mountains* (Nueva York, 1967), p. 39.

8. J. C. Ransom, «Art worries the naturalists», *Kenyon Review,* 7 (1945), pp. 294-5.

9. Kurt Koffka, *Principles of Gestalt Psychology* (Nueva York, 1935), p. 110.

10. E. H. Gombrich, *Art and Illusion* (Londres, 1959).

11. Véase William Carlos Williams, *Collected Earlier Poems* (Norfolk, Conn., 1951), p. 354.

12. J. Cohen, *Structure du langage poétique,* pp. 165-82. Naturalmente, lo mismo es aplicable a otros tipos de paralelismo poético.

13. Véase P. de Man, *Blindness and Insight,* p. 185.

14. Véase W. K. Wimsatt, *The Verbal Icon* (Lexington, Ky, 1954), pp. 98-100.

15. Véase J. Culler, «Paradox and the language of morals in La Rochefoucault».

16. Véase C. Brooke-Rose, *A Grammar of Mataphor,* pp. 146-205.

17. R. Barthes, *Le Degré zéro de l'écriture,* p. 37. Véase el pasaje de Mallarmé, «Quant au livre», citado en el capítulo 10.

18. Gabriel Pearson, «Lowell's Marble Meanings», en *The Survival of Poetry,* ed. M. Dodsworth (Londres, 1970), p. 74. Véase V. Forrest-Thompson, «Levels in poetic convention».

19. El mejor análisis de la convención y la naturalización en poesía es V. Forrest-Thompson, *Poetic Artifice.*

20. Donald Davie, «Syntax as Music in Paradise Lost», en *The Living Milton,* ed. F. Kermode (Londres, 1960), p. 73. *Cf.* Christopher Ricks, *Milton's Grand Style* (Oxford, 1963).

21. I. Fónagy, *Die Metaphern in der Phonetik* (La Haya, 1963). *Cf.* T. Todorov, «Le sens des sons».

22. G. Hartman, *The Unmediated Vision* (Nueva York, 1966), p. 103.

23. Véase H. Kenner, «Some Post-Symbolist Structures», p. 392.

24. D. Davie, *Purity of Diction in English Verse* (Londres, 1967), p. 137.

25. Tristan Tzara, *40 chansons et déchansons* (Montpellier, 1972), número 5.

Capítulo 9. Poética de la novela

1. Véase S. Heath, *The Nouveau Roman,* pp. 187-8.

2. J. Ricardou, *Problèmes du nouveau roman,* p. 25. *Cf.* Heath, *op. cit.,* pp. 146-9.

3. R. Barthes, «Ce qu'il advient au signifiant», prefacio a Pierre Guyotat, *Eden, Eden, Eden* (París, 1970), p. 9.

4. R. Barthes, «Introduction à l'analyse structurale des récits», p. 919. *Cf.* G. Prince, «Introduction à l'étude du narrataire».

5. B. Morrissette, *Les Romans de Robbe-Grillet* (París, 1963). *Cf.* Heath, *op. cit.,* pp. 118-21.

6. R. J. Sherrington, *Three Novels by Flaubert* (Oxford, 1970), p. 83. *Cf.* J. Culler, *Flaubert,* II, sección c.

7. C. Lévi-Strauss, «L'analyse morphologique des contes russes» y A. J. Greimas, *Du sens,* p. 187.

8. J. Rutherford, «The Structure of Narrative» (manuscrito inédito), Queen's College, Oxford.

9. C. Bremond, «Observations sur la *Grammaire du Décaméron*», p. 207. Todorov acepta esta observación.

10. S. Chatman, «New ways of analysing narrative structure», p. 6. Chatman distingue efectivamente entre «núcleos implícitos» y «núcleos explícitos». Véase otro análisis en J. Culler, «Defining Narrative Units».

11. W. B. Gallie, *Philosophy and Historical Understanding* (Londres, 1964), p. 26, y pp. 22-50 *passim*.

12. C. Lévi-Strauss, «Le triangle culinaire»; *Le Cru et le cuit*, p. 344; y *L'Origine des manières de table*, p. 249.

13. Coleridge, *Miscellaneous Criticism*, ed. T. Raysor (Londres, 1936), p. 30.

14. Véase J. Culler, *Flaubert*, cap. III, sección c; y P. de Man, «The Rhetoric of Temporality», en *Interpretation: Theory and Practice*, ed. C. Singleton (Baltimore, 1969), pp. 173-209.

15. *Cf*. J. Culler, *Flaubert*, cap. II, secciones d y e.

16. Barthes, «Introduction à l'analyse structurale des récits», p. 16. *Cf*. T. Todorov, *Grammaire du Décaméron*, pp. 27-30.

17. T. Todorov, *Littérature et signification*, pp. 58-64. *Cf*. S. Chatman, «On the formalist-structuralist theory of character».

18. S. Chatman, «The structure of fiction», p. 212. *Cf*. C. Bremond, *Logique du récit, passim*.

Capítulo 10. Más allá del estructuralismo: Tel Quel

1. S. Mallarmé, «Quant au livre», *Oeuvres complètes*, ed. Mondor y Jean-Aubry (París, 1945), p. 386.

2. Ludwig Wittgenstein, *Philosophical Investigations*, p. 18.

3. Véase J. Starobinski, *Les Mots sous les mots: les anagrammes de Ferdinand de Saussure*.

4. J. Kristeva, *Semiotikè*, p. 293. *Cf*. «Linguistique et littérature» (Coloquio de Cluny), pp. 69-71.

Capítulo 11. Conclusión: el estructuralismo y las características de la literatura

1. Véase F. de Saussure, *Cours*, p. 43.

2. R. Barthes, *Le Plaisir du texte*, p. 94. Véase un esbozo de las variedades (neurosis) de la lectura en pp. 99-100.

INDICE

TERCERA PARTE
PERSPECTIVAS

Capítulo 10
«Más allá» del estructuralismo: Tel Quel . . . .

Capítulo 11
Conclusión: el estructuralismo y las características de la

COLECCIÓN ARGUMENTOS

En preparación:

Sigmund Freud
Escritos sobre la cocaína

Pierre Legendre
El amor del censor.
Ensayo sobre el orden dogmático

Richard Ellman
James Joyce

Este libro se terminó de imprimir
en el mes de marzo de 1979
en Gráficas Diamante
Zamora, 83, Barcelona - 18